TOT NA DE RECLAME

Anita Notaro

Tot na de reclame

SIJTHOFF

Voor meer informatie: kijk op **www.boekenwereld.com**

Oorspronkelijke titel: *Back after the Break*
Vertaling: Frans van Delft
Omslagontwerp: Annemarie van Pruyssen
Omslagfotografie: Getty Images

ISBN 90 245 5021 1
NUR 343

Voor Gerry McGuinness.
Het is onbegrijpelijk dat ik zo veel geluk heb gehad.

Woord van dank

Dit is mijn eerste roman en de verleiding is groot om iedereen die ik ken te bedanken en alle overige lezers te vervelen – dat doe ik dus niet. Wél wil ik het volgende kwijt.

Patricia Scanlan is een engel. Ik heb haar toevallig ontmoet tijdens de millenniumwisseling en vanaf toen heeft ze me aangemoedigd en gesteund. Dit boek zou er zonder haar niet zijn geweest. Bovendien zijn we nu vriendinnen.

Mijn familie is me heel dierbaar – mijn moeder, Teresa, weet hoeveel ik van haar hou. Mijn zussen Madeleine, Lorraine en Jean hebben me door de jaren heen genoeg materiaal verschaft voor nog vele boeken, maar ik heb moeten beloven dat ik mijn mond hou!!! Verder noem ik nog Jill, Marc, Emma, Jack, Jenny, Joshua, Caroline en Andrew.

Ik verkeer in de gelukkige omstandigheid een paar heel goede vrienden te hebben en Dearbhla Walsh, Ursula Courtney, Caroline Henry en Deirdre McCourt hebben me in mijn ups en downs bijgestaan. Net als Dave Fanning.

Bijzondere dank gaat uit naar mijn redacteur, Francesca Liversidge, die mijn droom heeft waargemaakt. Iedereen bij Bantam is professioneel en heel aardig voor me geweest, met name Sadie Mayne. Dank ook aan Declan Heeney en Gill Hess.

Marianne Gunn O'Connor is mijn agente, een inspirerend en rustig mens – precies wat een schrijver nodig heeft.

RTE-television heeft een belangrijke rol in mijn leven gespeeld en ik wens al mijn vrienden en collega's daar het allerbeste – vooral het team van Fair City. Wees gerust: jullie komen geen van allen in dit verhaal voor.

Tot slot wens ik Gerry – de meest getalenteerde man die ik ken – alle liefs toe en bedank ik hem duizendmaal.

Ik hoop dat u van dit boek zult genieten, het is me heel dierbaar.

1

Die nacht was ze geplaagd door spoken, herinneringen en te veel alcohol. De verkrampte positie van haar lichaam verried de onrust die ze had doorgemaakt in de uren waarop ze juist had moeten uitrusten. Ze lag schuin over het grote antieke sledebed in de doorgaans opgeruimde Victoriaanse slaapkamer, midden in de chaos. Praktisch al haar beddengoed lag op de grond, zelfs haar gekoesterde crèmekleurige dekbed was ten prooi gevallen aan de rotzooi en hing nu aan de bedstijl. Haar lange bruine benen leken ontwricht en haar altijd zo glanzende donkerbruine haar was dof en in de war geraakt door al het gewoel tijdens de zwaarste nacht die Lindsay Davidson ooit in haar leven had meegemaakt. Soms speelt het brein een wreed spel en het spaarde deze vrouw van vierendertig niet, toen ze nog lag te genieten van haar laatste seconden buiten bewustzijn. Ze opende haar ogen en een paar heerlijke seconden lang was alles nog precies zoals het de afgelopen twee jaar was geweest, sinds ze Paul had ontmoet en halsoverkop verliefd op hem was geworden. Ze vocht tegen de realiteit.

Ze draaide zich om, strekte zich uit, probeerde na te gaan wat er was gebeurd en in een flits kwam alles terug. Het was alsof een mes haar doormidden sneed. De pijn die ze voelde, was zo hevig dat ze bijna bezweek. Ze ging rechtop zitten. De realiteit had gewonnen. De man van wie ze zielsveel hield, meer dan ze voor mogelijk had gehouden, bedroog haar al langer dan een jaar. Buiten toeterde een auto en in de verte blafte een hond terwijl de stad tot leven kwam.

Dit overkomt me niet, dacht ze in paniek. Mijn god, nee, over twee maanden ga ik trouwen.

Niet waar, fluisterde een beheerste, dreigende stem, hij trouwt met een ander.

Lindsay probeerde te gillen, maar het geluid verstomde voordat het haar kon opluchten. Ze dacht terug aan de dag dat haar va-

der overleed. Ontroostbaar was ze toen ze het te horen kreeg, er moest een dokter aan te pas komen om haar een kalmerend middel toe te dienen, en toen ze veertien uur daarna bijkwam, was de pijn onverdraaglijk op het moment dat het besef tot haar doordrong.
Dit was veel erger, dacht ze woest, want Paul was springlevend en verliefd op een ander en dit was Dublin dus iedereen wist het. Ze voelde dat ze dringend naar de wc moest. Terwijl ze zich in haar badjas hees, ging de telefoon en veranderde ze automatisch van koers, de hal in stormend op het moment dat het antwoordapparaat in werking trad.
O god, alstublieft, laat hij het zijn. Misschien was het een grap, misschien was hij dronken of waanzinnig. Ik doe alles, als het maar niet waar is. Ze stond te wachten, ervan overtuigd en daardoor rustiger dat die verrukkelijke, warme stem, die haar altijd deed denken aan een vol glas romige Baileys met ijs, zou opklinken en zoals gewoonlijk zou zeggen 'Dag schat, met mij'.
In plaats daarvan stelde een hoge, ongeduldige en duidelijk geïrriteerde vrouwenstem een ultimatum. 'Dit is een boodschap voor Lindsay Davidson. Met Hilda Cullen, afdeling Personeelszaken van Channel 6. U heeft nog steeds onze afspraak niet bevestigd van halftwaalf vandaag zoals overeengekomen in onze brief van de zestiende. Bel ons alstublieft onmiddellijk terug...'
Deze kans mocht ze niet laten schieten, haar eerste stap naar de baan van haar dromen. En vandaag was het zover. Zweetdruppels vielen op de vloer in het hoekje van de felgele hal en ze snikte om de onrechtvaardigheid van alles.

Twee uur en twee liter water verder besefte Lindsay dat ze er redelijk toonbaar uitzag, al voelde ze zich als zo'n vreemde robotachtige pop waar haar kleine neefjes mee speelden. Buzz Lightyear, zo heette er een. Ze moest zich verbijten toen ze het korte stukje reed naar de studio van Channel 6, en terugdacht aan die keer dat ze met Paul in New York kerstinkopen deed en uren met hem had gezocht naar zo'n pop voor haar vierjarige neefje Jake, die er maar over door was blijven zeuren. Haar zus Anne was ten einde raad omdat ze er in Dublin nergens een kon vinden en ze had Lindsay gesmeekt of ze er een voor haar wilde meenemen.

Wat hadden ze een lol, omdat ze geen idee hadden waar ze precies naar zochten, en wat voelden ze zich opgelaten toen ze in elke winkel met een namaak New Yorks accent om Buzz Lightyear vroegen en daar de slappe lach van kregen, *high* van het leven, de liefde en de champagne. 'To infinity and beyond,' die bekende uitspraak gaf precies weer hoe ze zich die dag voelde.
Ze bekeek zichzelf nog eens goed in de achteruitkijkspiegel en dacht dat als ze hier doorheen zou komen, alles mogelijk was. Haar huid zag eruit als goed doorknede stopverf. Geen hoeveelheid van haar favoriete vochtinbrengende crème van Clinique haalde iets uit tegen de ramp die zich die nacht aan haar huid had voltrokken, ook al had ze zorgvuldig een camouflagestick gebruikt en foundation aangebracht, en daarna nog bronzing powder en rouge en wat ze verder nog in haar make-uptas kon vinden. Ze keek lusteloos naar haar blauwgrijze ogen; haar lange, dikke wimpers overschaduwden haar toch al zware wallen. Haar roombruine lippenstift gaf haar tenminste nog wat kleur, bedacht ze, hoewel ze geen tijd had om op te merken dat die hooguit de grauwheid van haar huid accentueerde.
Ze was zich niet bewust van haar opvallende verschijning toen ze uit haar auto stapte, een lange, sensuele vrouw in een lange zwarte kokerrok en een op maat gesneden wollen jasje over een koraalrood hemdje. Haar donkere haar was streng naar achteren getrokken omdat ze niet wist wat ze er mee aan moest, nadat ze twintig minuten onder een ijskoude douche had gestaan om weer wat gevoel te krijgen in haar zware, zweterige, verdoofde lijf. Ze zag er zelfverzekerd en prachtig uit, maar ook een beetje verdrietig en verloren, dacht Chris Keating, een van de nieuwste tv-sterren bij deze zender, toen hij voorbij de slagboom reed en in zijn zijspiegel een glimp opving van haar kordate tred, waarna hij zijn auto uitstapte en de intrigerende vrouw vergat om zich te haasten naar de studio waar een nieuwe aflevering van zijn middagprogramma zou worden opgenomen.
Voorzichtig stapte Lindsay het gebouw binnen van het Opleidingscentrum voor Televisie, waar ze zich aanmeldde en ging zitten wachten. Nu pas begreep ze hoe Alice zich in Wonderland moest hebben gevoeld. Voor een buitenstaander was het betoverend, hoe de wereld van de showbizz zich voor haar ontvouwde

en haar bijna de adem afsneed met zijn bedwelmende mix van kleuren, vitaliteit, onechtheid en onversneden glamour.
Ze zag die aantrekkelijke radiopresentator, die met zijn grote donkere ogen nog knapper was dan op de foto's, en keek eerbiedig toe hoe de bekende nieuwslezeres Maria Devlin voorbij schreed terwijl ze hardop het nieuws voorlas, zonder oog voor haar omgeving. Ze glimlachte en zei hallo tegen een actrice uit een bekende soap en bloosde diep omdat ze haar natuurlijk alleen maar van tv kende, en ze keek gefascineerd naar een kleine, dikke man en lange slanke vrouw die verwikkeld waren in een verhit debat over het draaiboek van het nieuwsbulletin, terwijl ze even later haar lach inhield om het kind dat haar moeder schopte omdat ze de twee beroemdste poppen van deze zender niet te zien kreeg. De getergde vrouw probeerde de receptioniste uit te leggen dat ze er helemaal voor uit het westen van Ierland waren gekomen en dat haar dochter die dag zes jaar werd. Het is duidelijk dat dit kind altijd haar zin krijgt, dacht Lindsay. Ze verbaasde zich over het geduld van het meisje achter de receptie, dat vriendelijk het gillende wicht uitlegde dat haar idolen altijd een dutje deden voor het middagprogramma.
Het sollicitatiegesprek was een nachtmerrie. Drie mannen en twee vrouwen stelden haar vragen, langer dan een uur, overspringend van Engels naar Iers – ze was vergeten dat je Iers moest beheersen als je in Ierland voor de televisie wilde werken. Als ballen in een flipperkast werden de vragen op haar afgevuurd, springend van politiek naar religie, van sport naar muziek. Ze lieten zelfs plaatjes zien van bekende Ierse kunstwerken en vroegen haar de schilder en de periode te noemen.
Jezus, dacht ze woest, zien ze dan niet dat ik me nauwelijks op dit soort dingen kan concentreren. Even kon ze zich niet voorstellen waarom een productieassistent – want dat was de functie waarnaar ze solliciteerde – dit allemaal moest weten. Later begreep ze dat ze haar algemene kennis testten om te kijken hoe breed het scala aan programma's was waarvoor ze zou kunnen worden ingezet.
Ze bleven lang stilstaan bij haar carrière als binnenhuisarchitecte en waarom ze in dit stadium van baan wilde veranderen, maar hier was Lindsay wel op voorbereid. Ze legde uit dat ze alles wel

gedaan had wat ze kon voor het grote bedrijf waar ze werkte, en dat ze had besloten om niet voor zichzelf te beginnen.
'Waarom niet? Zie je op tegen de stress en het vele werk dat daarbij hoort?' Een van de mannen was nogal op haar gebeten.
'Helemaal niet, ik hou van hard werken. Maar ik functioneer beter in een team en dat is een van de redenen waarom deze baan me interesseert. Ook denk ik dat ik nú de overstap moet maken en mijn vaardigheden hier moet laten zien, vooral op gebieden als design en verlichting.'
'Vind je jezelf creatief?'
'Betekent de overstap naar televisie geen forse inkomstendaling?'
'Zie je op tegen overwerk en werken in de weekends?'
Zo ging dat maar door, terwijl haar hart steeds sneller klopte, haar mond uitdroogde en haar tong aanvoelde als schuurpapier. Plotseling, net toen ze begon te hopen dat ze ermee gingen ophouden – haar ruggengraat was zo flexibel als een lantaarnpaal – nam de vermoeide, slanke vrouw met de dunne lippen het woord en vroeg: 'Wie is je lievelingsdichter?'
'Yeats,' antwoordde ze meteen. Haar hersens hadden ongevraagd ingezoomd op deze dichter, waar ze jarenlang dol op was geweest, vanaf de eerste regels die haar vader haar als kind had voorgelezen.
'Misschien kun je een paar van je favoriete dichtregels voordragen,' vroegen de dunne lippen weer, gemaakt glimlachend, in de hoop dat ze door de mand zou vallen.
Lindsays hersens functioneerden volautomatisch, wat ze wel vaker deden, wist ze, wanneer ze helemaal in paniek was. Hoewel ze normaliter ongeveer twintig gedichten paraat had, schoot haar nu slechts één titel te binnen: 'Never Give all the Heart'.
Jammer dat ze dit advies zelf niet had opgevolgd. Haar stem klonk ijl en licht hysterisch toen ze met moeite de woorden uitsprak zonder daarbij te huilen. Meteen al na de laatste regel vroeg ze zich af of ze straks de uitgang wel zou halen zonder door haar knieën te zakken. Lieve God, smeekte ze, laat dit zo snel mogelijk voorbij zijn.
De man met de vriendelijke ogen van Personeelszaken keek kort de anderen aan, alsof hij wist wat er aan de hand was. 'Volgens mij zijn we nu klaar.' Hij glimlachte naar haar. 'Je zult wel moe

zijn. Over een weekje krijg je bericht. Ik zeg je alvast dat we enkele honderden reacties hebben ontvangen. Helaas hebben we maar acht vacatures te bieden aan geschikte kandidaten, en die moeten daarna eerst een training van drie maanden volgen voordat ze kunnen beginnen.'
Alles ontging haar, maar toch stond ze werktuiglijk op en redde ze het met een stralende glimlach tot aan de deur, waarna ze naar haar auto strompelde, een schim van de zelfverzekerde, prachtige vrouw die amper twee uur daarvoor nog door Chris Keating werd bewonderd.

2

Twee ingehouden, aarzelende, afgebroken telefoontjes. Twee verwarde, boze, ongelovige vriendinnen die haar onmiddellijk omwikkelden in een zachte roze cocon. Ze praatten eindeloos, dronken wijn en alles wat ze maar in huis konden vinden, smeedden plannen, spraken elkaar tegen, probeerden na te denken, maar bovenal luisterden ze.
Zíj raasde en tierde, met ogen als gloeiende kolen, het ene moment in de wolken, dan weer diep in de put. Haar vriendinnen huilden en lachten met haar mee, troostten haar of gaven haar complimentjes, dachten na over wat ze verder moest doen, maar leefden vooral met haar mee zoals alleen vriendinnen dat kunnen.
'Wat een schoft.'
'Weet ik.'
'Hoe kon hij mij dit aandoen?'
'Geen idee, maar je hebt het niet verdiend.'
'Ik hou zoveel van hem.'
'Maak je niet druk, dat gaat wel over.'
'Ik kan niet zonder hem.'
'Dat kun je wel, we zullen je helpen.'
'Ik wil hem nooit meer zien.'
'Wacht maar, hij komt terug.'
Zo ging dat door, uitentreuren en driemaal in de rondte, als een

dolgedraaide kermisattractie, en toch kon ze er maar niet over ophouden. Alsof hij, zolang ze maar over hem bleef praten, nog deel uitmaakte van haar leven, al deed hij dat duidelijk niet meer. Haar vriendinnen hadden niet één keer gegaapt en noch Debbies zachte bruine ogen, noch Tara's sprankelende blauwe kijkers keken ook maar een moment glazig, al kwam ze voor de honderdste keer op het idee om hem te bellen.
'Weet je wat? Ik moet met hem praten.'
'Zeker weten?'
'Absoluut. Ik stuur een mailtje.'
'Oké. Maar wat wil je zeggen?'
'Nee, ik laat een boodschap achter op zijn voice-mail.'
'Goed, maar dan wel eerst oefenen.'
Ze omringden haar met al hun zorg en toch zou ieder van hen zelf heel anders met deze situatie zijn omgegaan.
De lange, lijzige, wilde en mooie Debbie, vanbuiten keihard, maar vanbinnen zacht als dons, zou het liefst op hem afstappen om hem op zijn bek te slaan, terwijl Tara met haar grote sexy mond, haar weelderige blonde haardos en ranke poppenlijfje op een heel andere manier wraak zou nemen. Ze vormden een bijzondere combinatie, deze drie sterke, kwetsbare vrouwen. Met zijn drieën hadden ze genoeg liefdeservaringen om de hele afdeling zelfhulpboeken van Waterstone's te vullen, en dat reservoir werd nu aangesproken.
'Bel hem op en vertel hem ongezouten wat je van hem denkt, dat hij er spijt van zal krijgen, en hang dan gewoon op.'
'Laten we uitzoeken waar hij zaterdagavond heen gaat en dan kom jij binnen met een ontzettend lekker ding.' Waar ze zo snel zo'n lekker ding vandaan moesten halen, wisten ze zo gauw niet.
'Als we nu eens een mannenstem op je antwoordapparaat zetten, zodat hij woest wordt als hij je belt?' Was het niet duidelijk dat hij in dit stadium helemaal niet zou bellen?
'Weet je wat, Tara en ik gaan naar zijn huis en laten midden in de nacht zijn banden leeglopen, dat zal ons allemaal flink opluchten' – het feit negerend dat hij momenteel in Engeland zat!
Ze bleven urenlang bij haar, dag en nacht, en als haar vriendinnen naar huis waren gegaan om te douchen of schone kleren aan te trekken, belde zij hen weer op om opnieuw te razen en te tieren.

Vervolgens kwamen zij weer aanzetten met cake en chocolade en nog meer drank, en luisterden ze geduldig naar haar nieuwste plannen om hem terug te krijgen, alsof ze die nog niet hadden gehoord. Charlie, haar lieve golden retriever, gaapte al als hij hen zag aankomen, want hij wist inmiddels dat er toch geen strandwandeling voor hem inzat. Hij ging liggen op het kleedje voor het Aga-fornuis, verschoof zich soms alleen maar om zich tegen Lindsay aan te schurken en elk stukje van haar onbedekte huid te likken. Hij had geen idee wat er aan de hand was, al herkende hij de zoute smaak van een nat gezicht, dat hij telkens weer nauwgezet droog likte. Lindsay was gek op haar hond en Debbie fantaseerde graag dat Charlie daar uitgestrekt lag te bedenken hoe hij een groot mals stuk zou bijten uit de klootzak die zijn geliefde vrouwtje had veranderd in een kwijlende massa slijmerige gelei.
Lindsay zag er gebroken uit en ze wilden haar maar wat graag afleiding bieden.
'Laten we een meidenavond organiseren: met gezichtsmaskers, warme conditioner-olie, en dan uitgebreid badderen met van die heerlijke badparels en een flink glas gekoelde Sancerre. Jij mag eerst.'
'Dit is dé gelegenheid om die avondcursus timmeren te gaan doen, ontmoeten we misschien nog leuke mannen. Oké, laat dat laatste maar zitten' (toen Lindsay begon te huilen en Tara haar een vernietigende blik toewierp). Zelfs Charlie kon een slecht idee meteen als zodanig herkennen.
'We gaan de stad in en kopen bij Platform een spetterende zwarte jurk, wij trakteren.'
Niets werkte, want het enige dat Lindsay voelde was een groot zwart gat dat haar opzoog en deed tollen. Gedachten aan winkelen of andere leuke bezigheden deden haar pijn. Toen haar vriendinnen 's avonds laat eindelijk waren vertrokken, plofte ze met kleren en al aan op bed neer. Een paar uur later, toen de alcohol was uitgewerkt, werd ze weer wakker. Ze ijsbeerde door de kamer, belde zijn nummer, hing op, vloekte, belde en hing weer op, kuste zijn portret, schopte tegen zijn cadeautjes aan en boog huilend voorover totdat ze met Charlie op de bank in slaap viel, de een hopend op een fijne ochtendwandeling, de ander dat het nooit meer ochtend werd.

Debbie en Tara hadden een schema opgesteld. Tara was advocaat en moest 's ochtends vroeg opstaan. Meteen na haar douche en vruchtensapje belde ze Lindsay op. Het is beter dat ze vroeg opstaat, dacht ze, dan heeft ze geen tijd om te tobben. Zelf had ze het ook meegemaakt, hoewel onder geheel andere omstandigheden. Zelfs nu nog, jaren later, huiverde ze bij de gedachte aan wat haar vriendin nu doormaakte. Lieve hemel, op de een of andere manier krijgt ze haar genoegdoening wel, dacht ze terwijl ze haar fruitcocktail klaarmaakte, daar nog wat tarwekiem en ginseng in strooide en toen de inhoud van de blender terugbracht tot een paar centimeter. Ze nam een slok en trok een grimas. Gezond was dit wel, maar ze wist niet zeker of ze het er voor over had. Ze kon echter wel wat extra vitaminen gebruiken deze ochtenden, om alle alcoholische leverschade te herstellen.
Ach ja, dacht ze, toen ze twee aspirientjes wegslikte in de hoop dat ze van die nare hoofdpijn werd verlost, we zullen straks genoeg tijd hebben voor een gezondheidskuur. Maar als Lindsay koppig nog een jaar lang elke avond dronken wil worden, zouden zij en Debs haar tot aan het bittere eind bijstaan. Ze pakte de draadloze telefoon en toetste het nummer van haar vriendin in; ze hoorde niet dat Lindsay, die wist dat Tara een echte tobber was, deed alsof ze allang wakker was.

3

Nadat Tara alle nieuwe gedachten en plannen had aangehoord die Lindsay vanaf twee uur die nacht had gehad, hing ze op en belde ze Debbie.
'Debs, geen verandering, kun je deze ochtend? Vandaag heeft ze het er extra moeilijk mee.'
In haar half vrijstaande huisje met twee slaapkamers op South Circular Road voelde Debbie haar maag samentrekken. 'Natuurlijk, ik heb vrij vandaag.'
'Ik heb zelf trouwens ook nog wel een gaatje vandaag, dus als jij wat lekkere boodschappen doet, haal ik je later op,' regelde Ta-

ra snel. Kort daarna hingen ze op. Ze hadden elkaar in die periode weinig te vertellen, ze communiceerden in het steno van vriendinnen die elkaar al heel lang kennen en geen tijd hoeven te verspillen aan formaliteiten.
Debbie, die niet hoefde te doen alsof ze goed geslapen had toen Tara opbelde, sprong uit bed en ging meteen onder de douche staan. Lang geleden had ze eens besloten dat ze allergisch was voor ochtenden, dus dit was haar enige optie, anders zou ze binnen tien seconden weer in slaap vallen. O god, ze zag er niet al te gezond uit, maar vergeleken bij haar beste vriendin leek ze wel op Liz Hurley. Ze had een grappig gezicht, zei iedereen altijd, met een bos roodbruine krullen en ogen in de kleur van goede koffie, vol en romig. Ze vond zichzelf een beetje te dik – ze had echt heupen om een kind te baren, zei haar moeder vaak. Goed doorvoed, placht oom Mike te zeggen. Mollig, luidde de kwalificatie van haar zus.
Ze werkte als stewardess bij Aer Lingus en hield van haar werk, vooral omdat ze goed met mensen kon omgaan en graag problemen oploste. Elke dag was ze van plan te beginnen met een zelfgemaakte vruchtensap, maar zoals gebruikelijk trok ze haar joggingbroek aan en een T-shirt en nam ze bij broodjeszaak Bretzel bagels en een croissantje. Ze zou er nu maar eentje nemen met roomkaas en de rest bewaren voor Lindsay, nadat ze de rommel in huis wat had opgeruimd.
Ze haalde van alles uit de rekken waarmee ze haar vriendin maar enigszins kon verleiden. Verse jus d'orange, aardbeien, bioyoghurt, rijstkoeken, wat ze maar lekker vond, al besefte ze dat Charlie moddervet was van de snacks en Lindsay elke dag weer magerder leek. Het was nu bijna een week geleden en Debbie had het gevoel alsof de tijd had stilgestaan. Het was alsof ze met zijn drieën opgesloten hadden gezeten op de Intensive Care afdeling in een geïsoleerde kamer met het bordje: 'Gebrokenhartbewaking – stilte alstublieft, geen bezoekers' op de deur. Ze begreep niet hoe iemand met opzet haar vriendin zo had kunnen kwetsen en ze wilde niet eens weten wat ze zou roepen als ze die klootzak nog eens zou ontmoeten.

Meteen toen Lindsay op vrijdagochtend haar ogen open deed,

wist ze dat ze iets moest doen. Precies een week geleden was haar wereld ingestort en hoewel ze maar wat graag de moed zou hebben om drastische dingen te doen, wist ze dat ze daarvoor het lef niet had. Het werd dus tijd om stapje voor stapje de draad weer op te pakken. Dat was ze op zijn minst aan haar vriendinnen verschuldigd. Al dat gejank, dat niet willen eten en dat gezuip was zinloos, haar vriendinnen moesten daar onderhand genoeg van hebben.

Ze worstelde zich uit bed, plensde koud water in haar gezicht en poetste haar tanden. Iemand heeft vannacht voor de grap twee ronde kabouterwangetjes op mijn gezicht getekend, dacht ze toen ze haar gezwollen gelaat zag.

Haar huid was grauw en smoezelig en ze hoopte maar dat het verhaaltje klopte, dat het goed was om je haren een tijdje niet te wassen, want van de natuurlijke olie die daar nu in zat kon je nog een maand chips bakken. Ze moest nog een keer heel goed over alles nadenken en dan een rationele beslissing nemen. De afgelopen week had ze een recordhoeveelheid woorden bij elkaar gekletst en nog steeds voelde ze zich hopeloos. Hoe moeilijk het ook ging worden, het was duidelijk dat ze zo niet verder kon, en misschien, heel misschien was dit besef al een begin.

Snel trok ze haar jeans en ruime spijkerbloes aan, deed haar slappe, vette haar in een staart en ging naar beneden. Ze pakte een fles mineraalwater uit de koelkast en wendde haar blik af van de bedorven tomaten in hun witte, donzige angoratruitjes. Charlie wist niet wat hem overkwam toen ze de riem pakte, en bezorgde zichzelf bijna een hernia toen hij de deur uit rende voor het geval zijn vrouwtje van gedachten zou veranderen.

Ze mocht pas nadenken wanneer ze op het strand was aangekomen, en daar liet ze alles over zich heen komen. Ze deed haar ogen dicht en liet de herinneringen binnenstromen met een kracht die haar bijna overweldigde, herinneringen met een wrange, vieze nasmaak. Ze liep langzaam, maakte grote passen met haar vermoeide benen – Charlie blafte soms naar haar alsof hij haar de weg wilde wijzen – en ze herinnerde zich hoe ze zich voelde toen het gebeurde.

Hoe kon ze zo stom zijn geweest, verweet ze zichzelf voor de honderdste keer. Ze was helemaal niet naïef of dom. Niemand had

ooit met haar te doen, men vond haar bijdehand en slim. Ze was zo'n jaloersmakende vrouw die je wel op feestjes ziet en die je benijdt zonder dat je weet waarom – iemand die alles lijkt mee te hebben, of tenminste iets heeft dat alle andere aanwezigen missen. Nu voelde ze zich klein en waardeloos en ontzettend stom. Het ergste was, dat ze op dat moment, alleen op dat stormachtige en verlaten strand, ervan overtuigd was dat het leven zonder hem geen zin had.
Hoe had ze het zover laten komen? Juist zij, die voortdurend haar vriendinnen ervoor waarschuwde om hun geluk niet van een ander te laten afhangen. Wat een afgang was dat. Ze vermoedde dat ze ergens diep vanbinnen altijd had gehoopt dat iemand haar zou redden en dat *hij* die prins op het witte paard was. Wat klonk dat weer pathetisch, mopperde ze op zichzelf.
Vanaf het moment dat ze hem had ontmoet was het leven perfect. Die schattige, grappige, lachende Paul, met zijn grote Maltezer ogen en glanzende zwarte haar met plukjes grijs, die hij er zogenaamd speciaal had laten inzetten om nog meer op George Clooney te lijken. Zevenendertig jaar, een getalenteerd en geslaagd architect, Lindsay kon nog steeds niet geloven dat ze zoveel geluk had gehad om hem te ontmoeten. Of pech om hem weer te verliezen.
Ze hadden elkaar ontmoet aan het einde van haar vervolgcursus binnenhuisarchitectuur. Daar ging ze twee avonden in de week naar toe. Na deze cursus zou ze senior-designer worden in het bedrijf waar ze werkte, en bovendien de enige zijn met een internationaal erkend diploma, een factor van belang bij onderhandelingen met Amerikaanse cliënten. Paul kwam een praatje houden, als gunst aan zijn zus Rosie, die de cursus gaf.
Daarna gingen ze met de hele groep wat drinken. Hij moest wel getrouwd zijn, dacht ze. Dat waren ze altijd, die mannen die zo van de set van 'ER' weggelopen leken te zijn en in het vliegtuig naar Dublin waren gestapt om onnozele, argeloze Ierse meisjes te versieren. Ze wist nog hoe ze werd geraakt toen ze hem voor het eerst zag lachen, hoe verrukt ze was toen hij haar voor het eerst kuste, en hoe gebiologeerd ze toekeek toen ze hem voor het eerst zag slapen.
En perfect werd zelfs nog beter. Toen hij haar ten huwelijk vroeg,

wilde ze een perfecte vrouw voor hem zijn. Ze wist dat ze dat zelden in een leven voorkomende gevoel nooit zou vergeten – dat gevoel van onbezoedeld en totaal geluk.
'Wie goed doet, goed ontmoet,' zei haar oma altijd, en die avond, toen ze zichzelf van vreugde omarmde, dacht ze met haar stomme kop dat ze beloond werd voor al haar goede daden in haar jeugd.
Debbie en Tara noemden haar 'Ronald McDonald' omdat ze er maandenlang bij liep als een clown met een permanente grimas op haar gezicht. Iedereen, tenminste iedereen die haar mocht, vond dat ze het verdiend had.
Wat was er gebeurd? Waarmee had ze God zo ontriefd dat Hij haar de aangewezen persoon vond om deze bijzondere versie van de hel op uit te proberen? Hoe had Hij haar eerst kunnen laten ruiken aan het geluk om haar vervolgens dwars door dat zachte gewatteerde scherm te laten vallen op de plek waar ze nu was? Het was alsof ze in zo'n grote Amerikaanse koelkast was beland, waar alles gezond en normaal lijkt en waar geen ijspegeltje aan de wand je waarschuwt dat alles vanbinnen diep bevroren is.
Had ze kunnen vermoeden dat het zo zou eindigen? In geen honderd jaar.
Leugenaar, wees eerlijk, piepte een stemmetje. Er waren wel dingen – kleine, minuscule puntjes die de secretaresse in haar hoofd opborg in de daartoe bestemde map, om er later op terug te komen. Hij luisterde bijvoorbeeld de berichten op zijn antwoordapparaat niet af als zij er was, of vergat de naam van het hotel aan haar door te geven als hij op zakenreis was. 'Bel mijn mobiel, schat, ik ben er toch nooit.'
Maar hij had haar ten huwelijk gevraagd, het was allemaal geregeld, zo redeneerde ze het weg. Wanneer zou hij haar moeten vertellen dat hij een ander had? Zou hij ermee zijn doorgegaan? Ze voelde zich misselijk, verhit door de kokende gedachten die door haar heen gingen. Ze moest snel gaan zitten op het vochtige zand, waar Charlie haar warm hield, want ze huiverde, zweette, snotterde en vocht tegen haar tranen.
Ze vond het te pijnlijk om terug te denken aan die laatste avond – toen ze belde naar zijn appartement in Londen en een vrouw met een bekakte stem opnam en zei dat hij wat eten was gaan ha-

len. Of hij de volgende ochtend kon terugbellen, want ze wilden vroeg naar bed. Lindsay kon bijna horen hoe ze daarbij glimlachte. Wat een toeval, dacht ze ongemakkelijk. Ze was verkeerd verbonden met een huis waar ook een Paul woonde. Bespottelijk. Net toen ze dat wilde zeggen, hoorde ze zijn stem op de achtergrond, alsof hij naast haar stond. 'Ik ben er weer, heb je de wijn al opengemaakt? Wie heb je aan de lijn?'
Net toen ze dacht dat haar hart het zou begeven, nam hij op. 'Hallo?' Ze kon niets zeggen, al wilde ze nog zo graag. Hij wist het. 'Kan ik je terugbellen?' vroeg hij achteloos, alsof hij wist dat ze zou bellen.
Ze liet de hoorn vallen, zakte op de vloer en bleef daar ineengedoken zitten, koud en bang.
Vijf minuten later ging de telefoon. Ze probeerde wanhopig om niet op te nemen, maar was bang wat er zou gebeuren als ze er niet achter kwam. Het niet weten was nog erger. Misschien was er een eenvoudige verklaring, was het een grap, was hij het niet... 'Lindsay, het spijt me, ik had het je moeten zeggen, ik weet niet hoe ik dit moet zeggen... Ik heb iemand ontmoet in Londen, we willen, eh, gaan trouwen...'
En ze wist absoluut helemaal zeker dat dit het ergste was dat haar kon overkomen.
Ze zag zichzelf weer zitten, roerloos en stil, totdat het pikdonker was.
Hij had haar nooit meer gebeld.
Nog steeds, een week later, zat de horror van die avond nog vers in haar geheugen, maar ergens diep vanbinnen wist ze dat ze er nooit meer zo erg aan toe kon zijn als toen. Het enige wat haar te doen stond, was overleven.

Toen haar vriendinnen later die ochtend aankwamen met hun gebruikelijke boodschappen, helemaal klaar voor een nieuwe sessie, leek het alsof ze een Halloween-masker van zichzelf droeg, en dat in september. Een treffende gelijkenis, dat wel, behalve als je in haar ogen keek.
Ze was aangekleed en opgefrist, had zich zelfs een beetje opgemaakt, maar was nog steeds mager en grauw en totaal niet de vrouw die ze zo goed kenden en koesterden.

En toen ze in het halletje stonden, met hun onechte glimlach en hun bruine zakken, zonder iets te vragen en een beetje ongemakkelijk, ging de telefoon.
Ze had de baan.

4

Het kostte Lindsay een halfuur om hen rustig te krijgen.
'Strikt genomen heb ik de baan nog niet, ik moet eerst die opleiding halen en dan krijg ik nog een medische keuring, een audiovisuele test en allerlei andere dingen...'
Door het lawaai van de champagnekurken en het hysterische gelach van Debbie was ze niet te verstaan. Tara danste met Charlie door de keuken. Een paar glaasjes bubbelwijn later hing Tara aan de telefoon met haar schoonzus in Rome, terwijl Debbie de rekening van haar gsm opjoeg, nagaand of ze nog vliegtickets kon boeken naar de Italiaanse hoofdstad voor het komende weekend. Ze negeerden de smoezen 'ik ben blut, ik pas niet meer in mijn zomerkleren, iemand moet op Charlie passen', en ook haar echte reden – 'hij kan bellen' – werd gepareerd met 'dat zal hem leren' (Debbie, ijskoud) en 'dan laat hij vast wel een berichtje achter' (Tara, verdrietig).
Hun 'brainstormsessie' – die ze die ochtend ongetwijfeld hadden gehad voordat ze naar haar toe gingen – had succes, vooral omdat Lindsay zelf ook besefte dat ze verder moest, en ook omdat Debbie subtiel had laten weten dat ze er 'ziek, zwak en misselijk uitzag, ongeschikt voor de glamourwereld van de televisie'. Daar was niets tegen in te brengen!

Lindsay had het geluk dat haar bedrijf haar min of meer meteen had laten gaan. Ze had nog ontelbaar veel vrije dagen over en toen ze haar situatie had uitgelegd aan Joe Egan, haar baas en tevens goede vriend, gaf hij haar onmiddellijk verlof. Dat kwam goed uit want ze zou al snel met de interne opleiding moeten beginnen.

En zo raakte Lindsay alsnog in paniek aan het begin van haar broodnodige, zij het door haarzelf ongewenste korte zonvakantie. Nog steeds zag ze op tegen een leven zonder Paul en ze hoopte vurig dat hij zou ontdekken dat ze was vertrokken en dat hij haar zou missen en terug wilde hebben.

Het regende pijpenstelen toen ze weer in Dublin aankwamen.
'Wat een verrassing,' mopperde Debbie. Het was elf uur, een koude herfstavond, en na een borrel op het vliegveld gingen ze met zijn drieën in de taxi naar huis en zetten ze Lindsay als eerste af.
'We zullen je missen,' riepen ze terwijl ze met haar tassen de taxi uitstapte.
'Ik bel jullie morgenvroeg.'
Ze voelde zich eenzaam bij het afscheid. Ze wist dat zij nieuwsgierig waren. Net als zij.
'Denk je dat hij heeft gebeld?'
'Nee, daar is hij veel te laf voor.'
'Dat zal ze vreselijk vinden, ook al weet ze diep vanbinnen dat hij niet zal bellen.'
'De klootzak, ik hoop dat ik hem als eerste te zien krijg.'
'Ik krijg bijna medelijden met hem als ik aan die confrontatie denk.' Tara glimlachte naar haar vriendin. 'Bijna.' De rest van de rit bleven ze zwijgen, ieder in haar eigen gedachten verzonken terwijl de taxi door de donkere, natte, en verlaten nachtelijke straten van Dublin reed.
Lindsay haastte zich naar binnen, rillend van de natte kou. Haar hart begon te bonzen toen ze het kleine rode lichtje opgewonden, zeurend en tergend zag opflikkeren. Ik laat mijn leven niet bepalen door dat stomme apparaat, zei ze boos tegen zichzelf. Ik luister straks wel, als ik een beetje op orde ben. Twee seconden later drukte ze op de knop Afspelen.
Haar zus Anne was de eerste en vroeg of ze zin had om aanstaande zondag bij hen te lunchen. Op de achtergrond hoorde ze het geschreeuw van de jongens die riepen dat ze haar misten.
Daarna volgde de bekende hoge stem van iemand van Channel 6, die haar eraan herinnerde dat ze zich maandag om halftien moest melden bij het Opleidingscentrum.
'Hallo, ik ben het maar,' zei een mannenstem die haar even van

haar stuk bracht, al herkende ze al na een seconde buurman John. Hij had een pakje voor haar aangenomen dat niet door haar brievenbus kon.
Toen haar moeder. Die vroeg zich af hoe laat ze Charlie kwam ophalen. Er volgde een korte, eeuwigdurende stilte, waarna het apparaat met een klik uitging. Ze vervloekte zichzelf vanbinnen en vreesde de inmiddels vertrouwde golf van eenzaamheid. Ze besefte dat ze de korte vakantie deels had overleefd omdat ze zeker wist dat ze bij thuiskomst wel een paar amechtige berichtjes kon verwachten waarin hij haar om vergeving vroeg. Uitgeput poetste ze haar tanden, deed wat crème op haar inmiddels weer blozende, licht gebruinde gezicht en begon aan een onrustige, door demonen gekwelde, nacht.

Ze werd wakker van het klokgelui dat ze zo goed kende, stond onmiddellijk op en struikelde over haar koffer.
O god, dit huis is een vuilnisbelt. Ze keek rond in haar doorgaans zo leuke huisje. Ze zag dode bloemen, tot de rand gevulde vuilnisemmers en zoveel flessen wijn dat er een hele wijngaard naar haar genoemd mocht worden. Ze dronk haar koffie zwart, omdat de melk die er was op kwark leek, trok haar joggingbroek aan en een T-shirt en ging aan de slag, nadat ze eerst haar zus had gebeld om haar te bedanken voor de uitnodiging en haar moeder had gesmeekt of ze Charlie wilde brengen omdat ze weinig tijd had.
Er hing een benauwde, ongewassen mensenlucht in huis en ze gooide alle ramen open die niet permanent gesloten waren door een laag van honderd jaar oude verf. Ze propte twee grote vuilniszakken vol met onherkenbare donzige dingen en de gewone rotzooi. Tara belde. Ze vroeg niets, hoefde dat ook niet toen ze haar vlakke stem had gehoord. Haar tuin stond nog vol met late zomerbloemen, zei ze terloops, of ze een bos bij haar kon komen dumpen.
Lindsay stofzuigde, boende en verschoonde het bed, maakte de badkamer en de keuken schoon en poetste alles wat ze in haar handen kreeg. Zonder erbij na te denken gooide ze alles wat van Paul was weg. Dat ging goed tot ze zijn aftershave tegenkwam. Ook al rook ze er niet aan, toch leek het alsof hij overal om haar

heen was. De bel ging. Gered. Tara stond voor de deur met een bos schitterende lathyrus, heerlijk geurende floxen, de laatste lange, pastelkleurige gladiolen en nog wat kleine, prachtige, volle trosrozen. Lindsay kon haar wel zoenen, zowel om de timing als om het goed gekozen cadeautje.
'Wauw, volgens mij heb ik bij de verkeerde aangebeld.' Tara was blij dat Lindsay met de schoonmaak bezig was, een heel goed teken.
'Ik besefte dat ik niet elke avond in die rotzooi kan thuiskomen als die opleiding zo zwaar wordt als ik vrees.' Lindsays glimlach leek nog wat flauwtjes.
Ze dronken snel hun koffie en Debbie belde vanaf het vliegveld. Ze moest werken die dag en was onderweg naar Genève. Ze belde zomaar.
'Ik ben aan het schoonmaken, en Tara is hier net aangekomen met een enorme bos bloemen, het lijkt wel alsof we in een tuincentrum zitten,' zei Lindsay. Goed teken, dacht Debbie, en ze beloofde dat ze de volgende avond langs zou komen.
Toen Tara weg was, nam Lindsay een douche en ging ze met schone kleren naar de supermarkt, nog steeds een beetje bang dat ze hem tegen zou komen, een bespottelijke gedachte, want zelfs al was hij toevallig in Dublin, dan hing hij zeker niet rond in een supermarkt. Hij haat boodschappen doen, dacht Lindsay, en riep zichzelf meteen tot de orde. Dit kan ik mezelf niet aandoen; vandaag moet ik doen alsof alles goed gaat, en wie weet gebeurt dat dan vanzelf. Ze geloofde daar niet in toen ze haar wagentje vulde met veel te veel gezond eten. Fruit, salades, onbespoten groenten, kip, verse sapjes, pasta, liters water, bruin brood en alles wat ze maar lekker vond en geen suiker, chocolade of alcohol bevatte.
Ze kreeg een enthousiast onthaal van Charlie, die blij was dat hij weer thuis was. Hij duwde haar zowat omver en ze knuffelde hem bijna dood. Hij likte haar gezicht, rende de trap op en af en sprong dan weer tegen haar op totdat ze hem met iets lekkers uit haar boodschappentas tot rust kon brengen. Ze had zelfs het kussen in zijn mand gewassen. Charlie begon er als een dolle overheen te rollen, vastbesloten om die nare frisse lucht er zo snel mogelijk uit te krijgen.

Haar moeder had zichzelf binnengelaten, zoals Lindsay wel had gedacht, maar ze had niet even op haar kunnen wachten. Zoals altijd was ze weer te laat voor een van haar afspraakjes. Ze had haastig een briefje achtergelaten met de vraag hoe de vakantie was geweest. Lindsay was blij dat ze nog even niets hoefde uit te leggen. Ze had haar familie al verteld dat de bruiloft was afgeblazen maar voelde zich nog te vernederd om het hele verhaal te vertellen, zelfs aan degenen die aan haar kant stonden. Later op de avond vroeg ze zich af waarom ze niet wat vertrouwelijker met haar moeder kon omgaan. Het was altijd hetzelfde, het kwam altijd neer op het feit dat alles wat ze deed net niet goed genoeg was. Die vage afkeuring was heel subtiel en soms dacht ze dat het maar inbeelding van haar was. Wat ook niet hielp was dat Lindsay altijd pappa's meisje was geweest en daardoor niet zo'n hechte band met haar moeder had opgebouwd als haar zus Anne. Die twee waren de afgelopen jaren dichter tot elkaar gekomen en Lindsay voelde zich soms buitengesloten, al wist ze dat ze altijd op haar zus kon rekenen. Als haar moeder maar niet zo druk bezet was, zo afstandelijk soms, al ontging haar geen foutje. Zo lang Lindsay zich kon herinneren, voldeed ze nooit helemaal aan de verwachtingen. Nog steeds deed dat pijn.
Charlie was helemaal klaar voor deze avond. De kachel was aangezet en dat was zijn meest geliefde plekje in de wereld, dus Lindsay wist dat hij volmaakt gelukkig was. Ik wou dat het voor mij ook zo eenvoudig was, verzuchtte ze, terwijl ze over zijn buik krabbelde.

De daaropvolgende dagen liet Lindsay alles doen wat haar zelfvertrouwen voor haar nieuwe baan maar kon opschroeven – haar wenkbrauwen, haar nagels, haar gezicht, de hele rataplan. Ze had zelfs een nieuw kapsel. Het volgende probleem was haar garderobe. Een bezoek aan Grafton Street bood uitkomst.
'Je bent een luxepopje geworden,' plaagde Debbie toen ze na haar winkelorgie samen gingen lunchen. 'Hoe overleef jij straks met een lager salaris?' Ze spraken over de lage lonen bij de televisie, maar Lindsay wist al dat ze daar praktisch voor niks zou gaan werken. Het was nu eenmaal iets dat ze altijd al had willen doen.
'Ik weet het, begin er niet weer over. Straks ga ik echt heel serieus

bezuinigen,' mopperde Lindsay. 'Ik weet dat ik financieel verwend ben door het geld dat pappa me heeft nagelaten. Daardoor heb ik een lage hypotheek en ben ik gewend geraakt aan een riante bankrekening, die overigens wel gekrompen is door de bedragen die ik er nu doorheen heb gejaagd. Ook besef ik dat ik me niet zoveel zorgen hoef te maken omdat er voor mij en Anne nog geld is vastgezet voor de toekomst. Soms voel ik me weleens schuldig.'
'Hoų op zeg, je verdient het.' Het laatste wat Debbie wilde, was dat haar vriendin zich schuldig ging voelen. 'En nu wil ik onmiddellijk je aankopen zien, en volgens mij hebben we ook wel een lekker koud drankje verdiend.' Het chique zwarte broekpak werd als een geslaagde aankoop beschouwd, 'al heb je er daar al minstens tien van'.
'Ja, maar deze is zachter en lichter en heeft absoluut een beter model en geeft me een professionele uitstraling. Kijk, ik heb er ook een paar sexy topjes bij gekocht, anders is het zo stijf. Ook ben ik gezwicht voor een paar schitterende zilveren sieraden, die het geheel een beetje opfleuren. En, wat vind je van deze schatjes?' Ze gunde haar vriendin een blik op haar bordeauxrode, leren enkellaarsjes. Handschoenen voor de voet, meende Debbie, die meteen ook zo'n paar wilde hebben, waarna de wijnfles werd geleegd zodat ze weer konden gaan winkelen.
Ineens was de avond voor de grote dag aangebroken, en om halftien lag Lindsay onder haar schone beddengoed, vastbesloten op tijd naar bed te gaan zonder alcohol. Ze keek televisie, las wat, deed twee keer het licht aan en uit en stapte uiteindelijk om middernacht uit bed en maakte warme chocolademelk met een flinke scheut naar rook smakende bruine rum. Ze las nog even en mijmerde toen met het licht uit over de week die komen ging, moe maar niet slaperig. Ze luisterde naar de laatste weekendgeluiden op straat en pas om halftwee kon ze de dag laten gaan en viel ze in een rusteloze, maar gelukkig droomloze slaap.

5

Lindsay voelde zich een klein bang kind dat voor het eerst naar school ging toen ze de volgende dag om vijf voor halftien het Opleidingscentrum binnenstapte. Ze was die ochtend al om zes uur opgestaan.
Ze werd naar een groot leslokaal verwezen en voelde zich uiterst ongemakkelijk toen ze de deur opendeed. En terecht. Iedereen leek elkaar al te kennen en de meeste aanwezigen keken vol verwachting naar de deur toen die openging, en keerden haar meteen de rug toe om hun gesprekken te hervatten. Iedereen leek ontspannen en blij en voelde zich op zijn gemak. Lindsay besefte dat ze te nette kleren aanhad. Ze voelde zich als op een eerste schooldag, keurig gekleed en schoongeboend. De anderen waren allemaal zo artistiek en wereldwijs, ze voelden zich duidelijk als vissen in het water. Gelukkig zag ze haar naambordje op een tafeltje en ze schuifelde door het lokaal, al zou ze het liefst omkeren en terugkomen zonder dat jasje en zonder die zachte leren tas zo krampachtig vast te houden.
De deur ging even later weer open en een lange vrouw met kastanjebruin haar kwam glimlachend binnen, gehuld in zwarte lagen kleding.
Ze stond stil, onzeker, en Lindsay keek haar meteen vriendelijk aan.
'Hallo,' ze keek alsof ze haar verloren gewaande zuster zag toen ze op Lindsay afstevende. 'Carrie Moore,' ze stak haar hand uit en keek verrukt. 'Dat ben ik, hier naast jou.' Het leek alsof ze Lindsay vol op de mond ging kussen. 'Jezus, is de sfeer hier werkelijk om te snijden of ben ik paranoïde?' fluisterde ze toen ze naast Lindsay ging zitten. 'Tussen twee haakjes, zeg alsjeblieft niet dat ik te nette kleren aanheb, anders moet ik echt een tabletje nemen.' Ze sprak met haar lippen stijf op elkaar en grinnikte daar ironisch bij. Lindsay wist dat het met hen wel goed zou komen.
'Ik had precies hetzelfde, twee minuten geleden,' zei Lindsay, die vol bewondering keek naar haar zachte zwarte gebreide jas en de smalle, sliertige stroken die daar onderuit kwamen.
'Ik heb het gevoel alsof mijn horloge middernacht aanwijst en die

van hen op vijf uur 's middags staat,' zei Carrie vrolijk en Lindsay begreep meteen dat deze vrouw genoeg zelfvertrouwen had om zich daar niets van aan te trekken.
'Ik ben Lindsay, en denk alsjeblieft niet dat ik de docente ben, ik ben zelfs nooit schooljuffrouw geweest, al zie ik er misschien zo uit.' Ze giechelden vrolijk naar elkaar, vermoedden vaag een geestverwante, waren benieuwd wat ze konden verwachten. Het werd stil in het lokaal en iedereen ging op zijn plaats zitten toen een lange man met donker haar en een bril op ernstig glimlachend binnenkwam. Hij had een vriendelijk gezicht.
'Goedemorgen, mijn naam is Michael Russell, ik ben de coördinator van deze opleiding en heet jullie allen van harte welkom. Laten we eerst onszelf aan elkaar voorstellen, daarna het rooster bespreken en dan een koffiepauze nemen; en ik waarschuw jullie alvast, want jullie krijgen het extreem druk de komende weken. Goed, wie wil er beginnen?'
'James Hewson, ik ben advocaat en de afgelopen paar jaar heb ik...'
'Ik ben Hilary Owens, actrice en nieuwslezeres...'
'Hallo, mijn naam is Paul Nesbitt, ik heb gewerkt als makelaar in energie...'
Jezus, dacht Lindsay, waarom willen al deze hoge pieten hun lucratieve carrières opgeven voor een veel minder goed betaalde baan bij de televisie? Ze wist dat de media altijd geslaagde mensen aantrokken en later bij de koffie hoorde ze dat veel van haar medecursisten deze baan alleen maar beschouwden als een opstapje naar een functie als producer, regisseur of journalist. Ze beschouwden dit als een goede start.
Iedereen stelde zich voor en Lindsay wilde het liefst onder haar stoel wegzakken in de hoop dat ze werd overgeslagen. Carrie gaf haar een briefje. 'Ik ben Carrie en werk als prostituee en het ergste is dat ik een verkoudheid voel opkomen,' las ze terwijl ze een onbedwingbare lach moest inhouden. Niets van dit alles. Carrie bleek kunstenares te zijn en Lindsay zag een paar geïnteresseerde ogen meteen haar kant uitgaan.
Ze probeerde wanhopig haar stukje te repeteren. Lindsay Davidson, beroepsidiote, kwam nauwelijks door het gesprek heen en begrijpt niet waarom ze deze kans heeft gekregen; stond op

het punt te trouwen, maar haar vriendje wilde daar op het laatste moment zo graag onderuit komen dat hij niet eens afscheid nam. Zal waarschijnlijk geen dag doorkomen zonder te janken dus vraagt hierbij of de dokters en verpleegsters in dit gezelschap valium bij de hand willen houden.
Ze mompelde echter iets over binnenhuisarchitectuur en dat ze altijd al voor de televisie had willen werken, en ging snel weer zitten met een gezicht waaraan je je handen kon warmen.
Het rooster zat zo vol dat ze daarna sterke koffie nodig hadden om bij te komen.
'Jeetje, daar gaat mijn leven, de komende paar maanden,' zei Carrie met een licht Corks accent. 'En wat vind jij?'
'O, ik maak me geen zorgen, ik heb toch geen leven,' zei Lindsay voor de grap.
Carrie was benieuwd wat daarachter zat, maar vroeg niets. Nog niet.

Ze moesten daarna foto's laten maken en kregen een pasje met een code, die toegang gaf tot alle gebouwen. De beveiliging was streng, vooral bij de studio's. Tijdens de lunch maakte Lindsay nader kennis met een paar andere groepsleden en ze vond de meesten ervan heel aardig, op een paar uitzonderingen na. Ze wist niet wat ze van Hilary Owens moest vinden, die vriendelijk lachte, maar koud en kritisch uit haar ogen keek. John Shields was grappig maar iets te rap van de tongriem gesneden. 'Homo,' had Carrie al geconstateerd. En dan had je nog Brenda Turner, die nu al de tekenen van een echte streber vertoonde. Lindsay wist dat ze over een paar weken over ieder van hen een verhaal kon vertellen.
's Middags hielden een paar 'echte' PA's een praatje over het werk. Het klonk allemaal ontzettend spannend. Een productieassistent hielp de redactie en werkte verder in de studio tijdens opnamen of live-uitzendingen. Dat onderdeel sprak iedereen het meest aan, de helft van de klas zag zichzelf al 'actie' schreeuwen of 'opname over tien seconden' of iets dat even onwaarschijnlijk klonk, en Lindsay kon niet wachten tot het zover was en ze er deel van uitmaakte. Het leek haar zo betoverend, zo spannend, zo sexy, zo onwerkelijk, dat ze zich afvroeg of er een fout was gemaakt toen

ze haar hadden aangenomen. Ze zou wat minder onzeker zijn als ze had geweten dat iedereen zich weleens zo voelde, ook degenen die al voor deze organisatie werkten en hun vak verstonden.
Om zeven uur 's avonds zei Michael Russell schertsend dat ze de rest van de dag vrij kregen. 'Geloof me, als we echt zijn begonnen zullen de dagen nog langer zijn.' Hij negeerde het gekreun. 'Maar omdat jullie er zo gechoqueerd uitzien, geef ik jullie geen werk mee voor vanavond. Ga naar huis en rust goed uit, zodat we morgen om negen uur serieus kunnen beginnen.'
'Ik ga naar de kroeg. Er moet een soos zijn op de campus en de bar is een uur geleden geopend,' besloot John Shields.
'Zeg me waar het is en bestel alvast een groot glas gin voor me,' zei Carrie tegen niemand in het bijzonder. 'Lindsay, ga je mee?'
Daar gaat mijn goede voornemen, dacht Lindsay, terwijl ze besefte dat ze te gespannen en opgewonden en onzeker was om naar huis te gaan en Charlie uit te laten. 'Ik kan de koele witte wijn van hier al ruiken.' Ze keek haar nieuwe vriendin lachend aan.
Tijdens de borrel kwam ze wat meer over Carrie te weten, al vond die zelf dat ze niet zoveel te vertellen had. 'Kunstacademie gedaan, als curator in een plaatselijk museum gewerkt, baan opgegeven om me volledig aan het schilderen te wijden. Een paar jaar vreselijk gesappeld, in een ranzige eenkamerwoning, uiteindelijk besloten iets anders te gaan doen, en nu ben ik hier. Niemand stond meer versteld dan ik toen bleek dat ik was toegelaten tot de cursus, en ik ben waarschijnlijk de enige die er niet enorm in salaris op achteruit gaat.' Ze grinnikte beschaamd. 'Het salaris is voor mij als een lot uit de loterij. Ik heb in geen eeuwen een vast salaris gehad.'
Lindsay glimlachte en was ervan overtuigd dat deze vrouw veel in haar mars had, ze was zo scherp als een scheermes.
Toen ze om halftien 's avonds thuiskwam wachtten haar drie berichtjes en weer kreeg Lindsay dat bekende gevoel in haar buik, ook al wist ze dat er drie vrouwenstemmen op het apparaat zouden staan. Word wakker, stommeling, dacht ze terwijl ze zat te luisteren naar Debs, Tara en haar zus Anne, die alledrie een eigen variant gaven op dezelfde vraag.
'Hoe ging het, schat?'

'Leuke mannen?'
'Wanneer zien we je op het journaal?'
Lindsay kleedde zich uit, zette koffie en belde terug, maar negeerde het advies van haar zus om 'mam te bellen, want ze is razend nieuwsgierig naar de laatste roddels'. Ze speelde nog even met de bal voor Charlie, waste haar gezicht, poetste haar tanden en viel op bed neer, aan zichzelf twijfelend en geïrriteerd omdat ze na alles wat er was gebeurd nog steeds hoopte dat Paul zou bellen zodat ze hem alles kon vertellen.

De eerste week vloog voorbij. Ze had niet verwacht dat het zo intensief zou zijn en Lindsay had moeite om het tempo bij te houden. Alle anderen wisten veel meer over het wereldje dan zij, dacht ze. Iedereen scheen de technische kanten meteen te begrijpen. Lindsay was gespannen, maakte vlijtig aantekeningen en probeerde niet te veel vragen te stellen. Elke avond viel ze uitgeput op bed neer en droomde ze over crisissituaties, waarin programma's niet werden uitgezonden, het hele volk voor een zwarte beeldbuis zat en iedereen woedend naar haar schreeuwde. Of haar uitlachte. En al die lachende gezichten hadden dezelfde bruine ogen en diezelfde mooie mond.
Het huiswerk was een ramp. En dan moesten er ook nog verslagen geschreven worden, na bezoekjes aan verschillende programma's. Op donderdagavond werd Lindsay geacht het *Negen Uur Journaal* bij te wonen. Om zeven uur moest ze zich melden bij een redacteur, eventueel een helpende hand bieden, maar ze mocht zeker niet in de weg zitten en werd geacht vooral te observeren.
Het binnenlopen bij een programma was altijd het moeilijkst. De meeste mensen negeerden je. Of ze keken dwars door je heen. Of ze staarden je aan. Ook op deze redactie ging het zo. Het was een grote, open ruimte waar zelfs om zeven uur 's avonds minstens vijftig mensen aanwezig waren, waarvan iedereen ofwel te hard of te zacht praatte, op toetsenborden ramde of woedende gebaren maakte. Iedereen leek te rennen of te snelwandelen. Er was geroezemoes, alsof er elk moment iets kon gebeuren. Televisieschermen galmden, schetterden het laatste wereldnieuws uit. Overal rinkelden telefoons. Het geluid was oorverdovend.

Ze liep helemaal naar het eind van de immense ruimte en trok haar strakke zwarte jurkje naar beneden, dat die ochtend naar haar gevoel nog tot haar enkels reikte, maar nu tot aan haar billen kwam. Een paar mensen keken haar afwezig aan en ze deed haar uiterste best om nonchalant te lijken. Zonder succes. Ze gaf het op en vroeg met hese stem naar Martin Sheehan, de dienstdoende eindredacteur. 'Die zit daar,' zei een verslaggeefster hooghartig, haar vaag de weg wijzend. Op tv leek ze altijd zo vriendelijk.

Ze volgde de lange, puntige rode nagel in de richting van een groepje van een man of tien, dat in een felle discussie leek verwikkeld, maar gewoon een redactievergadering hield. Ze wilde bijna omkeren en naar huis gaan.

'Hallo, gaat het met je?' Lindsay kon de rustige, oudere vrouw die er heel gewoon uitzag wel omhelzen. 'Ben jij toevallig de nieuwe PA?'

'Dat klopt,' zei ze schor. Probeer het nog eens, Lindsay. 'Hallo, ik ben Lindsay Davidson, kan ik iets doen?'

'Pak een stoel, ik ben Alison, de nieuws-PA van vanavond. We zijn net begonnen de volgorde van de items te bedenken. Het is niet zo druk. Straks heb ik tijd genoeg om met je te praten.'

Niet druk? Het was een heksenketel: iedereen leek in telegramstijl te praten. Lindsay spitste haar oren maar kon de helft niet volgen.

'Is Blair al gemonteerd?'

'Iemand de minister van Volksgezondheid gezien?'

'Hoe laat krijgen we VT?'

'Staan de VO's al in de autocue?'

Er werd direct en kort geantwoord.

'Ja.'

'Is onderweg.'

'Halfacht.'

'Worden ingevoerd.' Alison leek de enige die overal antwoord op had en bleef kalm. Ze schoof Lindsay een stapel losse vellen toe. 'Zou je dit in de autocue willen zetten in Studio Drie? We hebben geen tijd, alvast bedankt.'

Lindsay vloog al. Ze begon net in paniek te raken toen ze de studio vond. Ze duwde de geluiddichte deur open en besefte te laat

dat ze in de studio zelf was beland en niet in de regiekamer. De deur viel piepend dicht.
'Sorry.' Ze werd knalrood toen ze besefte dat ze iets had verstoord. Haar hakken klakten luider dan een videoclip van Ricky Martin.
'Jezus, verdomme.' Een paar felblauwe, woedende ogen keken haar vernietigend aan.
'Wat krijgen we nou? Verdomme, we waren bijna klaar.' De man sprong op en haalde de koptelefoon van zijn hoofd af. Lindsay besefte dat ze midden in de opnames zaten. Ze was er helemaal van ondersteboven en wilde stilletjes weer teruggaan, maar ze stond als aan de grond genageld. Ze herkende het gezicht van de man, maar kon niet op zijn naam komen, misschien wel omdat zijn gelaatstrekken zo misvormd waren door zijn woede.
'Hebben ze je niet verteld dat je nooit een studio mag binnenlopen als het lampje brandt?' Het leek alsof hij haar wilde slaan.
'Rustig maar, Chris, we kunnen de draad zo weer oppakken,' legde een sussende stem in de hoek uit. Ze zag twee vriendelijke grijze ogen. 'Ben je op zoek naar de mensen van het nieuws?'
'Ja. Ik dacht dat dit de regiekamer was. Ik heb het rode lampje niet gezien. Het spijt me verschrikkelijk.' Het was lang geleden dat Lindsay zich zo klein had gevoeld.
'Die fout is makkelijk gemaakt, de bordjes in de gang zijn zo verwarrend,' zei de man. 'Ik zal je laten zien waar je moet zijn.'
'Godverdomme, dit is niet te geloven. Ik ben aan koffie toe, geef me vijf minuten, Dan.'
De woedende presentator liep langs Lindsay en liet in een ijskoude vlaag een geur achter van leer, aftershave en zweet. Hoewel bang hem aan te kijken kon ze de verleiding niet weerstaan en ze zag een lange, ongeschoren man met vermoeide ogen, een gebruinde huid en dik zwart haar dat te lang en vettig was. Terwijl ze hem de deur zag uitlopen ontdekte ze dat hij veel langer was dan op tv. Hij droeg een zwarte spijkerbroek, een zwart T-shirt met V-hals en een lange zwarte leren jas, die dun en verkreukt was, als gemzenleer. Een heel dure jas. Hij liep zo snel dat hij al binnen een paar seconden aan het andere eind van het gebouw was. Ze zag dat hij met gebogen hoofd een hand door zijn haar haalde, duidelijk gefrustreerd.

'Ik ben ongelooflijk stom geweest. Het eerste dat we op de cursus leerden, was: let op het rode lampje! Als ze het horen word ik er waarschijnlijk uitgegooid.' Lindsay keek geschrokken terwijl ze naar de regiekamer werd verwezen.
'Ik zal het niemand vertellen en dat moet jij ook niet doen, en maak je geen zorgen om Chris, na een kop sterke koffie is hij het hele voorval weer vergeten,' zei Dan met hooguit een klein beetje overdrijving. 'Hij heeft zijn dag niet. Hij is vanavond pas teruggekomen uit Afghanistan en de hoofdredacteur wil voor morgen een commentaarstem hebben voor een aankondiging. Hij heeft vierentwintig uur gereisd en was al op weg naar huis, naar zijn eigen bed, toen hij het telefoontje kreeg. Het is een goeie vent, maak je geen zorgen, en jij,' knipoogde hij, 'zal deze fout niet meer maken.'
Lindsay lachte flauwtjes.
Dan Pearson zag hoe aantrekkelijk ze was en stelde zich voor. 'Ik ben trouwens de floormanager, we zullen ongetwijfeld binnenkort met elkaar te maken krijgen.'
'Als ik die cursus doorkom tenminste.' Lindsay was blij dat ze Dan was tegengekomen. 'Dank je wel.'
'Graag gedaan. Ik hoop dat hij ook voor mij koffie heeft meegenomen. Tot ziens.' Dan rende terug en precies op dat moment kwam Mary van de autocue eraan, die de papieren uit Lindsays handen trok.
'Ik haat het om voor de nieuwsafdeling te werken,' verontschuldigde ze zich. 'Alles moet op het laatste moment en bij het maken van je item knijp je hem voortdurend, bang dat er iets mis gaat.'
De twee uren daarna waren als minuten en toch leek alles in slow motion te gaan. Het was alsof ze naar een 'achter-de-schermen' documentaire keek, dacht Lindsay gefascineerd. Het leek een chaos, maar toch wist iedereen precies wat hij moest doen. Ze hielp Alison zoveel ze kon, rende heen en weer met banden, maakte kopieën, verspreidde volgordes van items en bleef vragen wie er nog koffie wilde, waarop iedereen om de tien minuten ja zei. Ze was nerveus toen ze in de studio naast Alison zat.
'Uitzending over zestig seconden,' kondigde de oudere vrouw kalm aan.

'Wat is het eerste item?' vroeg een stem.
'Weet ik nog niet, de band staat stand-by op Blair-Ahern, maar ook op Bush,' antwoordde de regisseur snel. 'Zullen we onze bronnen nog even checken?'
Op de camera zag Lindsay de twee presentatoren hun vellen papier erbij pakken en hun laatste aantekeningen maken, terwijl ze nog wat werden bijgeschminkt.
Plotseling stormde de eindredacteur binnen. 'We beginnen met de vredesonderhandelingen, we hebben een verklaring van de IRA.'
'Nog tien seconden voor de uitzending, stand-by openingslogo.'
Alison gaf geen krimp ondanks al dat hectische gedoe, het binnensmonds gevloek en het diepe gezucht om de zoveelste wijziging.
'We zijn in de lucht.'
'Goedenavond, welkom beste kijkers. We beginnen vanavond met nieuws over...'

Lindsay voelde haar hart bonzen gedurende het hele nieuwsbulletin, want ze wist zeker dat ze op een ramp afstevenden. Het script was gewijzigd, er waren reportages geschrapt, er was een band zoek, maar de kijkers thuis merkten niets. Het was alsof ze tien seconden verder waren toen ze de vertrouwde afsluiter hoorde: 'Dit was het nieuws vandaag, ik wens u nog een goede avond.'
'Complimenten voor iedereen, dat was op het nippertje.' De regisseur slaakte opgelucht een diepe zucht en binnen een paar seconden had iedereen de studio verlaten; men was toe aan koffie en een sigaret voordat om elf uur hetzelfde kunstje weer vertoond moest worden.
Lindsay hielp Alison met opruimen en banden verzamelen.
'Fantastisch, ik hoef het late nieuws niet te doen. Meestal werkt de PA van het journaal van negen uur ook voor het late nieuws.'
Alison lachte. 'Dank je wel, je hebt me echt geholpen. Je kunt altijd binnenwandelen, succes met de opleiding.'
Ze verlieten samen het tv-gebouw en gingen ieder hun eigen weg. Het was een frisse, regenachtige avond en Lindsay was helemaal uitgeput. Meteen bij thuiskomst maakte ze voor zichzelf een warme whisky met kruidnagels en citroensap klaar, bang dat ze een griepje onder de leden had. Nog steeds huiverde ze na van het

voorval die avond. Ze nestelde zich op de bank, Charlie hield haar warm.
Ze had nog nooit iemand als Chris Keating ontmoet. Nou ja, een ontmoeting kon je het nauwelijks noemen. Hij had iets, iets rauws en aantrekkelijks en ook beangstigends. Iets heel beangstigends, zonder meer, gevaarlijk zelfs. Nog nooit had ze iemand zo boos gezien, en zeker niet op haar. Hij hield zich niet in, dat was wel zeker. Maar waarschijnlijk zou ze geen contact meer met hem hebben, wat haar toch enigszins teleurstelde, waarom wist ze niet. En nadat ze een dankgebed had opgezegd voor alle Dan Pearsons ter wereld, vervloekte ze voor de zoveelste keer haar stommiteit.
Ze zuchtte en ging naar bed, tot Charlies grote ongenoegen, want die lag net zo lekker.
Geen denken aan om nog aan dat verslag te werken die avond, ook al moest ze de volgende dag om zes uur opstaan. Ze verklaarde deze dag nu officieel voorbij.

6

De volgende ochtend werd Lindsay wakker uit een onheilspellende, grauwe slaap. Het was halfacht, ze had zich verslapen en was moe. Dit soort dagen kwamen zelden goed, wist ze uit ervaring. Ze was chagrijnig en ze negeerde zelfs Charlie, die van de ochtenden hield en enthousiast door de keuken rende. Ze maakte vlug wat aantekeningen, nam een douche, kleedde zich aan, dronk snel haar koffie en ging naar haar werk om haar verslag te typen dat voor de lunch moest worden ingeleverd.
Rond elf uur zat Michael Russell haar vriendelijk aan te kijken. 'Ik hoorde dat het nieuwsbulletin van gisteren nogal zwaar was. Ging het goed, en is het waar wat ik gehoord heb?' Hij keek haar onderzoekend aan. Ze kon zijn blik niet peilen.
O god, hij weet het. Lindsay voelde zich misselijk. 'Ik raakte in de war en zag het rode lampje niet,' flapte ze eruit voordat ze nadacht.

Hij kneep zijn ogen toe. 'Dat kun je me beter uitleggen op mijn kamer.' Hij wachtte haar antwoord niet af.
Uiteraard bleek dat hij niet op het beruchte voorval zinspeelde; hij had alleen maar gehoord dat het een bijzonder hectische nieuwsuitzending was geweest en dat Lindsay zich daar goed doorheen had geslagen. Hij vroeg altijd om feedback wanneer zijn cursisten hadden meegewerkt aan een belangrijk programma en hij was bijzonder nieuwsgierig naar Lindsays prestaties, omdat ze nog zo onervaren was. De berichten waren positief, maar nu moest ze natuurlijk die bijna-ramp uitleggen. Hij was woedend.
Jeetje, het lijkt nu al een gewoonte van me om invloedrijke mannen in de televisiewereld tegen de haren in te strijken, dacht ze sarcastisch, niet in staat te beseffen dat ze hier zelf verantwoordelijk voor was.
'Het negeren van het rode lampje als je zelf niet direct bij het programma bent betrokken en niet precies weet wat er aan de hand is, is een doodzonde in dit vak, vooral als ze de opnames ervoor moeten onderbreken. We zijn geheel afhankelijk van de welwillendheid van onze collega's als het gaat om meeloopstages van cursisten – je moet ergens een beetje praktijkervaring opdoen. Een incident als dit heeft een negatieve uitstraling op de hele opleiding.' Voor de tweede keer binnen vierentwintig uur beet Lindsay in het stof. Haar laatste restje zelfvertrouwen was verdwenen. Haar gezicht moest eruitzien als een vuurbal. Ze wilde in een hoekje wegkruipen en verdampen.
'Ik weet het, het was stom van me, het spijt me verschrikkelijk. Het zal niet meer gebeuren.'
'Dat is je geraden. De komende dagen blijf je uit de buurt van een live-studio. Ik geef je alleen maar opdrachten over eerder opgenomen programma's en als je deze fout nog een keer maakt, lig je eruit.' Hij wist dat hij streng voor haar was, maar als de directie hiervan op de hoogte werd gebracht, zou hij meteen worden ontslagen. Gelukkig wist hij dat Chris Keating het voorval meteen zou vergeten en Dan Pearson was waarschijnlijk de beste FM in het vak, dus die zou ook niets zeggen.
Lindsay voelde zich de rest van de dag misselijk. Niet alleen had ze iets ontzettend stoms gedaan, ze had al in de eerste week haar

hele carrière op het spel gezet. Laat deze dag, deze week, snel voorbij zijn, smeekte ze.
Ze wilde zelfs niet met haar medecursisten nog een borrel gaan drinken na deze eerste week, en niemand begreep waarom.
'Ga toch mee,' drong Carrie aan, 'we moeten het vieren, we hebben het overleefd en de eerste week is altijd het zwaarst.'
'Ik lag er bijna uit.' Lindsay vertelde haar nieuwe vriendin wat er was gebeurd.
'Jezus zeg, dat had iedereen kunnen overkomen, ik vind dat hij compleet overspannen heeft gereageerd.'
'Nee, hij had gelijk. Het had een ingewikkeld tv-programma kunnen zijn met speciale effecten en zo, terwijl ik halverwege binnenstormde. Ik had geluk dat het alleen maar een geluidsopname was, al vrees ik dat die Chris-nog-wat nooit met mij zal willen samenwerken.' Ze probeerde te glimlachen.
'Die heeft daar helemaal niets over te zeggen en bovendien lijkt hij me een eikel. Kom op, eentje maar.'
'Nee, echt niet, ik ga thuis op de bank mijn wonden likken. Ik zie je maandag weer.' Lindsay voelde zich heel kwetsbaar toen ze haar auto instapte en het korte stukje naar huis toe reed. Het klopte dat die dag niet meer goed zou komen. Toen ze binnenkwam, ging de telefoon en voor het eerst in weken vroeg ze zich niet af of hij het was.
'Geweldig, je bent thuis. Ik heb zojuist op je mobiel ingesproken. Trek je uitgaanskleren aan. Debs en ik nemen je mee uit eten – er zit een nieuwe Italiaan in Baggot Street, heel trendy, schijnt heel goed te zijn.'
'Tara, ik trek het niet deze avond. Vind je het erg als ik het aanbod afsla?'
'Ja, en Debbie ook, die op dit moment halsbrekende toeren uithaalt om vanaf het vliegveld naar je toe te komen om je op te halen zodat je zelf niet hoeft te rijden. Er is nog één tafeltje vrij om acht uur en ik moest bijna met de manager naar bed om het te krijgen. Kom op, schat, het zal je goed doen; we hebben sinds Rome niet meer met elkaar gepraat. Lekker ontspannen bij een goede maaltijd, een paar glazen wijn en een stevige roddel. Rond twaalf uur ben je weer thuis.'
Lindsay was te moe om tegen te sputteren. Ze trok haar lekkerst

zittende zwarte stretchbroek aan en een felrode trui van Lainey Keogh en stapte in haar zwarte suède enkellaarsjes die volgens Debbie haar benen langer maakten dan die van Elle Macpherson. Ze had nog net genoeg energie om haar make-up bij te werken met haar rode lipstick en haar haren los te gooien. Ze zuchtte. Liever doorstak ze haar oog met een gloeiende breinaald dan uit te gaan, maar ze had geen keus.
Dertig minuten later kwamen ze aan bij het restaurant en het was inderdaad helemaal trendy, als je tenminste mocht afgaan op het aantal decibellen.
Gedrag bepaalt stemming, herinnerde Lindsay zich uit een van de vele zelfhulpboeken, dus lachte ze grimmig, stak haar borst vooruit, liep dwars door het restaurant achter de kelner aan en kreeg bijna een beroerte toen ze oog in oog met Paul kwam te staan, die in een stemmig verlicht hoekje aan de rechterkant zat. Hij was niet alleen. Naast de tafel stond een fles champagne in de koeler. Eigenlijk moest ze van zichzelf gewoon doorlopen, maar het was alsof iemand een stok voor haar benen had gestoken en plotseling stond ze recht voor zijn neus helemaal stil.
'Lindsay, hallo...' Hij was compleet verrast. Ze keek om zich heen naar haar vriendinnen, wanhopig op zoek naar steun, maar Tara stond te praten met een collega, op wie Debbie een oogje zou hebben, en ze hadden beiden gezien dat Lindsay met iemand in gesprek was, al wisten ze niet met wie.
'Hoi.'
'Hoe gaat het met je?'
Hoe denk je? 'Prima. Met jou?'
'Nou goed... eh, dit is Kate. Kate, Lindsay.'
'Hallo.' Lindsay beitelde een glimlach op haar gezicht en probeerde meteen deze rivale in zich op te nemen. Eind twintig, blond, grote ogen – nog grotere borsten, knap maar iets te nadrukkelijk, dacht ze vals. Te veel make-up. Sexy. Klein. Smalle taille.
Doe normaal, je kon haar taille helemaal niet zien vanuit jouw perspectief, hoorde ze Debbie al zeggen, altijd praktisch, ook in een crisissituatie.
Afstandelijk, nee koud. IJzige glimlach. Uitdagende, blote jurk. Geen ondergoed, daar durfde ze om te wedden. Een echte mannenvrouw. Meer een Rhonda of een Sharon dan een Kate.

'O, hallo.' Ze leek nauwelijks in haar geïnteresseerd. Lindsay haatte haar omdat ze niet eens nieuwsgierig was.
'Ik wilde je bellen...'
Ja, dat zal wel.
'Paul, zullen we niet wat bestellen...?' De afstandelijke stem stierf weg.
'Het spijt me, maar we hebben elkaar al lang niet meer gezien.' Lindsay kon net zo cool zijn als een ander. En op dit moment voelde ze zich ijskoud en rustig, een onheilsteken.
'Ja, maar dat is nu allemaal verleden tijd en Paul en ik hebben een heel ander soort relatie, dus misschien is het beter als ieder zijn eigen weg gaat.'
Lindsay kon haar oren niet geloven. Jij rotwijf, dacht ze, jij achterlijk, gevoelloos en misselijk wijf.
Zonder te beseffen wat ze deed, ging Lindsay op de stoel tegenover haar zitten en keek ze het zelfingenomen koude gezicht recht in de ogen.
'Hoe anders is jullie relatie dan wel, vraag ik me af. Knuffelt hij soms niet met je totdat je in slaap valt? Kust hij je wakker als hij weet dat je moe bent? Knipt hij je teennagels? Komt hij thuis met champagne en chips, of chocolade en tampons? Serveert hij jou ook ijs in bed? Plakt hij briefjes in je koffer als je op reis moet? Knijpt hij je puistjes uit? Gaat hij met kleren en al bij je in bad zitten omdat hij geen geduld heeft? Kust hij je op je neus als je verkouden bent? Zweert hij dat hij nog gek op je zal zijn als je negentig bent?'
Ze kon zo nog wel even doorgaan, maar plotseling was ze buiten adem.
Ze keek recht in het gezicht dat ze zo goed dacht te kennen, maar kon zijn prachtige bruine ogen niet zien omdat hij haar niet durfde aan te kijken.
'Zo was hij bij mij. Het enige minpuntje,' met moeite hield ze haar ogen van hem af en keek ze naar het inmiddels rood aangelopen gezicht van de vrouw naast hem, 'was zijn afscheid. Dat ontbrak namelijk.'
Lindsay was al opgestaan toen Tara en Debbie kwamen aangerend nadat ze hadden gezien met wie ze zat te praten. Tara keek bezorgd en Debbie was duidelijk woedend. Het leek een eeuwig-

heid hoe ze met zijn vijven elkaar stonden aan te kijken, en Lindsay wist dat ze moesten vertrekken. Snel.
'Tot de volgende keer. Misschien als je nog eens voor tv wordt gevraagd.' Ze wist nog dat hij eens te gast was geweest in een programma over design en hoe hij had genoten van die aandacht. 'Ik werk nu voor Channel 6, als productieassistent.' Ze had geen idee waarom ze dit zei, maar kon het niet laten. Misschien was er toch nog hoop voor haar.
Ze draaide zich om en beende pijlsnel naar de deur, achter Tara aan, en met Debbies hand op haar schouder. Er rolde een grote, dikke traan over haar wang. Het was voorbij. En dit afscheid was helemaal niet leuk.

7

Terwijl Lindsay orde in haar gewatteerde hoofd probeerde te brengen, vroeg ze zich allereerst af waar ze eigenlijk was. Een warme, late herfstzon had zijn doel gevonden en deed pijn aan haar ogen. Ze wendde haar hoofd af van de priemende stralen en tuurde meteen in een ander paar, al even verbaasde ogen. Tara kreunde. 'O mijn god, ik voel me vreselijk. Waar komt die walgelijke lucht vandaan?'
'Overgebleven pizza die gisteren al niet lekker rook, dat moet het zijn,' bromde een gedempte stem van onder het dekbed.
'Het lijkt alsof iemand een vracht kiezelstenen in mijn keel heeft gestort vannacht. Wie van jullie is de schuldige?'
Wie de vrouw die oprees vanuit het midden van het bed als 'verslonsd' betitelde, was nog aardig. Debbies haar was dof, haar gezicht lijkbleek, haar ogen waren gezwollen en ze had twee gitzwarte wallen onder haar ogen.
'Die gothic-look staat je goed,' was het beste dat Lindsay kon verzinnen, in het besef dat ze er precies hetzelfde uitzag, zo niet erger.
Debbies ogen smeekten om hulp. 'Ik heb water nodig en de wc, snel.' Een paar blote billen klauterden over twee andere lichamen

heen en verdwenen, terwijl Lindsay bij bewustzijn kwam. Ze ging rechtop zitten en keek om zich heen.
Het was een grote chaos in haar kamer. Overal om haar heen zag ze kleren, jassen, schoenen, tasjes, reinigingslotion, tissues, glazen, flesjes, schroefdopjes, en een paar enorme dozen met halve pizza's die stonken en er goor uitzagen. Ze viel weer neer, kon de confrontatie nog niet aan.
'Gaat het?' Tara wist waar ze aan dacht.
'Jawel, ik weet weer waarom je hier bent.'
Debbie kwam terug in een belachelijke trui zonder slipje, met een pak vruchtensap. Ze gaf het pak zwijgend door, kroop weer in bed en huiverde.
'Jasses, ik hoop dat die klootzak in zijn eigen stront zakt.' Ze hoefde niks uit te leggen. Zo zaten ze een tijdje, ieder verzonken in haar eigen gedachten, terwijl Lindsay vat begon te krijgen op het gebeurde. Ze voelde zich uitgehold. Het was voorbij, dat wist ze nu wel zeker.
Ze maakte snel een beslissing.
'Goed dan, opstaan, met thee en geroosterd brood.' Ze wilde niet langer in die doodlopende steeg blijven. Ze sprong uit bed en schudde haar vriendinnen wakker, die weer in slaap dreigden te vallen.
'Ontbijten, douchen en daarna een flinke wandeling.' Ze besloten er niet tegenin te gaan.
Charlie was ongetwijfeld het levenslustigste wezen in de keuken toen ze in stilte liters koffie en thee dronken en, ondanks eerdere protesten, een schaal warme, knapperige en beboterde toast verorberden. Een voor een namen ze een douche en kwamen daar uit zoals ze erin gingen – ze hadden niet eens een poging gedaan om zichzelf meer dan hooguit weer een beetje mens te voelen.
'En dan te bedenken dat ik vandaag had moeten werken, als ik niet geruild had.' Debbie voelde zich alsof ze door een trein was overreden. 'Godzijdank.'
Debbie en Tara leenden schone kleren van Lindsay – grote, wijde sweaters met capuchon en alles wat maar om de billen paste. Lindsay pakte Charlies riem en het hele gezelschap propte zich in de auto en reed naar Howth, een vissersdorpje ten noorden van Dublin, waar ze de kliffen afdaalden, de frisse, schone lucht op-

zogen en hun gezicht warmden aan de bijna doorzichtige zon. Het was een vreemd gezelschap, met Lindsay die stevig vooropliep, haar gezicht van concentratie vertrokken, en twee grauwe hoofden en vermoeide lichamen achter haar aan, die haar nauwelijks konden bijhouden. Alleen Charlie genoot zichtbaar van het uitje en leek het gezelschap vooruit te trekken. Hij rende voortdurend vooruit en draaide zich verwachtingsvol om met zijn grote, natte, lachende kop en langharige staart. Uitgeput gingen ze terug naar huis, na een stop bij de supermarkt, waar Tara op had aangedrongen, want Debbie en Lindsay kregen alleen al bij de gedachte aan voedsel braakneigingen.

'We zijn toe aan een stevige maaltijd,' drong ze aan.

'Nee, aan een paardenmiddel,' smeekte Debbie.

Terwijl het waterige zonnetje onderging, kwamen ze thuis aan, en ieder zette zich zwijgend aan haar taken, als een geoefend team. Tara stak de haard aan, Lindsay deed een grote kip in de oven, besmeerd met boter en gevuld met knoflook, citroen en zwarte peperkorrels, en Debbie maakte meteen de fles open die op haar aanraden was gekocht. Toen de haard dankzij een heel pak aanmaakblokjes eindelijk aan was, had Debbie drie grote glazen warme port met citroen en kruidnagels gemaakt; Lindsay had aardappelen geschild om te bakken. Ze zaten rondom de haard te genieten van de warmte en de onmiddellijke verdoving van het drankje, ondanks hun stellige voornemen nooit meer te drinken.

'Ik ben zo blij dat we meteen rechtsomkeert hebben gemaakt in dat restaurant, ook al kostte dat ons etentje,' lachte Debbie halfhartig, 'al was het niet zo slim van me om daarna die pizza's te bestellen.'

'Die absorbeerden tenminste voor een groot deel de drank en toen we er eindelijk van begonnen te eten smaakten ze best goed.' Tara's gezicht vertrok. 'Hoeveel flessen wijn hebben we erdoor gejaagd, trouwens?'

'Ik geloof vijf, op zijn minst, ik wil het niet weten.' Lindsay glimlachte cynisch. 'Wat zullen zijn oren die avond nog hebben nagegloeid.'

'We hebben het er nog niet over gehad vandaag,' wierp Debbie op. Lindsay zei niets, ze staarde in het vuur en probeerde na te gaan wat ze echt voelde.

'Ik ben erachter gekomen dat het eigenlijk niet zo erg was als ik had verwacht toen ik hen voor het eerst samen zag. Ja, ik was ervan geschrokken. Het maakte het ineens allemaal zo echt, het was geen smakeloze grap meer. Ik besefte dat het voorbij was en God weet hoe vaak ik hen al in gedachten samen had gezien, dus toen het eindelijk zover was, kon de confrontatie bij lange na niet zo erg worden als in het scenario dat ik tientallen keren in mijn hoofd had afgedraaid. Begrijpen jullie wat ik bedoel?'
Ze begrepen haar volkomen.
'Maar... het wás afschuwelijk. Eerst was ik bang dat ik ging flauwvallen, zou gaan overgeven of huilen of dat ik hem zou smeken bij me terug te komen, maar nu lijkt het een droom. Weet je, als je me gisteren om deze tijd had gevraagd wat ik zou doen als ik hen samen zou tegenkomen, dan had ik iets heel anders gezegd, maar op dat moment was ik helemaal verdoofd en ik bleef maar denken: dit is het dus, geen reden meer voor twijfels, hij is niet meer van jou. Een vreemd gevoel, maar vandaag voel ik me al beter, omdat ik altijd heb geweten dat hij niet meer terug zou komen, en onbewust moet ik me daar op hebben ingesteld.'
'Arme lieve schat, kom hier.' Debbie was zoals altijd heel hartelijk.
'Ik heb nu geen excuus meer om niet verder te willen.' Lindsay zat er zielig bij te kijken.
'Ik denk dat je hem vanaf nu kunt zien zoals hij is, en niet zoals jij dacht dat hij was.' Tara, als altijd voorzichtig, wilde nog niet te ver en te snel gaan.
'Ja. Het doet nog steeds zeer, maar de afgelopen weken raakte ik aan de pijn gewend; mijn maag voelt niet meer als een grote open wond waar telkens zout op wordt gestrooid, want zo was het. En heel even, in alle verwarring in het restaurant gisteravond, besefte ik dat hij niet zo groot en sterk was als ik had gedacht. Dat betekent volgens mij dat ik er al een beetje overheen ben.'
Ze gaven haar een zoen, sloegen hun armen om haar heen en besloten dat ze, ook al viel er niets te vieren, één glas wijn mochten nemen bij de maaltijd, die ze op hun schoot gebruikten voor de haard – knapperige kip met knoflook, gebakken aardappeltjes en een gekruide salade. Om acht uur waren ze alledrie doodop en gingen Debbie en Tara naar huis, ieder in het besef dat er een

nieuwe hindernis was genomen en blij dat er weer een trauma was overwonnen. Lindsay nam een bad en besefte weer hoe goed ze het met haar vriendinnen had getroffen. Ze moest lachen toen ze zich herinnerde hoe ze de avond daarvoor met zijn drieën in haar bed waren gekropen, daar zaten te eten en vooral te drinken, en hoe ze haar lieten uitrazen. Ze bleven bij haar en gaven al hun weekendplannen op, om haar zo lang als nodig was bij te staan.

Ze voelde zich oké toen ze die zaterdagavond om negen uur naar bed ging, met alleen de televisie als gezelschap. Ik kom hier wel doorheen, dacht ze, erin berustend maar een stuk wijzer.

De volgende dag sliep Lindsay uit, wat haar verraste en goeddeed, en de rest van de dag ruimde ze de rotzooi op, waste ze haar kleren en bereidde ze zich voor op de komende week. Ze bleef zich de hele dag verdrietig voelen, als iemand die nog in de rouw is – de eerste afschuwelijke pijn is verdwenen, maar het gevoel van verlies en eenzaamheid blijft over. Ze was blij dat haar nieuwe baan en toekomstige carrière haar zo bezighielden en ze wist dat ze zich nog meer moest inzetten om de opleiding naar volle tevredenheid af te ronden, want haar werk was het enige dat haar op de been hield.

En zo vlogen de weken om. De herfst veranderde in de winter, maar niemand merkte het omdat het weer zo zacht bleef, totdat men besefte dat de bomen bijna helemaal kaal waren en de vogels 's ochtends niet meer zongen. Het werd moeilijker om Charlie bij de kachel weg te krijgen als ze 's ochtends vertrok en Lindsay voelde zich schuldig omdat ze zulke ongelooflijk lange dagen maakte en bijna elke avond zat te studeren of haar aantekeningen uitwerkte. Ze had geluk dat ze een redelijk grote tuin had en een oudere buurman die via de achterpoort naar binnen kon en elke middag Charlie uitliet. Lindsay was daar zo verheugd over dat ze een extra riem voor hem kocht, die ze in het schuurtje hing, waar ze altijd een zakje Werther's Original of ander snoepgoed voor hem klaarlegde, dat Charlie volgens haar met hem deelde. En voor deze kerst zou Charlie een heel grote fles cognac voor meneer Nichols kopen.

Lindsay leek alleen nog maar te werken en te slapen, probeerde gezond te eten en niet te veel over haar leven na te denken. En dat werkte bijna. Ze moest niet meer om de tien seconden aan hem denken en had langzaam alle gelukkige foto's en andere herinneringen aan de voorbije liefde verwijderd. Ook haar vriendinnen hadden het druk. Tara leek wel op de rechtbank te wonen en Debbie bleef hen maar telefonisch herinneren aan de verlanglijstjes die ze moesten maken voor de kerst, zodat ze wist wat ze moest meenemen uit Milaan of welk ander winkelparadijs dan ook. Beiden negeerden haar berichten, Tara omdat ze haar zaakjes al geregeld had en wist dat Debbie nooit precies datgene meenam waar ze om had gevraagd, en Lindsay omdat zij dit jaar kerst het liefst zou overslaan.

Plotseling was het eind november en liep de cursus ten einde. Iedereen was gestrest, bezorgd over hun eindopdracht, waarvoor ze een pilot-aflevering moesten produceren en regisseren over een zelfgekozen onderwerp. Lindsay en Carrie hadden het hier uren over bij af en toe een glaasje wijn, maar meestal bij de koffie die hen wakker moest houden. Sommige cursisten hadden briljante ideeën: een documentaire over transseksuelen, een romance tussen twee vrouwen, een snelle filmquiz, reality tv. Na veel wikken en wegen besloot Carrie een kijkje te nemen in de *gay scene* van Ierland. Lindsay had vaag een idee voor een alternatieve talkshow, laat op de avond, een beetje gedurfd, met een decor dat gebaseerd was op Dublins nieuwste hot spots – een show waarbij het studiopubliek betrokken werd en vragen mocht stellen aan de gasten. Spelletjes en kookdemonstraties waren uitgesloten, en trendy muziek was een vast onderdeel. Over elk onderwerp kon worden gepraat en het programma moest snel en flitsend zijn, met onderwerpen variërend van grunge tot Gucci, van IT-vrouwen tot designerbaby's, van masturbatie tot lap dancing. De leeftijd van de doelgroep lag tussen twintig en negenendertig jaar. Lindsay werkte uren aan haar voorstel. Ze wilde zowel choqueren als amuseren, plagen maar ook doen watertanden.

Dat was niet makkelijk, want het beoogde publiek stond bekend als grillig en eindeloos zappend, en al zouden de pilots nooit worden uitgezonden, de docent had verteld dat elk programma zou worden bekeken door een representatieve groep mensen uit het vak, die hen zou becommentariëren, bekritiseren en beoordelen alsof het om een echt programma ging. Het was daarom van essentieel belang te doen alsof dit programmavoorstel echt zou worden uitgezonden, en iedereen was dan ook druk bezig met het spuien van ideeën en het inwinnen van adviezen. Iedereen kreeg een klein budget en vier uur opnametijd in de studio met een echte studioploeg, dus alle programma's werden professioneel gemaakt. Op deze opdracht zouden ze uiteindelijk worden beoordeeld, al werden ook hun bijdragen en prestaties tijdens de cursus betrokken bij de eindbeoordeling. Er waren twaalf cursisten en maar acht plaatsen, dus een op de drie zou afvallen. Dat idee maakte Lindsay extra fanatiek. Ze had dit jaar al voor een leven lang teleurstellingen te verwerken gekregen, dus ze moest en zou die baan hebben.

Op maandagochtend begon de twee weken durende voorbereidingstijd en Lindsay stond al om zes uur op. Op haar laptop maakte ze aantekeningen en typte ze het draaiboek uit. Cursisten hoefden zich in deze periode niet officieel te melden op het opleidingscentrum, en hadden alleen maar een kort voortgangsgesprek met een van hun begeleiders.

Lindsay bleef een paar uur thuis werken en ging vervolgens weg om telefoontjes te plegen en met teamleiders kennis te maken. Het was een geweldige ervaring om met een echte ploeg te werken – cameralui die *frameshots* konden maken, lichttechnici die hun eigen gang gingen. Voorheen hadden ze voor elkaar als ploeg gewerkt, met wisselend succes. Het werken met echte professionals bracht het allemaal tot leven. Iedereen mocht een dag gebruikmaken van een ontwerper en omdat ze vanwege de kosten geen hele set konden bouwen, moesten ze hun set bouwen met bestaande magazijnstukken. Lindsay besefte al bij de kennismaking dat ze het ontzettend had getroffen met haar ontwerper. Jonathan had gebleekt blond haar en was zo *campy* als maar zijn kon, maar hij was enthousiast en zat boordevol ideeën. Ze had schetsmatig aangegeven hoe het geheel eruit moest komen te zien en samen hadden ze een hele ochtend doorgebracht in een enorm magazijn waar alle decors, van vroeger tot heden, werden opgeslagen. Lindsay stond een decor voor ogen met veel staal en steigerconstructies en verschillende etages, en Jonathan vond geweldig materiaal. Ook had hij ergens prachtig meubilair kunnen lenen, van aluminium en leer, en hij had zelfs grote rollen mousseline gevonden voor de achtergrond, die er met de juiste verlichting heel anders uit zou zien. Lindsay begon eindelijk zin te krijgen in haar project.

Als gasten had ze een jonge sekstherapeut gevonden (bij wie de zus van Tara was geweest), een jongeman die uit een jongensband was gezet omdat hij homo was (door Debbie opgescharreld tijdens een van haar vluchten) en een filmproducent die het ging hebben over de opkomst van jonge Ierse acteurs in Hollywood (de captain van haar moeders golfclub). Lindsay had een paar dj's van de radio gebeld en zo een lijst gekregen van nieuwe bands, en twee daarvan wilden heel graag gratis optreden, dus Lindsay beleefde een fantastische avond in een paar nogal ranzige jongerencentra in de stad om hen te zien optreden. Het studiopubliek, merendeels onder de vijfendertig, bestond uit vrienden van vrienden, dus Lindsay was verzekerd van interesse en een enthousiast applaus.

Halverwege de voorbereidingen in de tweede week raakte Lindsay in paniek en vond ze haar idee ineens waardeloos. Wanhopig belde ze Carrie op. Tot haar verbazing maakte die hetzelfde door, dus spraken ze meteen af om ergens wat te gaan drinken en nog een keer over hun programma's te praten. Lindsay vond Carries idee geweldig. Die zou een dag lang drie verschillende homoseksuele mannen volgen – dat alles binnen vier uur opgenomen. Ze probeerde de wereld door hun ogen te bekijken en zo de voor- en nadelen te zien van het homo-zijn in het moderne Ierland.

Carrie liet Lindsay het hele idee achter haar show nog eens uitleggen en stelde een of twee rake vragen waar Lindsay nog niet aan had gedacht. Dat bleek van een onschatbare waarde te zijn. Tussen de bedrijven door gaven ze elkaar wederzijds de benodigde bevestiging waarmee het zelfvertrouwen steeg. Na twee uur praten besloten ze dat het tijd was voor een roddel en een welverdiend drankje.

'Wat ik er zo leuk aan vind, is dat het echt een uitdaging is, waar je alles voor over hebt, omdat het zo spannend is,' zei Carrie enthousiast met een mondvol zoutjes en bier. 'En verder heb ik een

paar lekkere kerels gezien, wat ook erg motiverend werkt,' grinnikte ze.
'Alleen jij komt een lekkere kerel tegen in een programma over homo's,' lachte Lindsay.
'Nou, ik moest eerst door een hele laag heteroseksuele mannen boren voordat ik in contact kwam met hun homovrienden.'
'Weet je, mijn hoofd staat op het moment helemaal niet naar mannen, en dat is maar goed ook, want ik heb mijn haren al vier dagen niet meer gewassen. God, ik zal echt blij zijn als dit gedeelte voorbij is, ik word er helemaal gek van.'
Lindsay bewonderde Carrie om haar rust en ontspannen manier van doen. Het was een gezellige avond geweest en Lindsay ging daarna voor het eerst sinds tijden opgetogen en met een goed humeur naar bed.

8

Eindelijk was de dag aangebroken waarop Lindsay haar eindproject moest presenteren en ze was ziek van de spanning. Ze had de hele nacht liggen woelen, wist zeker dat ze het zou verknallen en daardoor de felbegeerde baan niet zou krijgen. Áls ze sliep, droomde ze dat Paul in het publiek opdook en telkens een andere vrouw kuste wanneer de camera op hem inzoomde. Ze stond om zes uur op en had drie wekkers gezet voor het geval ze zich zou verslapen. Je wist maar nooit. Ze dwong zichzelf thee met geroosterd brood te nemen en perste uit een rode grapefruit een nogal troebel sapje. Daarna nam ze snel een douche en trok ze haar lievelingsjurk aan, een zwarte van Ghost – lang, eenvoudig en hij zat als gegoten. In combinatie met een wit T-shirt, haar grote zwarte trui van Lainey Keogh en haar nieuwe laarsjes zag ze er hip en relaxed uit. De dag daarvoor had ze tijd genomen om naar de kapper te gaan, zodat ze haar haren los kon laten hangen waardoor haar nieuwe, glanzende, kastanjebruine coupe goed zichtbaar was.
Ze ging meteen om halfnegen naar de studio om te kijken hoe de

zaak ervoor stond, al begon men pas om twee uur met de opnamen. Het decor was een verrassing. Jonathan had zijn belofte waargemaakt, het geheel zag eruit als een nachtclub en Lindsay glimlachte toen ze hem zag ronddribbelen en instructies hoorde geven aan de decorbouwers.
Toen ze wilde helpen, fluisterde hij: 'Lieve schat, wil je soms dat ze gaan staken?'
'Sorry, maar ik ben gewend om alles zelf te doen. Dat moest tijdens de cursus.'
'Welkom in de echte wereld, al is die niet veel beter.' Hij lachte veelbetekenend, maar het lukte niet om haar te demotiveren. Op deze plek voelde ze zich nu het meest thuis.
'Verdomme, let een beetje op, je verknalt die prachtige vloer zo helemaal,' schreeuwde Jonathan naar een geluidsman die met microfoonstandaards over de glanzend witte vloer sleepte. Even werd er flink geruzied en het verbaasde Lindsay dat niemand daar acht op sloeg.
'Je maakt hier dagelijks een drama mee, nog erger dan in een soap,' verklaarde floormanager Steve met een knipoog. Lindsay keek toe hoe iedereen zijn werk deed, verbaasd omdat ze dit allemaal voor haar deden. Enkele senior teamleden maakten een praatje met haar en drukten haar op het hart dat ze bij hen moest aankloppen als ze iets niet begreep. Ze kon al die bereidwilligheid niet geloven, want het ging maar om een eenvoudig afstudeerproject. Het leek wel of iedereen wilde dat ze zou slagen en ze koesterde zich in deze warme hulpvaardigheid. Peter Jenkins, een verlegen, vriendelijke cameraman stelde zichzelf voor en wenste haar succes.
'Ik hoop dat we in de toekomst nog eens samen kunnen werken,' grinnikte hij en in paniek besefte ze hoe graag ze deze baan wilde hebben.
Lindsay voelde haar hart bonzen in haar keel toen ze de regiekamer binnenging voor de repetities. Zij had de leiding, nu moest ze het waarmaken, haar toekomst hing af van de komende paar uurtjes. Ze was nog nooit zo zenuwachtig geweest, zelfs niet op dat verschrikkelijke sollicitatiegesprek.
Iemand van de technische ploeg kwam op haar af en vertelde dat er met een van de camera's geen opnamen konden worden ge-

maakt. De moed zonk haar in de schoenen, maar ze bleef kalm.
'Leg me precies uit wat er aan de hand is en hoe lang het duurt om dit op te lossen.' Hij legde alles in detail uit, maar ze begreep niet alles.
'Het kan tien minuten duren, maar ook een halfuur.'
'Ik moet hoe dan ook om zes uur klaar zijn,' legde ze rustig uit. De afspraak was dat iedereen precies vier uur studiotijd kreeg en daarna moest stoppen.
'We doen ons best, echt waar,' zei de oudere man vriendelijk, 'en het spijt me, maar je kunt niet repeteren zonder die opnamen.'
'Oké.' Lindsay zuchtte diep en zette haar koptelefoon op zodat ze met iedereen kon praten. Zo kort en helder als ze maar kon, legde ze het probleem uit terwijl ze koortsachtig iets bedacht om in die tussentijd te doen. 'Aangezien we niet kunnen repeteren zou ik graag met de hele ploeg in de studio bij elkaar komen om het draaiboek door te nemen,' besloot ze in een fractie van een seconde.
Dat bleek een slimme zet want het was voor het eerst dat de hele ploeg bij elkaar kwam en alleen de seniors wisten waar het programma over ging. Snel nam ze de opzet en het draaiboek door en vroeg ze of er nog onduidelijkheden waren. Die waren er, en sommige daarvan leverden weer nieuwe problemen op waar ze nog niet aan had gedacht. Tot haar verbazing probeerde iedereen er het beste van te maken. De geluidsploeg kon in een bepaald deel van de tribune geen microfoon krijgen, maar de senior cameraman had daarvoor een oplossing: 'Tijdens het muzikale intermezzo kunnen we camera één verplaatsen zodat het geluid erbij kan voor het gesprek daarna.'
'Maar heeft dat geen invloed op de shots van camera één tijdens dat interview?' informeerde Lindsay bezorgd.
'Nee, het moet lukken om close-ups te maken vanuit een andere positie, dat kan ik je laten zien zodra we opnamen hebben.'
En zo ging het maar door, tot plotseling een van de technici opdook en liet weten dat het probleem was opgelost. Lindsay ging meteen aan de slag en uiteindelijk viel alles op zijn plaats. Voor ze het wist, rolde de aftiteling over het scherm. Het was allemaal goed gegaan.
De seksuologe was een groot succes en maakte heel wat los bij

het publiek, dat soms serieuze, dan weer regelrecht kinky vragen stelde. De gast, een rustige vrouw van middelbare leeftijd, had het allemaal al eens eerder gehoord en draaide bij een of twee vragenstellers de rollen om, tot groot genoegen van het publiek. De homoseksuele jongen veroorzaakte een verhit debat onder een paar mensen die Lindsay in het publiek had 'uitgezet'. De gemoederen liepen hoog op toen die vooroordelen tegen homo's bleken te hebben en hen allemaal uit Ierland wilden verbannen. Het waren vijftien spannende minuten. De muzikale act was fantastisch en sommigen begonnen spontaan te dansen, wat bijdroeg aan het 'live' karakter van de show. Toen ze op de aftiteling zag staan 'Geproduceerd en geregisseerd door Lindsay Davidson' barstte ze bijna in tranen uit. Het werd dan wel niet uitgezonden, ze had het toch maar geflikt: ze had een dertig minuten durend programma geproduceerd en tot een goed einde gebracht, vanaf haar eerste aantekeningen tot de videoband voor het nageslacht. Het gaf haar een goed gevoel en ze wilde maar wat graag de kans krijgen om het in het echt te doen. Ze had de smaak te pakken gekregen.

Toen de muziek was opgehouden sprak ze haar dank uit en nodigde ze iedereen uit voor een drankje in de ontvangruimte om haar eerste programma te vieren. Daar was geen budget voor, maar ze had uit eigen zak een paar flessen rode en witte wijn en wat bier en zoutjes gekocht als dank voor alle medewerkers. Debbie en Tara waren tijdelijk aangetrokken als onderbetaalde gastvrouwen en toen iedereen aanwezig was, kreeg ze die dag haar zoveelste verrassing. Debbie had Jonathan overgehaald ballonnen, kaarsen en decorstukken te ritselen, zodat het zaaltje er feestelijk uitzag. Iedereen applaudisseerde toen ze binnenkwam en Lindsay was apetrots. Ze was verrukt. Michael Russell, de cursuscoördinator, schudde haar de hand en feliciteerde haar.

'Dankjewel, het was op het nippertje hoor, we hadden een technisch probleem,' riep ze, nog helemaal vol van de opname.

'Weet ik; daar had ik voor gezorgd.' Hij grinnikte.

'Wat?!' Ze kon het niet geloven en keek hem onnozel aan. Waarom wilde uitgerekend hij het haar moeilijk maken?

'We wilden weten hoe jij zo'n technisch probleem zou aanpakken,' hij moest lachen om haar ongelovige blik, 'en ik moet zeg-

gen dat je het geweldig deed.'
'Rotzak!' Dat was eruit voor ze het wist. Ze schoot in de lach. 'Ik voelde me de grootste pechvogel ter wereld en nu vertel je me dat het opzet was?'
'Ik vrees van wel, maar nogmaals, goed gedaan, en dit,' zei hij terwijl hij om zich heen keek, 'is een bijzonder aardige geste waarmee je de hele ploeg voor je hebt ingenomen. Mensen in dit vak, vooral programmamakers, verwachten veel, maar zijn niet altijd even dankbaar. Al begrijp ik niet hoe je dat met je budget hebt klaargespeeld.' Lindsay zweeg en glimlachte onschuldig, maar ze wist dat hij het wist. Het was absoluut onmogelijk om dit te bekostigen met het kleine budget dat ze hadden gekregen – ze kon nauwelijks mensen betalen –, maar wat hem betreft had zij het programma binnen het budget afgeleverd en daar ging het om.
Tara verscheen als bij toverslag. Ze had geen idee wie Michael was, maar vermoedde dat hij belangrijk was en bood hem een glas wijn en een hapje aan. Lindsay liet hen diep in gesprek achter en verslond een paar bolletjes en twee saucijzenbroodjes, en nam daarna een groot glas witte wijn. Hemels. Ze straalde zichtbaar en lachte naar iedereen. Het was het allemaal waard geweest. Nu hoefde ze alleen nog maar op de einduitslag te wachten om te weten of haar uiterste best ook voor hen goed genoeg was.
Na een uur of twee begonnen mensen te vertrekken en iedereen wenste haar succes. Lindsay was uitgeput. Haar hippe, stoere laarzen knelden, haar beha zat ineens te strak en ze verlangde naar haar warme pyjama. Haar vriendinnen hadden echter andere plannen.
'Kom op, wij gaan nog even wat drinken hoor, misschien wel naar een club.' Debbie had uren met een cameraman gekletst en was in topvorm. Lindsay had geen puf om weerstand te bieden en ze doken allemaal een taxi in en reden naar een van de hipste bars in de stad. Bij een fles champagne praatten ze verder.
Tara vond Michael heel aardig en leek binnen een halfuurtje zijn hele levensloop te hebben ontdekt. Hij bleek pas te zijn gescheiden van zijn vrouw en deze cursus kwam hem goed uit, want zo had hij geen tijd om te tobben. Tara vond hem heel schattig, wat de andere twee verbaasde, want hij was niet echt haar type.
Ze vroegen Debbie naar de cameraman, maar die ging binnen-

kort trouwen dus dat sloot hem uit.
'Weet je, toen ik je daar bezig zag, besefte ik pas hoe spannend het allemaal was.' Tara was dolblij voor haar vriendin. 'En het kon niet op een beter moment gebeuren.'
'Ik heb de baan nog niet.' Lindsay voelde haar maag ineenkrimpen.
'Oké, vertel ons precies wat er nu gaat gebeuren.' Tara's juridische brein, praktisch als altijd, moest deze onzekerheid wegwerken.
'Nou, als iedereen zijn eindproject heeft ingeleverd, beoordeelt een groep mensen uit de media het geheel op inhoud, kwaliteit, originaliteit, enzovoort. Daarna doen de drie cursusleiders verslag van onze prestaties in de afgelopen periode, overlegt Michael met het Hoofd Programmering en dan wordt beslist hoeveel mensen een baan krijgen aangeboden en waar ze gaan werken.'
'Behoorlijk zenuwslopend. Wanneer krijg je het te horen?' Debbie wilde dit vervelende gedeelte snel achter de rug hebben zodat ze echt konden feesten, hopelijk.
'Dat moet eind volgende week zijn. Ik heb vanaf nu opruimdienst, en dat betekent: administratie afhandelen, banden terugsturen, bedankbriefjes schrijven, dat soort dingen. Officieel eindigt de cursus volgende week vrijdag en iedereen zegt dat we het dan te horen krijgen. Ik weet echt niet wat ik moet doen als ik buiten de boot val. De afgelopen weken, en vooral vandaag, is het tot me doorgedrongen dat ik dit écht wil. Het is zo'n andere wereld, zo interessant, spannend, uitdagend en opwindend. Ik wil er zo graag deel van uit maken.'
'Nu moet je oppassen, meid,' waarschuwde Debbie. 'Ik wil er nu geen negatieve dingen over horen. Jij krijgt die baan. Ik weet het zeker.'
'Weet je, als ik na dat gesprek niks meer van ze had gehoord, had ik daar vrede mee gehad, vooral gezien de toestand waarin ik verkeerde. Maar nu, nu ze me een *sneak preview* hebben gegeven, nu ik de repetities heb meegemaakt, wil ik echt de hoofdrol. Maar natuurlijk neem ik ook genoegen met een plaatsje in het koor. Ik wil zelfs het podium wel vegen.' Lindsay grijnsde. Haar vriendinnen hadden haar in tijden niet meer zo vrolijk gezien.
'Jij haalt de top, schat.' Debbie sprong op. 'Laten we ondertus-

sen in de echte wereld onze energie kwijtraken op de dansvloer.'
'Welke energie?' schreeuwden de andere twee, maar ze was al vertrokken, waarna ze wel mee moesten om te voorkomen dat ze in moeilijkheden kwam.
Ze stonden raar te dansen, gierden van de lach en dronken veel te veel dure slechte wijn. Niemand kwam in hun buurt: ze zagen er veel te ongenaakbaar uit. Ze straalden te veel zelfvertrouwen uit voor de Ierse mannen die hen die avond bekeken.
'Dit is de laatste keer, morgen gaat het lidmaatschap van mijn sportschool in,' giechelde Lindsay toen ze om halfvier 's ochtends uit de taxi rolde.
'Morgenvroeg, afgesproken, absoluut – ik zie jullie om zeven uur.' Ze lachten terug en verdwenen met hoge snelheid in de inktzwarte winternacht.

9

De grootste, vetste slak in de tuin ging nog een stuk sneller dan de tijd in die dagen, al deed Lindsay van alles om die te laten omvliegen, zoals bijvoorbeeld de tuin harken, en wel zo fanatiek dat die slijmerige beestjes ervan schrokken.
Ze deed een poging tot werken, probeerde zich geen zorgen te maken, deed haar best op de sportschool, had dankzij de zenuwen geen moeite met dieet houden en zat meestal te wachten op een telefoontje.
De anderen verging het net zo. De aanvankelijke euforie was weggeëbd en iedereen vond zijn eigen eindproject belachelijk, vooral als ze andermans ideeën aanhoorden en de vernuftige manieren waarop die waren uitgevoerd. Ze hingen rond in het Opleidingscentrum, deden alsof ze het druk hadden. Eindeloos zochten ze in de gezichten van hun begeleiders naar een teken en de kleinste nuance werd uitgebreid besproken tijdens de lange koffiepauzes in de personeelskantine, de enige plek waar ze zich onderdeel van het circus konden wanen. Ze keken jaloers toe wanneer ze een groepje televisiemakers hevig zagen discussiëren, lachten naar ie-

dereen die weleens belangrijk zou kunnen zijn en hoopten dat ze eens bij dit gekkenhuis zouden horen. Zelfs degenen die onbewogen aan de cursus waren begonnen leken nu last te hebben van acute paranoia.

Donderdag tijdens de lunch hield Lindsay het niet meer uit.

'Ik heb er genoeg van, ik ga naar de sportschool en doe honderd push-ups,' zei ze tegen een uitgeputte Carrie, die zich nooit meer dan vijftien keer achter elkaar had kunnen opdrukken, zelfs niet na zes maanden sportschool. 'Daarna ga ik met Charlie een wandeling maken van tien kilometer, dan neem ik een bad en om tien uur ga ik naar bed, al moet ik er een handvol slaaptabletten voor wegslikken. Anders haal ik de volgende dag niet. Echt waar, ik verlies mezelf.'

Ze had net haar zwaarste sportschoolsessie ooit achter de rug en reed met Charlie het parkeerterreintje op aan het strand toen haar gsm afging.

'Lindsay, ben jij toevallig op de campus?' vroeg Michael Russell met kalme stem, zonder iets te verraden.

'Nee.' Lindsay kon niet liegen met die stormachtige zee op de achtergrond en met Charlie die als een razende aan haar mobieltje en in haar oor likte. God weet wat Michael wel niet van haar dacht. Ze duwde Charlie uit alle macht van haar schoot af, maar hij klom weer over haar heen, duwde met zijn snuit het mobieltje uit haar hand en gromde daar furieus naar. Lindsay kreeg bijna een hernia toen ze haar gsm wilde pakken en tegelijkertijd haar hond in toom hield.

'Hallo?' vroeg Michael verbaasd.

'Sorry, nee, ik ben nu niet op de campus,' zei Lindsay hijgend, 'maar ik kan er binnen een halfuur zijn.' Ze slingerde haar jas over Charlie in de hoop dat zijn opgewonden gejank zou verstommen.

'Waar ben je?' vroeg Michael lachend. 'Het klinkt alsof je probeert een beest in een wasmachine te stoppen. Erg verontrustend.'

Charlie zou willen dat ik hem in een wasmachine propte wanneer ik eenmaal met hem klaar ben, dacht ze. Lindsay haalde nog een laatste keer uit naar Charlie, die speels terugblafte. Liegen kon niet meer.

'Ik moest mijn hoofd leegmaken en ik was net klaar met de postproductie, dus ik piepte eruit om een strandwandeling te maken met mijn kleine gorilla die zich als hond voordoet.'

O jee, daar gaan mijn kansen, dacht Lindsay ineenkrimpend, blij dat de videofoon nog niet gebruikt werd.

'Heel verstandig,' antwoordde Michael nuchter. 'Geen probleem, ik heb nog genoeg papierwerk. Kun je morgen bij me langskomen op mijn kamer, rond halftien?'

Lindsay ging meteen akkoord en hing op, woedend op zichzelf omdat ze er niet aan had gedacht dat hij haar vandaag misschien wilde spreken. Ze had haar lot nu al kunnen weten als ze was gebleven. Verdomme.

Ze sprong de auto uit en Charlie, die niet kon wachten om naar buiten te gaan, sprong tegen haar achterste op waardoor ze voorover vloog. Snel stond ze weer op, vooral omdat een groep schoolkinderen haar gillend uitlachte om haar benen in de lucht. In razend tempo liep ze weg, het maakte haar niet uit of Charlie haar volgde of niet – die zou ze later onder handen nemen. De wandeling was een droom over verre reizen en avonturen, romantiek en opwinding. O, de mogelijkheden die één telefoontje konden oproepen!

Twee uur later, net toen ze thuis was aangekomen met een bemodderde, blije Charlie, ging haar mobiel weer.

'Ik heb hem, ik heb hem, ze hebben me aangenomen.' Carries geschreeuw was tot in Liverpool te horen.

'Gefeliciteerd, vertel me alles!' Het maakte Lindsay niet uit dat Charlie over het tapijt rolde. 'Wat ga je doen? Wat heeft hij gezegd?' Lindsay schreeuwde net zo hard terug terwijl ze haar natte jack en laarzen uitdeed.

'Sport.' Carrie lachte als een bezetene. 'Maakt me niks uit, ik ben blij dat ik het gehaald heb. Ze zijn niet goed bij hun hoofd, ik weet niet eens het verschil tussen voetbal en volleybal, maar ik zal tenminste eindelijk eens echte mannen ontmoeten.'

'Dit is pas goed nieuws zeg, van harte, je hebt het echt verdiend.' Lindsay wist hoe hard ze ervoor gewerkt had. 'Ik was als eerste aan de beurt, dus ik weet niets over de anderen. O ja, we gaan morgen met zijn allen champagne drinken en patat eten in die nieuwe bar in Grafton Street. Moet te gek zijn, dus trek iets leuks

aan, schat. Nu ga ik mijn moeder bellen, die heeft al maanden elke dag een kaarsje voor me aangestoken.'
Lindsay voelde haar hart bonzen. Het kwam dichterbij nu. O god, laat het goed zijn, prevelde ze, terwijl ze een stomend heet bad liet vollopen en er rustgevende essentiële oliën in gooide. Ze had Carrie beloofd onmiddellijk te bellen zodra ze nieuws had. Die avond keek ze tv, maar ze zag niets en denkend aan het voorval met Chris Keating viel ze in slaap – ze hoopte maar dat haar dat niet fataal zou worden.

De volgende dag om precies halftien haalde Lindsay diep adem en deed ze nog een schietgebedje voordat ze de kamer binnenging van de cursusleider. Ze keek even of haar hart niet onder haar dunne, witte katoenen bloesje te zien was, want het klopte zo hard in haar borst dat ze vreesde dat het er elk moment kon uit floepen. Ze droeg een strakke zwarte broek met krijtstreep en had haar haren strak naar achteren getrokken om er zo zakelijk mogelijk uit te zien; ze had een dun laagje crèmekleurige foundation aangebracht en een terracotta blusher, wat mascara op haar wimpers en op haar lippen een beetje *lipgloss*. Ze straalde naar de man achter het bureau, in het besef dat ze niemand voor de gek hield.
'Ga zitten, alsjeblieft.' Hij wees naar een zachte leren stoel. 'Laat me meteen terzake komen en je uit je lijden verlossen. We hebben een risico genomen door je toe te laten tot deze cursus, je was waarschijnlijk zelfs de minst ervaren deelnemer. We vreesden dat jouw gebrek aan kennis over het medium televisie je uiteindelijk zou nekken. In het begin zijn er een paar dingen gebeurd die deze vrees rechtvaardigden, dus ik heb je voortgang zeer nauwkeurig gevolgd. Ik was vooral benieuwd naar de mening van je begeleiders en naar de reacties op je eindproject.'
Lindsay dacht dat haar hart het zou begeven. Ze kreeg het plotseling ijskoud.
'Ik kan je zeggen dat je heel trots op jezelf mag zijn, want je hebt vrijwel alleen maar positieve reacties gekregen en je programma staat in de top-drie van beste ideeën. Gefeliciteerd, we willen je graag een contract aanbieden.'
De kou verdween en nu leek ze in brand te staan. Ze wist dat ze

tranen in haar ogen had; bijtend op haar lip probeerde ze niet te snikken.
Hij deed uitgebreid verslag van de reacties, maar dat ging allemaal langs haar heen. Ze kon nauwelijks rechtop blijven zitten.
'We hebben lang nagedacht over het programma waarvoor we je willen laten werken, en we hebben gekozen voor Live from Dublin.' Ze keek hem onnozel aan.
'Lijkt je dat wat?' Hij zweeg. Ze knikte nog onnozeler.
'Ik besef dat we een risico nemen door iemand met zo weinig ervaring meteen in het diepe te gooien van een van onze beste talkshows, maar ik heb met de uitvoerend producer gesproken, die je eindproject erg goed vond, en hij zei dat hij wel wat nieuwe ideeën kan gebruiken, vooral gericht op een jonger publiek. Ze waren onder de indruk van je item met die seksuologe en willen je graag in hun team opnemen. Het is een prestigieus programma, dus ik hoop dat je er blij mee bent.'
Hij zei nog wat over toekomstige besprekingen en over de beoordeling die ze over zes maanden zou krijgen, maar ze hoorde dat nauwelijks nog. De afgelopen vierentwintig uur had ze elk mogelijk scenario doorlopen, van een directe afwijzing tot toelating-met-de-hakken-over-de-sloot, maar nooit, zelfs niet in haar stoutste dromen, had ze gedacht dat ze met vlag en wimpel zou slagen en kon gaan werken voor het beste tv-programma van het land.
Ze ging meteen staan toen ze zag dat Michael al was opgestaan en zijn hand naar haar uitstak. 'Gefeliciteerd, je hebt het heel goed gedaan, we zijn allemaal heel tevreden.'
Hij moest haar naar buiten begeleiden want ze leek plotseling van onder tot boven verlamd.
Ze wist nog dat ze langzaam naar haar auto liep, kalm erin ging zitten en toen ineens begon te schreeuwen.
'Yes, yes, yes! Yeeeeees!' Ze moest hardop lachen, bonsde op het stuur, stampte met haar voeten en probeerde een dansje te doen – zittend, alleen, op klaarlichte dag. Ze moest het iemand vertellen.
Debbie. Voice-mail.
Carrie. 'Op dit moment is deze klant van Vodaphone niet bereikbaar...'

Tara. In vergadering.
Haar moeder. Niet thuis.
Ze raakte in paniek en belde Tara's secretaresse terug. 'Kunt u haar alstublieft even storen? Het is dringend.'
'Lindsay, gaat het, wat is er aan de hand?' Tara, eindelijk, bezorgd.
'Ik heb het gehaald. Het is niet te geloven! Ze vonden dat ik het briljant had gedaan en nu ben ik aangenomen.'
Tara gilde, zich kennelijk niet storend aan de verbaasde blikken van haar collega's. 'O mijn god, dit is fantastisch.'
'Sorry, maar ik moest het aan iemand kwijt.' Lindsay bleef lachen.
'Ik bel je zodra ik tijd heb, maar goed gedaan, meid, dit is fantastisch nieuws.'
Lindsay bleef nog een uur in haar auto zitten, totdat ze iedereen had gesproken. Debbie kon haar niet goed horen, maar gilde op goed geluk hard mee, en haar moeder klonk een beetje sentimenteel, wat hoogst ongebruikelijk was. Carrie kon niet geloven dat ze naar *Live from Dublin* ging. Haar zus Anne had er nooit aan getwijfeld. Heel even vond Lindsay het jammer dat ze Paul niet kon bellen met dit goede nieuws, maar dit gevoel drukte ze snel weg. Dit was haar moment, alleen van haar, en niets of niemand kon dat verstoren. Zoiets maakte je maar één keer in een leven mee en ze wilde dat bewaren, dat vieren, er bewust van genieten. Bovendien kwamen er gevoelens bij vrij die ze voorgoed verloren dacht te hebben – zelfvertrouwen, het gevoel gewenst te zijn, de moeite waard zelfs. Het was een gelukzalig moment, een ongelooflijke opkikker.
Ze haastte zich om zichzelf te belonen met een bezoek aan de schoonheidsspecialiste, waar ze zich zelfs de roemruchte St. Tropez liet aansmeren, de door Posh Spice en Kylie Minogue en nog heel wat beroemdheden geliefde zelfbruinende crème, als je de bladen tenminste mocht geloven. Daarna gooide ze haar strakke haarknot los en liet ze haar haren föhnen totdat die golfden als gerimpelde zijde. Volgende halte: Grafton Street, waar ze een verrassende outfit kocht – een mokkakleurig, met veters in te snoeren zijden topje, met daarbij een rechtvallende, lange donkerbruine rok van bijna doorzichtige chiffon en een zacht, oversized,

recht fluwelen jasje zonder knopen dat je om je heen moest slaan. Een tas vol nieuwe make-up van Mac, reinigingslotion van Eve Lom en heel sexy huidkleurige lingerie maakten deze shoppingsessie compleet. Ze weigerde zich ook maar een moment schuldig te voelen over het bedrag dat ze binnen enkele uren had uitgegeven en ze bedankte haar papa in de hemel dat hij haar zoveel had nagelaten. Ze voelde zich ronduit fantastisch. Op weg naar de parkeerplaats werd ze door Tara gebeld.
'Waar ben je, waar spreken we af?'
'Ik heb net een geweldig pakje gekocht, en make-up en ondergoed, en wil nu meteen met iemand een glas champagne drinken, al kan mijn stemming onmogelijk nog beter worden.' Voor de zoveelste keer die dag moest ze lachen.
'O ja, en pas onder het genot van een drankje vertel ik je voor welk programma ik ga werken.'
'Dan zie ik je over een kwartiertje in de Shelbourne,' zei Tara giechelend als een peuter. Met een van haar twee beste vriendinnen zat Lindsay het daaropvolgende uur warme toostjes met romige paté te eten en ijskoude champagne te drinken. Halverwege belde Debbie vanaf Luton Airport en haar gegil was in de hele Horseshoe-bar te horen. Er werd naar Tara en Lindsay gekeken, toen ze dubbel lagen van het lachen en zich voorstelden hoe Debbie ergens in Londen stond te dansen.
Deze dag kon niet meer stuk.

10

Om halfnegen die avond liet Lindsay zich per taxi afzetten voor de supertrendy Cleo's Bar, waar ze haar cursusgenoten zou ontmoeten. Het was een koude, natte, winderige decemberavond, maar ze merkte er niets van. Ze gloeide toen ze zich bij het gezelschap voegde. Niemand wist van elkaar wat ze gingen doen, behalve dan de paar medecursisten met wie men bevriend was geraakt. Lindsay voelde zich wat onzeker, want ze wist nog niet wie er buiten de boot waren gevallen en hoe ze zich zouden voelen.

Het bleek dat de vier mensen die geen baan hadden gekregen op een wachtlijst stonden voor een contract in de toekomst, er was immers veel in hen geïnvesteerd. Twee van hen waren daar wel tevreden mee, aangezien ze nog steeds studeerden, de een fulltime, de ander in deeltijd. Angie, de derde, werkte als farmaceut in de apotheek van haar ouders en bleef dat doen totdat ze werd opgeroepen, wat haar goed uitkwam omdat haar ouders wat ouder begonnen te worden. Tom, een stille, aandachtige, intelligente maar heel serieuze jongen was er als enige kapot van. Lindsay kende hem niet zo goed, maar vond hem altijd nogal gespannen, wat hem waarschijnlijk ongeschikt maakte voor de televisie. Niettemin was ze ontzettend blij dat ze die avond tot een van de feestvierders hoorde.

Tot haar verbazing was iedereen blij voor haar toen ze hoorden waar ze ging werken, en men wenste haar het beste. Dat was vreemd, want iedereen leek een concurrent. Ze was razend nieuwsgierig naar het nieuws van de anderen. Twee gingen naar *Actualiteiten*, de een dolgelukkig, de ander met zelfmoordneigingen, wat iedereen grappig vond, en Serena, een lange, slanke, sexy blondine die iedereen versteld had doen staan met haar kookprogramma als eindproject, ging een reeks kinderprogramma's over eten ontwikkelen. Ze was dolgelukkig, wat nog meer verbazing wekte. Lindsay kon niet genoeg krijgen van alle verhalen. Voor het eerst stond ze zichzelf toe om mee te praten, omdat ze er plotseling zelf middenin zat.

Cleo's Bar stond bekend om zijn 'traditionele' gerechten met een exotische draai, zoals *fish and chips* (grote, sappige gamba's, gebakken met knoflook en pepers, opgediend met vette, knapperige, huisgemaakte kaaschips) en puree met worst (dikke, kruidige varkensworstjes van het huis met jus van rode uien en zachte, gebakken aardappeltjes), dit alles voortreffelijk bereid met de beste ingrediënten. Er werden uitstekende wijnen geserveerd, allemaal per glas, en ook champagne en de populairste biertjes. Het kostte een fortuin en de bar was dan ook een verzamelplaats voor de happy few, de toplaag van de rijkste, coolste mensen in Dublin. Lindsay was er voor het eerst en ze vond het geweldig. Ze genoot van de sfeer, nam de omgeving helemaal in zich op en wilde er elke seconde optimaal van genieten. Dit was het moment

waar ze zo naar had verlangd en ze vreesde dat het nooit meer terug zou komen.
Ze zouden hun laatste cent opmaken, alvast een voorschot nemend op hun nieuwe salaris – waarnaar Lindsay verzuimd had te informeren – en die avond alleen maar champagne drinken. Ze mochten daarbij niet denken aan het feit dat de meesten van hen er juist financieel op achteruit gingen.
Lindsay had echter niet veel nodig om haar stemming op peil te houden, al ging dat eerste glaasje bubbels er lekker in. Lachend en stralend liep ze rond en vierde ze haar eigen feestje. Ze voelde zich fantastisch in haar nieuwe kleren, maar was slim genoeg om te beseffen dat het geluksgevoel vanuit haarzelf kwam. Ze was zo blij dat ze de afgelopen maanden had overleefd en er was uitgerold met een gloednieuwe carrière voor de boeg. Ook hielp het besef dat ze er in geen tijden zo goed had uitgezien. Iemand met vooruitziende blik had een lange tafel gereserveerd en terwijl men genoot van de hapjes en de drankjes, bleef iedereen van plaats verwisselen. Het lawaai was oorverdovend en de stemming grensde aan het manische.
Toen Lindsay rond een uur of tien richting wc liep, hoorde ze haar naam. Ze draaide zich om en zag Dan Pearson, de floormanager die haar op die beruchte avond in de nieuwsstudio had gered. Hij lachte naar haar.
'Wauw, je ziet er een stuk minder gespannen uit dan de vorige keer.' Hij keek haar warm aan, observeerde haar twinkelende ogen, glanzende haar, en soepel vallende, sexy kleren. Spontaan omhelsde ze hem.
'Ondanks alles heb ik het gehaald, echt waar,' zei ze lachend. 'Het is niet te geloven, ze hebben me zelfs een baan aangeboden.'
'Daar twijfelde ik niet aan, ik herken talent meteen,' plaagde hij. 'Dus dat vier je nu?'
'Jazeker, ik voel me top vandaag, beter kan niet.' Ze lachte wat onnozel, waardoor ze er jong en onschuldig uitzag, als een kind in een snoepwinkel.
'En jij? Wat doe jij hier vanavond?' vroeg ze verlegen, zich bewust van het feit dat ze hem nauwelijks kende maar wel had omhelsd.
'Chris en ik hebben net een interview gedaan met de minister-president.' Hij knikte naar de man die er net bij was komen staan.

'We wilden hier een hapje eten en wat drinken. Hippe tent hoor, moet ik zeggen, al zit het volgens Chris niet altijd zo vol met mooie mensen.'
Lindsay moest tegen beter weten in omkijken en staarde recht in de ogen van de man die ze liever nooit had teruggezien, behalve dan op tv en zelfs dan het liefst zo laat mogelijk op de avond.
'Hallo,' bracht ze met moeite uit.
'Hallo, Chris Keating,' zei hij vriendelijk en hij stak zijn hand uit. Hij herinnerde zich kennelijk niet dat ze elkaar al eerder hadden ontmoet, wat het allemaal nog erger maakte, als dat al kon. Hij was groter dan ze zich herinnerde en was formeel gekleed, vermoedelijk vanwege dat gesprek met de premier. Hij droeg een donkergrijs wollen pak dat er zo duur uitzag dat het zijde had kunnen zijn; daaronder een hagelwit overhemd met een onopvallende stropdas. Zijn uiterlijk straalde ongedwongenheid uit, deels omdat zijn haar zo onmodieus lang was voor zijn onberispelijke imago en deels omdat zijn iets te blauwe ogen en zijn gebruinde huid deden vermoeden dat hij meestal geen pak droeg. De combinatie was indrukwekkend. Dan besefte dat deze situatie alleen met direct ingrijpen te redden viel.
'Jullie hebben elkaar al eens ontmoet, maar kennelijk heeft dat op geen van jullie beiden indruk gemaakt, tenminste geen indruk die je wilt onthouden. Vanavond niet tenminste,' grinnikte hij naar Lindsay, zonder acht te slaan op haar halfhartige lach.
Chris Keating keek haar eens goed aan.
Ik hoop maar dat hij me niet herkent, dacht Lindsay, althans niet voordat ik een smoes bedacht heb en ervandoor ben. Precies op dat moment kwam Carrie eraan en ze raakte in gesprek met Dan, die zij ook tijdens de opleiding had ontmoet. Dan bleek afkomstig te zijn uit de buurt van haar geboorteplaats. Ze omhelsden elkaar als oude vrienden en staken meteen van wal. Lindsay staarde er verbluft naar, Chris leek verbijsterd.
'Werk je ook voor de tv?' vroeg hij. 'Dan kent iedereen, daarom ga ik zo graag met hem uit. Ik zou anders in mijn eentje in een hoekje achterblijven.' Ze geloofde er niets van, maar bleef hem als een idioot aankijken, bang om iets te zeggen zodat hij haar stem zou herkennen – ze wist het: het was een belachelijke gedachte.

'Ja, net begonnen,' bracht ze uiteindelijk uit. 'Ik ga werken voor *Live from Dublin* op dinsdag.' Ze wist bij god niet wat ze anders moest zeggen.
'Als wat?'
'Productieassistente.'
'O, jij bent dus een van de cursusleden...' Zijn stem stierf weg en ze wist dat hij zich nu het voorval herinnerde. Hij bleef haar aankijken. 'Nu ineens dringt het tot me door dat jij de enige persoon ter wereld bent voor wie ik in het stof moet kruipen en aan wie ik uitgebreid mijn verontschuldigingen moet aanbieden.' Hij keek haar strak aan, alsof hij zeker wilde weten dat zij het was. 'Ik was ontzettend grof tegen je die avond in de nieuwsstudio; ik had je moeten laten weten hoeveel spijt ik daarvan had.' Hij lachte naar haar en leek tegelijk onzeker. Het verbaasde haar hoe anders hij nu leek, nauwelijks herkenbaar en toch een bekende voor haar, net als voor de rest van het Ierse volk.
'Ik kwam met slaaptekort terug van een lange reis, wat me prikkelbaar maakte, en toen kreeg ik een telefoontje, of ik in allerijl een promo wilde maken. En tot overmaat van ramp trok jij het dekbed van me weg dat ik al bijna in mijn handen had, daardoor reageerde ik zo heftig. Het spijt me echt. Ik reageer anders nooit zo heetgebakerd.'
Lindsay, die niet op haar mondje was gevallen, stond paf. Ze had in haar hoofd een monster van hem gemaakt, ook omdat ze dacht dat hij de macht had om haar lang gewenste carrière te vernietigen nog voordat die was begonnen. Ze was overal op voorbereid geweest voor het geval ze hem zou ontmoeten, maar niet hierop.
'Inderdaad ging je behoorlijk tekeer, maar het was ook ongelooflijk stom wat ik gedaan had, en je hebt me een lesje geleerd dat ik nooit zal vergeten. Ik dacht dat ik je zou haten, maar dat valt wel mee.' Ze haalde haar schouders op, alweer verbaasd over de manier waarop die dag verliep. 'Het valt zelfs helemaal erg mee, want dit is een van de gelukkigste dagen uit mijn leven en die laat ik door niets verpesten.'
Carrie had Dan meegesleurd om hem aan iemand voor te stellen en Lindsay wachtte tot Chris zich zou excuseren en zich weer zou aansluiten bij een van de vele mensen die hij moest kennen, maar

tot haar verrassing riep hij een ober en vroeg of ze wat wilde drinken.
'Nee, dank je wel, ik ben hier met een groep.' Ze voelde zich een beetje stom, ze begreep niet waarom hij dit deed terwijl hij zich waarschijnlijk het liefst uit de voeten zou maken.
'Ik sta erop, wat wil je?'
'Vanavond alleen champagne, vrees ik. Ik heb iets te vieren,' verontschuldigde ze zich.
'Mooi, dan neem ik iets kouds, wits en droogs,' lachte hij naar de ober. 'Dank je wel.'
'Vertel me, wanneer is die cursus afgerond en hoe ben je verzeild geraakt bij de beste talkshow op tv?' vroeg hij, en tot haar verbijstering leek hij echt geïnteresseerd. Ze dacht dat beroemdheden alleen maar over zichzelf praatten. Een halfuur later zaten ze geestdriftig te praten toen Dan en Carrie terugkwamen om te zeggen dat ze ergens 'echt' gingen eten. Lindsay zag de ogen van haar vriendin fonkelen.
Ze lachte en gaf haar een kus. 'Ik spreek je dinsdag.' Lindsay was blij om haar vriendin zo gelukkig te zien. Dan zag er zelf ook niet al te ongelukkig uit. Tot Lindsays verrassing maakte Chris niet van de gelegenheid gebruik om zelf ook te vertrekken, maar bleef hij met haar praten. Ze voelde zich wat ongemakkelijk. Hij was per slot van rekening een beroemdheid. Hij had lang genoeg beleefd met haar gepraat om met goed fatsoen ander gezelschap op te zoeken, en hij had een fortuin neergelegd voor dat glas met bubbeltjes. Maar hij bleef haar vragen stellen, het maakte haar zenuwachtig.
Ze bleven uren kletsen en ongemerkt was tijdens het gesprek de sfeer tussen hen veranderd en begon Lindsay aan seks te denken. Met hem.
Ze wilde hem kussen. Aanraken. Vasthouden.
En dat hij hetzelfde met haar deed.
O mijn god, doe normaal, zei ze boos tegen zichzelf. Dit denken alle vrouwen elke avond bij hem. Hij is waarschijnlijk getrouwd of heeft op zijn minst een vriendin.
Toch geloofde ze dat niet, al wist ze niet waarom. Misschien kwam het door de manier waarop hij naar haar keek. Of was haar blik vertroebeld door de champagnebubbels?

Ze vroeg zich af wat hij zou zeggen als hij wist waaraan ze dacht. Plotseling wilde ze rauwe, gepassioneerde, fantastische seks. Zonder complicaties. En niet verliefd worden en je dan afvragen of hij dat ook niet is. Of bang zijn dat hij je in de steek zal laten, waar je moeder je altijd voor waarschuwde. Zeker weten dat hij niet terugbelt. Piekeren of je hem wel of niet je gevoelens zult tonen. Bang dat hem dat afschrikt. Niet jezelf kunnen zijn. Lindsay besefte plotseling dat ze zoiets nog nooit had gehad. Een knappe, intelligente, grappige, fantastische *one-night-stand*, geheel vrijblijvend. Zo was zij niet. Mannen fantaseerden niet over haar. Niemand wilde ooit de kleren van haar lijf rukken en snelle, dierlijke, ruige seks met haar. Natuurlijk had ze genoeg geweldige seks gehad, maar die kwam nooit uit de lucht vallen. En het gebeurde nooit bij een eerste afspraak.
Maar hé, dit kon je in de verste verte geen afspraak noemen. Niet eens een vage bekende, eigenlijk.

Bij Lindsay tekende zich altijd hetzelfde patroon af. Man ontmoeten. Man leuk vinden. Voor een avondje uit worden gevraagd. Of niet. Wachten tot hij belt. Uiteten gaan, afscheid nemen met een zoen. Wachten tot hij belt. Hem langzaam beter leren kennen. Na een tijdje (soms geweldige) seks. Soms niet zo geweldig. Verliefd worden. Of je dat inbeelden. Of doen alsof je verliefd bent. Een heerlijke tijd doormaken. Je hart laten breken. Of zelf harten breken.
Plotseling leek deze hele man-vrouwcyclus haar belachelijk en voelde ze sterk de neiging om de regels te herschrijven. Om te beginnen zou ze geweldige seks hebben zonder meteen verliefd te worden. Zelfs zonder hem te kennen. Toen ze op dat moment in die volle bar naast hem stond, maakte het haar niets uit, ze wist alleen dat hij niet van haar weg mocht gaan.
Dit te gekke, slimme plan van haar had nog een extra voordeel. Het zou de laatste nagel zijn aan Pauls doodskist. Er zou niets meer van hem overblijven als ze eenmaal seks had gehad met een ander. En ze wilde maar wat graag met deze ander seks hebben.

'Hoi, Lindsay. Je bent vast blij dat de cursus voorbij is.'
Plotseling besefte ze dat er een groep mensen van *Actualiteiten* bij

hen was komen staan, ook mensen van het *Negen Uur Journaal* met wie ze had gewerkt op die beruchte avond van het rode lampje. Iedereen praatte door elkaar, lachte, bestelde drank, plaagde. Het verbaasde haar dat Chris bij haar bleef staan en haar betrok in zijn gesprekken. Ze vond dat ze nu haar kans moest grijpen en schuifelde naar de dames-wc's om te ontsnappen.
'Zeg, zullen we ertussenuit knijpen en een rustiger plek opzoeken? Het is me hier iets te druk.' Chris fluisterde en lachte er verlegen bij. Weer leek hij wat onzeker over zichzelf, maar ook nu moest dat volgens haar verbeelding zijn. Ze keek de andere kant op, alsof ze al wist wat ze ging zeggen, en deed nog een wanhopige, vergeefse poging om dat malle plan uit haar hoofd te zetten voor het te laat was.
Ze wist niet hoe ze de woorden uit haar mond had kunnen krijgen, maar ze waren eruit voor ze het wist, en hoewel ze ze weer onmiddellijk wilde inslikken, bleven ze onontkoombaar tussen hen in hangen. Daar kon ze de champagne niet de schuld van geven. Ze had nog nooit zo'n oneerbaar voorstel gedaan aan een wildvreemde.
'Ik zou graag ergens met zijn tweeën willen zijn. Met je praten. En je aanraken. Me door jou laten aanraken.' Ze was nauwelijks hoorbaar. Ze keek hem niet aan. Nog niet. Hij had zich voorovergebogen om zijn vraag te stellen en ze zag hem nog in diezelfde houding staan, met zijn hoofd dicht bij het hare. Ze kon hem ruiken. Ze verroerde zich niet. Hij bleef stokstijf staan.
Lindsay kon niet geloven dat ze het gezegd had. Jeetje, ze wist niet eens zeker of ze hem wel leuk vond. Nee, dat was gelogen. Ze vond hem absoluut heel leuk.
Hij keek haar aan. Ze voelde dat en wist dat ze naar niets of niemand anders meer kon kijken dan naar hem.
Bijna was zijn antwoord haar ontgaan.
'Ik ook.'

11

Lindsay greep haar tasje en samen liepen ze gehaast naar buiten, zonder iets te zeggen. Ze wist zeker dat ze droomde.
'Wil je mee naar mijn huis?'
'Nee.'
'Oké, maar waar dan?'
'Een plek die voor ons beiden onbekend terrein is.'
Geen herinneringen, wilde ze eigenlijk zeggen.
Als hij haar op dat moment nogal bijdehand vond, wist hij dat goed te verbergen.
'Goed dan, even nadenken. Er blijven dan weinig opties open. Als ik een auto had zou dat ook bekend terrein voor me zijn. En er zijn niet zo heel veel openbare plekken waar je elkaar mag aanraken zonder dat de politie erbij wordt geroepen.' Ze voelde dat hij naar haar lachte. Heel even vreesde ze dat ze echt gek geworden was. Hij leek iets te merken.
'Ik zou mijn vriend Maurice kunnen bellen. Die is manager van het Shrewsbury Hotel en ik kan vragen of hij een kamer voor ons heeft. We hoeven niet te overnachten behalve als we dat willen. Laten we er gewoon heen gaan, iets drinken, wat praten, oké?'
'Prima.' Lindsay probeerde zo nonchalant mogelijk te lijken toen ze door de koude, natte straten van Dublin slenterden. 'Het regent tenminste niet meer, dus we worden niet nat,' zei ze ineens heel zorgzaam, wat belachelijk klonk gezien hun wilde plannen.
Chris pakte zijn gsm en belde naar wat een mobiel nummer leek.
Na een kort gesprek wendde hij zich naar haar.
'Geen probleem, zegt hij. Vind je het erg om te lopen?'
'Nee, dat is prima.' Ze keek snel van hem weg, ze wilde niet dat hij zou zien dat ze ineens bang was.
Tot haar verrassing bleef hij doorpraten, alsof het heel normaal was om met een volstrekt vreemde naar een hotel te wandelen.
Ze richtte zich naar hem en besloot te doen alsof ze het allemaal heel normaal vond, wat ze volhield tot ze bij hun bestemming aankwamen: een van Dublins duurste hotels.
De receptioniste reageerde in het geheel niet verbaasd toen ze hen zag en begroette hen vriendelijk, de opvallende afwezigheid van

bagage negerend. Nee, zelfs geen tandenborstel – Lindsay wou dat ze de moed had dat te zeggen.
'Meneer Dowling vroeg of ik uw bestelling wilde opnemen,' legde de piccolo uit, alsof hij zoiets dagelijks meemaakte.
'Maurice,' legde Chris uit, toen ze naar hun kamer werden gebracht. Het bleek een schitterende suite op de bovenste verdieping te zijn, groter dan Lindsays hele huis.
'Heb jij trek?' vroeg Chris, terwijl de piccolo in de buurt bleef. Ze schudde haar hoofd, voelde zich plotseling nerveus en misselijk worden.
'We willen een fles champagne met eh... aardbeien.'
'Dank u wel, meneer. Ik laat alles meteen boven komen en als u nog meer nodig heeft, wij draaien nachtdiensten, dus...'
'Aardbeien?' vroeg Lindsay verbaasd terwijl de piccolo zich discreet terugtrok.
Chris grinnikte naar haar, weer zo kwetsbaar. Dat trok haar wel.
'Ja, dat is het enige wat ik me herinner van die afschuwelijke film met die vrouw met die tanden, wanneer Richard Gere haar terugbrengt naar zijn hotelkamer... je weet wel, die...'
'Prostituee.' Lindsay wist niet of ze zich beledigd moest voelen of het als een compliment moest zien dat hij indruk op haar wilde maken.
'Mijn god, bijna iedere vrouw die ik ken, zelfs mijn eigen moeder, heeft me naar die film gesleept. Ik bedoelde er overigens helemaal niets mee te zeggen over jou...'
'Natuurlijk niet.'
Hij moest weer grinniken. 'Ik wilde het al jaren eens uitproberen om te zien of het indruk zou maken. Maar het is niet aan jou besteed, zie ik. En dit soort kansen krijg ik niet vaak, moet je weten, want het is al tien jaar geleden dat ik die film zag. Zielig hè? Nu we het erover hebben, jij lijkt wel een beetje op Julia Roberts.'
Het was het aardigste compliment dat ze ooit had gekregen, ook al was het een regelrechte leugen. En ze geloofde geen moment dat hij niet al eerder duizend kansen had gehad om dit uit te proberen, maar ze vond het lief dat hij het had gezegd.
'Gelukkig heb jij niets weg van Richard Gere, anders had je me met geen liter Dom P. hier naartoe gekregen. Ik hou meer van Johnny Depp.'

'Waarom ben je dan wél meegegaan?' Ze was in haar eigen val getrapt. Gelukkig werd ze gered door een discrete klop op de deur. Chris deed open voor een jongen die een gigantische zilveren schaal op een tafeltje zette. In het midden stond een grote glazen kom met aardbeien die zó perfect waren dat ze namaak leken. Sommige waren in dikke, romige chocolade gedoopt, wat het geheel iets surrealistisch gaf. Daarnaast stond een fles champagne in een enorme ijsemmer die bijna overliep van de ijsklontjes, met twee sneeuwwitte servetjes erbij en nog wat kleine porseleinen schaaltjes met verschillende hapjes – geroosterde, zoute pinda's, glanzende groene olijven en zelfs een schaaltje met zachte roze marshmallows, compleet met een lange roostervork.
'Wat moeten we daar in godsnaam mee doen?' vroeg Lindsay nieuwsgierig. 'Er is hier geen haard waarin je die marshmallows zou kunnen roosteren.'
'Kun je het hier mee doen?' Chris was op onderzoek uit geweest en had de dubbele deuren naar een zitkamer opengezet. Een grote bank met heel veel zachte, dikke kussens domineerde de ruimte, die was voorzien van een grote, antieke open haard waarin een groot blok hout knus knisperend lag te branden.
'Hoe hebben ze dat binnen twintig minuten na ons telefoontje voor elkaar gekregen?' Lindsay kon het niet geloven.
'Hoort allemaal bij de service, mevrouw.' Chris was zichtbaar tevreden. 'Ik zal nog jaren alles voor Maurice doen om dit goed te maken.'
Het was een schitterende suite. Op de brede schoorsteenmantel brandde een rijtje crèmekleurige kaarsen, daarboven hing een ingewikkeld bewerkte vergulde spiegel. Op de vloer lagen verschillende antieke kleden. Een bar en een enorme televisie met video waren zichtbaar maar discreet opgesteld en overal stonden bloemen, bossen witte lelies in kogelronde vazen en geurige hyacinten – de bloem van dat seizoen – in mandjes. Het geheel maakte een overdadige, maar toch betoverende indruk, duur maar gezellig, iets wat je zelden ziet in een modern hotel, tenminste niet in de hotels die Lindsay had gezien.
Chris duwde de schaal onder haar neus. 'Goed, laten we eens uitzoeken of champagne inderdaad lekkerder is met aardbeien.' Hij lachte, zette de schaal op de grond voor het haardvuur en trok er

een groot kussen bij. 'Het lijkt alsof je bevriest, wil je niet liever warme whisky?'
'Nee, ik heb je gezegd, vanavond alleen maar champagne.' Ze plofte op het kussen neer voordat ze van de zenuwen zou omvallen. Ze kon wel een oppepper gebruiken want ondanks alle eerder vertoonde bravoure was ze nu doodnerveus. Ze namen beiden een aardbei en terwijl ze in het sappige rode vruchtvlees beet en van de koude wijn dronk, probeerde ze helder na te denken. Ze kon nog een smoes bedenken, doen alsof ze te veel gedronken had die avond en de benen nemen.
'Kijk eens!' Chris zat op de bank en keek haar geamuseerd aan. 'Je hele kin zit onder het sap. Vind je het lekker?'
Ze had de aardbei niet eens geproefd, zo was ze erop gebrand zich moed in te drinken. 'Dan moet ik er nog minstens één proberen.' Ze kletste wat terwijl ze een aardbei met chocolade naar binnen werkte, die in zijn geheel doorslikte en toen haar glas champagne bijna helemaal leegdronk om te voorkomen dat ze stikte.
'Wat doe je nu!' Hij ging naast haar zitten en klopte op haar rug, nam een servetje en veegde haar mond af. Ze schaamde zich dood en voordat ze tijd had om bij te komen leunde hij voorover om haar te kussen, eerst zacht en toen intenser, maar nog steeds langzaam, alsof ze alle tijd van de wereld hadden. Net toen ze besefte wat er aan de hand was, hield hij ermee op.
'Bijt, kauw en slik door,' grinnikte hij, terwijl hij haar een aardbei gaf en haar glas bijvulde. Hij nipte van zijn glas en keek haar aan. Ze probeerde kalm te blijven toen ze beet, vergat te kauwen, slikte de halve aardbei door die prompt in haar keel bleef steken. Dat liet ze zo en ze nam er een flinke slok bij, zolang ze hem maar niet hoefde aan te kijken. Helaas bleef ze zijn aanwezigheid van dichtbij voelen. Hij zat heel dicht bij haar en op dat moment, in de gloed van het vuur en het zachte licht van de kaarsen, was alles oké. Getikt, krankzinnig, ongelooflijk, bespottelijk, maar oké. Een hand duwde haar kin omhoog zodat ze wel op moest kijken.
'Vertel me een geheim.' Hij lachte weer naar haar.
'Een geheim?' Ze begreep het niet helemaal.
'Ja, je weet toch wel wat een geheim is?' Hij gunde haar geen tijd om na te denken.

'Oké, een geheim is dat ik geen idee heb wat ik hier doe en ik kan nauwelijks geloven dat ik in die bar gezegd heb wat ik heb gezegd. Het zal jou vaak genoeg zijn overkomen, maar ik heb zoiets nooit eerder gedaan. En nu vind ik het eng. En ontzettend opwindend. Nou ben jij aan de beurt.'
'Ik vond je meteen leuk toen ik je zag vanavond en vroeg me af of ik je mee naar mijn huis zou kunnen lokken toen je ineens die woorden zei. Je overtrof mijn stoutste verwachtingen.'
Plotseling wilde ze hem dolgraag echt goed zoenen en hij moest hetzelfde hebben gedacht want ergens halverwege troffen ze elkaar en leken ze wel in elkaars huid te willen kruipen. Ze leken elkaar een uur lang te kussen en het verbaasde haar dat zij het was die de volgende stap zette. Ze kon het niet laten aan zijn jasje te trekken en haar hand onder zijn overhemd te laten glijden. Hij voelde koel, slank en hard aan. Ze wilde hem zien, dus trok ze zijn jasje uit, maakte zijn das los en knoopte zijn hemd open. Hij voelde heerlijk aan. Ze kuste hem op zijn buik, in zijn nek en bij zijn oren, hij liet haar gaan. Hij haalde zijn vingers door haar haren, trok een lijn vanaf haar nek rondom haar hals en keek haar mysterieus aan met zijn hemelsblauwe ogen.
'Je bent mooi.' Hij lachte naar haar en ze wilde ontzettend graag door hem worden aangeraakt, maar hij bleef haar aankijken.
'Ik wil dat je me aanraakt.'
'Waar?' Hij hield zijn ogen op haar gezicht gericht.
'Overal.'
Ze liet haar zachte fluwelen jasje van zich afglijden om haar bruine schouders en lange armen te ontbloten. Het topje dat ze droeg, maakte haar borsten groter en haar schouders breder, en met haar lange donkere haar dat over haar rug golfde, voelde ze zich sexy en machtig toen ze hem terug op de bank duwde en schrijlings op hem ging zitten, spelend met het lintje aan de voorkant van haar topje, ervoor zorgend dat hij het los kon trekken. Ze wilde haar naakte huid op de zijne voelen. Hij kuste haar op haar schouders en op alle ontblote stukken huid, voordat hij zachtjes aan het lint trok en haar topje haakje voor haakje losmaakte, waarbij langzaam haar lichaam vrijkwam, dat hij overal kuste.
'Ik wil naar je kijken,' zei hij terwijl hij opstond en haar optrok

terwijl het topje losliet en haar zachte, warme ronde borsten openbaarde.
Ze stonden nu bij het venster met het weidse uitzicht, waar het maanlicht naar binnen viel dat haar weelderige vormen scherp deed aftekenen. De contouren van haar billen en benen waren slechts half verborgen onder haar chiffon rok. Hij knielde voor haar neer, liet zijn handen traag langs haar benen naar boven glijden en voelde de satijnen zachtheid van haar dijen; hij begon zwaarder te ademen toen hij ontdekte dat het inderdaad... nylons waren.
Hij maakte haar rok los en liet die op de grond vallen en zo stond ze voor hem, een en al benen en borsten, slechts beschermd door flinterdunne nylon en kant, en ze voelde zich beeldschoon.
'Mijn god,' grinnikte hij weer, 'je bent een prachtige vrouw.'
Hij stond op en trok haar naar zich toe en ze kon zijn geslacht door zijn broek heen voelen. Ze wilde hem dolgraag aanraken dus trok ze zich iets terug zonder haar blik van hem af te wenden en legde haar handen op zijn kruis om te voelen of hij haar net zo begeerde als zij hem. Hij kreunde en gooide zijn hoofd achterover en nu knielde zij voor hem neer en kuste hem overal, terwijl ze zijn kleren uitdeed, verlangend hem helemaal naakt te zien.
Hij deed hetzelfde en plotseling leken ze aan elkaar vastgelijmd, huid op huid, en genoten ze wellustig van elkaars naaktheid en schoonheid.
Jij bent een prachtige kerel, dacht Lindsay, toen ze hem schaamteloos bekeek.
'Vertel me nog een geheim.' Hij keek haar indringend aan. Zij staarde in zijn ogen.
'Ik wil weten hoe het voelt om je vanbinnen te voelen.'
Zijn ogen werden troebel. Ze rukte zich van hem los en nam een slokje champagne. 'En nu jij.'
'Ik hoop dat ik je niet teleurstel.' Ze lachte, verrukt dat hij zoiets durfde toe te geven.
'Op de een of andere manier staat teleurstelling vandaag niet op het menu. Trouwens, ik ben banger dan jij, dus laten we rustig aan doen, anders loop ik misschien weg.'
Hij schoof de schaal weg en pakte haar hand. Ze lagen voor het haardvuur en kusten, betastten en onderzochten elkaar urenlang totdat ze hem verraste door op hem te gaan zitten op zo'n ma-

nier dat hij bij haar naar binnen kon dringen. Ze hapten beiden opgewonden naar adem en hij duwde haar achterover om haar goed te kunnen zien. Ze waren beiden bang zich te verroeren, want ze wisten dat ze het niet lang meer uithielden. Ze wilden het moment zo lang mogelijk uitstellen. Ze vond dat hij de langste benen en de sensueelste buik had toen hij onder haar lag met zijn doordringende blauwe ogen en krachtige mooie gezicht. Toen legde hij haar op haar rug en kuste haar overal, vanaf haar kleine teen tot aan haar oorlelletjes, en ze lachte en huilde, ze zweette en draaide en smeekte hem ermee op te houden en ermee door te gaan.

Het was vier uur in de ochtend toen ze eindelijk genoeg hadden van elkaar. Ze zoenden elkaar en dronken champagne en eindelijk waren ze eraan toe om de marshmallows op het nog smeulende vuur te roosteren. Daarna poetsten ze met hun vingers hun tanden en probeerde Lindsay de reinigingslotion en nachtcrème van het hotel uit, en wat ze verder maar kon vinden. Daarna trok ze een heel zachte witte badjas aan en sprong ze in het grote ouderwetse bed naast hem. Lindsay zonk weg in de veren kussens, hij trok het dekbed helemaal over hen heen. Ze zeiden nog maar heel weinig. Ze viel in slaap en dacht aan de geweldige avond die ze had gehad.

12

'O mijn god, Charlie.' Lindsay besefte niet dat ze dat hardop zei totdat een slaperige stem vroeg: 'Wie is Charlie in 's hemelsnaam?' O mijn god, Chris, was Lindsays tweede, niet uitgesproken gedachte. Ze wist niet wat haar meer zorgen baarde, maar wél wat nu het belangrijkst was. Ze sprong het bed uit, trok haar warrige haren naar achteren en keek op de klok terwijl ze een nummer probeerde te draaien en tegelijkertijd nonchalant haar badjas wilde aantrekken, in de hoop dat hij haar weinig elegante opstaan niet had opgemerkt.

'Tara, ik ben het. Wil je wat voor me doen? Zou je naar mijn huis

willen gaan om Charlie te redden?'
'Wie is die Charlie toch?' Chris zat inmiddels rechtop.
'Wie is dat in hemelsnaam?' Tara was een en al oor.
'Lukt dat?' Meer kon ze op dat moment niet zeggen.
'Jawel, maar waar ben je nu? Hoe was het gisteravond? Dit betekent dat je niet naar huis bent gegaan. Wat is er gebeurd? Ik sta erop dat je me alles vertelt.'
'Ik spreek je later wel.' Lindsay klonk suf. 'Denk je dat je het nu kunt doen?'
'Ik ben al onderweg, ik was al bijna de deur uit toen je belde. Ik zal hem eten geven en uitlaten. Zal ik hem voor de zekerheid mee naar mijn huis nemen?' plaagde Tara.
'Graag.' Lindsay wilde het zo kort mogelijk houden, met die geamuseerde blik van Chris op haar. Ze wist dat ze er gesloopt uitzag. Bovendien was ze ernstig toe aan water en koffie. 'Dank je wel, ik bel je later terug.' Lindsay hing op.
'Mijn hond, ik heb hem in de keuken achtergelaten en het is nu twaalf uur. Hij moet minstens al één tafelpoot hebben gesloopt, omdat hij zo nodig moet plassen.' Lindsay strompelde naar de badkamer, waar ze een golf koud water in haar gezicht sloeg en uit de kraan dronk, of dat nu veilig was of niet.
Ze liep terug naar de kamer, hooguit maar een beetje tot zichzelf gekomen, en haalde haar handen door haar warrige haardos.
Chris bestelde telefonisch het ontbijt. 'Ik heb alles besteld wat ze hebben.' Hij lachte naar haar en klopte op de plek naast hem in bed.
Wat doe ik in hier in hemelsnaam? Ik zie eruit als iets dat door een kat mee naar binnen is gesleept. En ik ben hier met niemand minder dan Chris Keating! Lindsay ging aarzelend naast hem zitten, enigszins verrast dat hij eraan had gedacht een ontbijt te bestellen, want ze was ervan overtuigd dat hij haar zo snel mogelijk de deur uit wilde hebben.
'Hoe voel je je?'
'Een beetje gammel nog en behoorlijk van slag.'
'Oké, een ontbijt en een stevige wandeling zullen je goed doen.'
'Wat moet ik aan?' Lindsay was verbijsterd. 'Op naaldhakken en in een doorzichtig rokje met topje maak je geen stevige wandeling.'

'Je hebt gelijk.' Hij keek haar ernstig aan. Ze had het gevoel dat ze elk moment zonder reden in tranen kon uitbarsten.
'Wacht, Maurice heeft hier een eigen kamer, hij heeft vast wel wat voor je. Anders ga ik wel wat voor je kopen. Mijn pak schijnt tenminste niet door.'
Van alle stomme dingen die ik heb gedaan, haalt dit wel de top-drie, dacht ze, terwijl ze zich plotseling heel ongemakkelijk bij hem voelde.
'Ben zo terug.' Hij ging naar de badkamer, want hij begreep dat ze tijd voor zichzelf nodig had.
Lindsay kroop terug onder de lakens en ging overeind zitten, blij dat de kamer nog donker was dankzij de zware gordijnen.
'Oké, laten we praten.' Chris trok de gordijnen open en liet het bleekgrijze decemberlicht tot haar veilige hoekje binnendringen. Een klop op de deur betekende ontbijt en onderbrak mogelijke ontboezemingen. Chris tilde het enorme dienblad op het bed en ging naast haar zitten. Toen ze het blad zag, schoot ze in de lach.
'Wat? Eh, ik wist niet wat je lekker vindt, dus ik heb maar veel besteld.' Hij overdreef niet. Een kan vers geperst sap en een schaal met de meest exotische vruchten – lychees, mango's, abrikozen en vijgen – stond naast een stapel in een doek gewikkelde knapperige bruine toost en een mand vol croissants, pannenkoeken, muffins en scones.
Ze tilde een deksel op waaronder vette worstjes, gebakken eieren, knalrode tomaten en knapperige bacon sudderden. Een enorme zilveren theepot en een kan schuimende koffie stonden naast schaaltjes roomboter, zoet ruikende jams, honing en ahornstroop. Ze merkte plotseling dat ze uitgehongerd was.
'Vind je het erg als ik het nieuws even aanzet?' vroeg hij.
Ze schudde haar hoofd met haar mond vol pannenkoek. Ze kon er geen weerstand aan bieden. Het rook allemaal even heerlijk, alsof het in huis gemaakt was; een geur van vanille en suiker steeg op van het nog warme brood en gebak. Een beetje mentale ruimte was precies wat ze nodig had, en het frisse vruchtensap en de troostende thee maakten haar hoofd helder. Ze aten zwijgend en keken naar het nieuws onder het genot van hun feestmaal.
'Het lijkt wel een picknick.' Lindsay was nu meer ontspannen. Ze

wierp een steelse blik op hem. Hoe komt het toch dat mannen er altijd hetzelfde uitzien, terwijl vrouwen 's ochtends een wrak lijken, vroeg ze zich af.
'Wat is er?' vroeg hij zonder haar aan te kijken.
'Wat doen we hier in godsnaam, op deze zaterdagmiddag in een van de duurste hotels in Dublin?'
'Ontbijten en *Sky News* kijken. Is niks mis mee volgens mij. Wat zou je nu anders aan het doen zijn?'
'O, iets dat net zo exotisch is, de vuilniszakken buitenzetten, hondendrollen verwijderen,' lachte ze, beseffend hoe belachelijk de situatie was. 'En jij?'
'Werken, slapen of de krant lezen. Dus niet zoveel anders. Ik neem aan dat je vandaag niet hoeft te werken.'
'Nee, ik begin dinsdag pas. En jij?'
'Officieel niet, maar ik moet wel contact opnemen met de redactie, voor het geval dat. Mijn mobiel staat uit, maar ik denk niet dat er veel aan de hand is.' Hij sprong uit bed, zette zijn telefoon aan en luisterde zijn berichten af.
'Fantastisch, niets. Laten we een plan maken.'
'Moeten we ons nu niet aankleden en afscheid van elkaar nemen en moeilijk doen over het al of niet uitwisselen van telefoonnummers?' Ineens had ze er genoeg van.
'Ik heb geen idee want dit is niet een normale ochtend na een one-night-stand. Waarom gaan we niet wandelen en zien we verder wel wat we doen?'
'Dat wil ik best, maar dan wel in warme kleren. En moeten we hier niet eerst weg?'
'Alles op zijn tijd.' Hij belde snel een nummer.
'Maurice, hoe gaat het? Goed, luister, bedankt voor deze kamer, hij is fantastisch. Moeten we eruit of kunnen we er nog een nacht aan vastplakken als we willen?' Hij meed haar blik weer.
'Goed. En o ja, kan ik soms een spijkerbroek en wat shirts van je lenen? En een paar schoenen zonder naaldhakken. Maat 39 zou ik zeggen.' Hij keek haar aan.
'Eenenveertig.'
'Misschien iets groter.' Hij lachte. 'Natuurlijk van jou. Ik verlang niet dat je voor me gaat winkelen. Waar ben je nu?' Chris keerde zich naar Lindsay. 'Hij is hier.'

'Ik wil hem niet ontmoeten,' antwoordde ze meteen, bang dat hij Maurice uit wilde nodigen.
'Geef me een kwartiertje om een douche te nemen en dan kom ik bij je langs. Wat is het nummer? Oké, fantastisch, tot zo dan.'
Lindsay keek hem vragend aan.
'Maak je geen zorgen. Ik wilde je niet in verlegenheid brengen. Ik neem een douche en kijk welke kleren hij hier heeft, en dan kiezen we iets uit. Is dat goed?'
Ze knikte.
'O ja, we kunnen hier nog een nacht blijven, maar niks hoeft, oké?'
Was hij getikt, vroeg Lindsay zich af. Gisteravond kon je nog toeschrijven aan alcohol, passie of gekte of een combinatie van alle drie, maar nu waren ze nuchter en hadden ze seks gehad en hij had haar nota bene zonder make-up gezien. Dit was volgens haar helemaal geen logisch vervolg.
Tien minuten later had hij gedoucht en was hij aangekleed. Hij zag er weer uit als altijd, zelfverzekerd, stralend en succesrijk.
'Ben over tien minuten terug,' verzekerde hij haar. 'Gaat het?'
'Jawel.' Lindsay was al onderweg naar de badkamer toen ze dit zei en had inmiddels besloten om het allemaal maar te laten gebeuren.
Ze douchte tot haar huid er pijn van deed, met opgestoken haar om wassen en drogen te vermijden, greep toen in haar tasje naar haar noodvoorraad – foundation, blusher, mascara en lipgloss – maakte zich gehaast op en wenste dat ze ladingen camouflagesticks bij zich had om haar wallen te verbergen.
Plotseling werd er op de deur geklopt. Ze had hem niet terug horen komen.
Hij lachte naar haar, al keek hij een beetje raar op toen hij haar zag.
'Je lijkt wel een klein meisje dat betrapt wordt op het jatten van haar moeders make-up.'
De grote witte badjas maakte haar kleiner en ze had het gevoel alsof ze aan het acteren was toen ze haar haren opstak, dus ze begreep wat hij bedoelde.
'Ik beschouw dat als een compliment, vooral omdat ik me bijna negentig voel na zoveel alcohol en zo weinig slaap.'

'Maar al die inspanningen zijn goed voor je figuur.' Ze voelde dat ze bloosde.
Het leek alsof hij haar ging kussen, maar plotseling deed hij heel zakelijk.
'Maurice heeft hier niet zo veel hangen, het zijn vooral pakken, overhemden en stropdassen voor vergaderingen en zakendiners, maar ik heb deze jeans voor je gevonden, met een spijkerbloes en een warm jack. O, en deze sportschoenen met dikke sokken. Ik draag vandaag mijn pak weer, al heb ik er een schoon overhemd bij kunnen lenen waar ik geen das bij hoef te dragen, zodat ik er niet als een complete idioot bijloop – wie wandelt er nu op zaterdag in een pak en das!'
Lindsay bleef maar lachen om deze ridicule situatie terwijl ze zich aankleedde. Ze had geen ondergoed, geen tandenborstel en droeg de kleren van een volstrekt vreemde. Mannenkleren bovendien.
'Klaar.'
Ze lachte nog steeds toen ze verscheen en met behulp van zijn stropdas haar haren in een staart deed.
Ze verlieten het hotel, giechelend voor het geval iemand hen zou zien, of nog erger, hij werd herkend. Op nog geen vijf minuten lopen van het centrum van Dublin af lag een schitterend park. Ze wandelden minstens een uur in het vrijwel verlaten park, en genoten van de frisse, zonnige middag. De paar mensen die ze ontmoetten leken bij elkaar te horen, gezinnen met kleine kinderen of oudere echtparen die hun hond uitlieten, of grootouders met kinderen en kleinkinderen. Hun relatie, of gebrek daaraan, stak er vreemd bij af.
'Weet je, ik heb nu zo'n zestien uur met je doorgebracht en ik weet nog niks van je,' zei Chris plotseling, alsof die gedachte net in hem was opgekomen.
'Ik weet niet eens waar je woont, of je familie hebt, zelfs niet hoe oud je bent.'
Zo praatten en wandelden ze verder, en ze vertelde hem over haar kleine Victoriaanse huisje in Ranelagh, over haar moeder en haar zus Anne en haar twee geliefde neefjes. Hij vond haar beschrijving van Charlie en zijn capriolen grappig, en wilde meer weten over Tara, met wie hij haar had horen praten door de telefoon. Ze vond het fijn met hem te praten over Debbie. Ze vertelde een

paar van hun tammere avonturen.
Op zijn beurt vertelde hij dat hij uit Galway kwam, in het westen van Ierland, waar zijn ouders nog steeds woonden. Zijn vader was chirurg en zijn moeder docente aan de universiteit. Hij had geen broers, maar wel een jongere en een oudere zus.
'O god, het enige zoontje van een Ierse mammie, wat een nachtmerrie,' plaagde ze hem, en hij moest toegeven dat zij misschien iets te beschermend voor hem was geweest, maar al sinds zijn studententijd woonde hij niet meer thuis en inmiddels liet zijn moeder hem zijn eigen gang gaan.
'Zijn jullie erg close?' wilde ze weten, terwijl ze dacht aan haar eigen hechte, maar enigszins disfunctionele familie waar ze zelf uitkwam.
'We hangen niet dagelijks aan de telefoon, maar ik zie mijn ouders vrij vaak. Mijn zus Lisa woont momenteel in Australië, dus we mailen en bellen regelmatig en Judy woont in Dublin en komt af en toe om eten bedelen als ze blut is of geen vriendje heeft.'
'Dat is de jongste?' vroeg Lindsay.
'Ja, zevenentwintig jaar, maar nog steeds een kind, acht jaar jonger dan ik en ze vindt al mijn vrienden bejaard. Lisa is ook nog vrijgezel en een jaar ouder dan ik. Gelukkig maken mijn ouders zich geen zorgen, omdat we nog geen van allen de neiging tot settelen vertonen. Ik denk dat ze het zelf ook te druk hebben met hun eigen leven.'
Ze slenterden en praatten verder en zagen eruit als een normaal stel, dacht Lindsay. Hij leek ontspannen en heel gewoon. Ze bleef wachten tot zijn ego zou opduiken, het ego van zijn beroemdheid, maar dat bleef achterwege. Ze zag een paar voorbijgangers steels naar hem kijken, maar hij leek het niet te merken. Zelf was ze maar wat blij met haar zonnebril van Prada. Dat praatte wel zo makkelijk met hem.
'Je kunt je daar niet altijd achter verschuilen,' grinnikte hij, alsof hij haar gedachten had gelezen.

13

Het was al bijna donker toen ze besloten terug te gaan naar het hotel.
'Wat vind je, zullen we er een nachtje aan vastplakken?' vroeg hij haar.
'Oké,' zei ze alleen maar, zonder hem aan te kijken. 'Maar dan moet ik eerst Tara bellen en zeker weten dat ze op Charlie kan passen of hem naar mijn moeder brengt, hoewel, nee, dat leidt maar tot vragen. Mijn familie is niet zo beschaafd als de jouwe, ben ik bang, ze bemoeien zich ongevraagd overal mee.'
Plotseling betrok de bleke witte winterlucht en begon het te regenen, zodat ze zo veel mogelijk onder de bomen moesten schuilen terwijl ze terugliepen, al werden ze alsnog doornat toen ze de laatste honderd meter naar 'huis' renden.
Ze kwamen lachend aan op hun kamer en vroegen zich af wat men in godsnaam van hen moest denken toen ze voorbij de receptie holden, Chris in zijn Armanipak en Lindsay met drijfnatte haren en in mannenkleren. De kamer was weer als nieuw. De zware gordijnen vormden een wal tegen de regen en de harde wind, het haardvuur brandde fel, de lampjes waren aangestoken.
'Warme whisky, dacht ik zo, om medische redenen.' Chris zocht meteen naar de benodigde ingrediënten in hun goed voorziene bar, die werkelijk alles had. 'Droog je haar, anders kun je dinsdag niet aan je werk beginnen,' commandeerde hij haar. 'En trek die natte kleren uit.'
Lindsay zat op de vloer, trok schoenen en sokken uit en liet haar haren voor het enorme haardvuur drogen, toen hij erbij kwam zitten. Hij had twee geslepen whiskyglazen in zijn hand, gevuld met het warme gouden vocht waar Dubliners in de winter zo van houden, met suiker, kruidnagels en een schijfje citroen. Ze huiverde een beetje toen ze van de grog dronk. Hij knielde naast haar neer, pakte voorzichtig haar glas en sloeg zijn armen om haar heen. Daarna wreef hij over haar rug, maakte haar haren droog en hield haar vast totdat ze opkeek en hij haar langzaam een kus gaf, een kus die eeuwig leek te duren. En toen hij

stopte en naar haar keek, kuste zij hem... Plotseling lagen ze op het kleed en trok hij de natte kleren van haar lijf. Zij streelde hem, kuste hem zachtjes in zijn nek, op zijn schouders en zijn voorhoofd, maakte zijn kleren los. De warme whisky werd vergeten.

Het was donker toen ze loom en bevredigd voor het flakkerende haardvuur lagen te giechelen als een stel schoolkinderen.
'Geloof het of niet, ik had niet gedacht dat ik dit nog ging zeggen, maar ik heb vreselijk veel honger,' zei Lindsay.
'Je bent onverzadigbaar, bedoel je te zeggen,' plaagde hij, waarop ze een kussen naar hem gooide. Ze voelde zich nu wat meer bij hem op haar gemak.
'Ik ben niet een van je gebruikelijke modellen, ik kan niet leven op salade.'
'Ik val niet op "modellen" zoals je ze noemt. Ik ben heus wel gewend aan echte vrouwen.' Hij knipoogde veelbetekenend naar haar.
Ze besloten roomservice te bellen en te eten bij het haardvuur. Lindsay trok haar zachte witte badjas weer aan en ze verslonden samen steaks met een uitgebreide salade en stortten zich ongegeneerd op de aardappeltjes en sausjes die erbij werden geserveerd. De piccolo had zelfs een schoon wit tafellaken op het koffietafeltje voor het haardvuur gelegd. Hij stak de kaarsen aan en schonk rode wijn in lange, elegante glazen. Ze hadden het voorgerecht overgeslagen en besloten iets te kiezen uit de vele nagerechten, die nu al naar hen lonkten vanaf het bijzettafeltje – mini-limoentaartjes, chocoladerolletjes, kleine dingetjes met crème brûlée, frambozenschuimgebak. Ondanks Lindsays gekreun dat ze niets meer naar binnen kreeg, lukte het hen om al pratende bij de wijn en de koffie alles naar binnen te werken. Daarna nestelden ze zich op de enorme, comfortabele bank en keken ze naar een film.
Tijdens een onderbreking belde Lindsay Tara op, die inderdaad voor Charlie zorgde, hem te eten gaf en uitliet, en hem had meegelokt naar haar appartement waar hij nu roerloos tegen de verwarming lag in de keuken.
'Hij denkt dat het jouw versie van mijn Aga-fornuis is.' Lindsay lachte en wist Tara's nieuwsgierige vragen zoals 'dus je komt niet

thuis vanavond' te omzeilen met antwoorden van het type 'dat leg ik later wel uit'.
Rond halfelf kon Lindsay haar ogen nauwelijks nog openhouden, dus keken ze de rest van de film in bed uit, en toen Chris haar wilde plagen over het 'meisjes'-einde, zag hij dat ze al lag te slapen, opgekruld tegen de kussens.
Ze werd de volgende ochtend vroeg wakker en ditmaal vond ze het niet zo raar om naast hem te ontwaken. Voordat ze stiekem uit bed kon glippen om te kijken of ze er een beetje uitzag, had Chris zijn armen om haar heen geslagen. Ook deze keer was de vrijpartij anders. Ze plaagden en ontdekten elkaar en Lindsay verbaasde zich over haar nieuw verworven zelfvertrouwen toen ze zijn lichaam verslond. Weer zei hij dat hij haar zo mooi vond, wat ze van hem aannam, want op de een of andere manier had ze sinds die vrijdag weer een goed gevoel over zichzelf. Dat zag je aan haar ogen, haar gezicht, haar motoriek, haar hele gedrag.
Chris had bij het ontbijt alle zondagskranten besteld, zowel de Ierse als de Engelse, dus bleven ze in bed, aten alweer uitgebreid en dronken daar liters koffie en sap bij terwijl ze elkaar stukjes uit de kranten voorlazen, iets wat Lindsay het meeste had gemist sinds zij en Paul uit elkaar waren.
'Vertel me een geheim.' Ze keek op en zag dat Chris naar haar keek, en iets deed haar aarzelen.
'Ik heb geen geheimen meer,' lachte ze. Ze wist nog niet zeker of ze hem over haar verleden moest vertellen.
'Dat geloof ik niet, we hebben allemaal honderden geheimen, gedachten die we niet uitspreken. Kom op, vertel me je grote geheim.'
Ze besefte dat ze niets had te verliezen. 'Ik was een paar maanden geleden nog verloofd, zou nu net getrouwd zijn, als ik niet had ontdekt dat hij al met een ander ging trouwen.'
Hij keek haar indringend aan. 'Dat is hard. Hoe ben je er bovenop gekomen?'
'In het begin was het heel moeilijk. Mijn vriendinnen hebben me er doorheen gesleept. En mijn nieuwe baan heeft ook geholpen.' Ze keek hem met een trillende glimlach aan. 'Het is het ergste wat mij is overkomen.'
'Het spijt me.'

'Ik ben er nu overheen.'
'Geef je nog steeds om hem?'
Lindsay vroeg zich af wat ze hierop moest antwoorden. Hoe moest ze uitleggen dat ze dagen niet meer aan hem dacht en dan weer huilend in slaap viel? Dat het haar soms ineens overviel en ze zich zo eenzaam voelde zonder hem? Dat ze bang was dat ze zich nooit meer de oude zou voelen.
'Ik heb hem pas nog in een restaurant ontmoet en het was niet zo pijnlijk als ik had gedacht. Maar op sommige momenten, bijvoorbeeld toen ik net de krant met je zat te lezen, moet ik plotseling weer aan hem denken en dat doet pijn. Dus ja, ik denk dat ik nog steeds om hem geef. Dat zal altijd wel blijven.'
Hij strekte zijn armen uit, trok haar naar zich toe en hield haar even vast, terwijl hij over haar haren aaide.
'En nu jij weer.' Ze keek hem vol verwachting aan.
'Eh, waarschijnlijk is dit niet het juiste moment om het je te vertellen, maar, eh, ik heb straks een afspraak met een meisje dat ik de afgelopen week heb ontmoet. Ze heeft de afgelopen dagen buiten de stad gewerkt en ik heb afgesproken om vanavond met haar uiteten te gaan. Ik wilde het je laten weten, voor het geval... Dublin is soms net een dorp.'
'O.' Ze wist even niet wat ze moest zeggen. Ze vond het raar om zich hem voor te stellen met een ander. Hoe ze elkaar zouden aftasten, welke geheimen ze zouden delen. Zouden ze met elkaar naar bed gaan, zoals zij? Ze was benieuwd hoe de vergelijking uit zou vallen.
Niet aan denken, waarschuwde een stem in haar hoofd. Dit was niet meer dan een one-night-stand, een nieuwe stap in je genezingsproces.
'Fijn dat je me dit vertelt.'
'Geen dank. Kun je er vrede mee hebben?' Hij keek haar licht beschaamd aan en ze was blij dat hij dit vroeg.
'Jawel.'
Ze lazen weer verder in de krant maar wisten beiden dat ze met hun hoofd inmiddels ergens anders waren.

'Zin in een lunch?' vroeg hij na een tijdje.
'O, nee, ik heb ontbeten voor drie. Trouwens, ik denk dat we on-

ze biezen moeten pakken en de kamer uit moeten.'
'Ja, het is al bijna drie uur, anders denken ze dat we hier zijn ingetrokken.'
'Wat zal ik doen met de kleren van Maurice? Kan ik ze nog even lenen en ze over een paar dagen gewassen terugsturen?' Lindsay had geen zin om in haar party-outfit naar huis te gaan.
'Tuurlijk, ik geef het aan hem door. Ik zal hem bellen nadat ik heb gedoucht.'
'Trouwens, ik wil bijdragen aan de kosten van dit uitstapje.' Ze stond erop haar aandeel te betalen.
'Rondje van het huis.' Ze geloofde er niets van. 'Echt waar, ik heb hem gisteren gesproken en we hoeven alleen maar onze consumpties te betalen, en daar is al voor gezorgd. Dus, het volgende rondje is van jou, afgesproken?' Hij grinnikte naar haar.
'Oké.' Zo was ze helemaal niet. Overal zei ze 'oké' op. Ze voelde zich ontspannen, alsof ze hem al jaren kende. Terwijl hij Maurice belde, nam Lindsay een douche, kamde ze haar haren en repareerde ze zo goed als dat ging de schade met haar beperkte voorraadje aan make-up.
Ze vertrokken met meer kleren dan waarmee ze aankwamen en wandelden op deze late decembermiddag samen naar een taxistandplaats. Hij vroeg haar telefoonnummer en ze gaf hem alleen haar gsm-nummer. Te vaak al was ze 's avonds thuisgekomen terwijl ze zich afvroeg of er een berichtje voor haar was. Ze was nog niet aan dat parcours toe. Hij gaf haar de nummers van zijn mobiele en vaste telefoon, en daar was ze blij mee, al wist ze niet waarom.
Hij had besloten naar huis te lopen, dat was immers maar een kwartiertje, vlak bij Leeson Street, een chique wijk in Dublin. Hij had een appartement in zo'n ouderwets gebouw uit de tijd van de Georges, had hij haar gisteren verteld, en ze vroeg zich af hoe dat eruitzag.
De taxi kwam. Het afscheid verliep plotseling ongemakkelijk, zoals elk eerste afscheid. Beiden onzeker, zoekend naar iets om te zeggen.
'Pas goed op jezelf, ik bel je snel.'
'Of misschien bel ik jou,' zei ze lachend toen ze instapte.
'Nee, ik bel je niet. Ik heb de eerste zet gedaan. Nu ben jij aan de

beurt. Geniet van je avond en vergeet niet: nette meisjes doen niet aan seks bij hun eerste afspraak.'
Hij lachte naar haar terwijl de taxi wegreed.

14

Het was akelig stil in huis toen Lindsay thuiskwam. Ze was al bijna gewend geraakt aan het permanente hotelgeroezemoes en bovendien versterkte Charlies afwezigheid de kilte in de donkere hal. Ze belde Tara op.
'Ik ben thuis en je krijgt nog wat van me.'
'Op zijn minst tekst en uitleg. Ik ben al naar je onderweg en Debbie ligt waarschijnlijk te slapen in haar auto bij jou om de hoek. Ze is sinds gisterochtend in alle staten.'
'Oké, geef me twintig minuten om me te verkleden en de haard aan te steken.'
Lindsay nam snel nog een douche. Nu kon ze eindelijk ook haar haren wassen en haar huid goed scrubben, die vettig aanvoelde. Ze smeerde zich in met liters bodycrème en gebruikte ook 'rose day cream' – haar huidige favoriete gezichtscrème. Ze maakte haar haren handdoekdroog, trok iets aan dat lekker zat en had net het vuur aangestoken toen de deurbel ging. Drie lichamen wilden tegelijk door één deur, waarbij voor het eerst Charlies enthousiasme werd verslagen door de nieuwsgierigheid van Lindsays vriendinnen.
'Ik hoop maar dat je een goede smoes hebt,' grinnikte Debbie toen ze een fles wijn en een pak hondensnoepjes uit haar tas viste en ze met zijn drieën op de bank gingen zitten. Charlie lag aan hun voeten.
Lindsay glimlachte onnozel en vroeg zich af hoe lang ze het nog voor zich kon houden.
'Ik heb dit weekend doorgebracht in een hotel met Chris Keating. Ik had gevraagd of hij met mij naar bed wilde.'
De blik op hun gezichten was goud waard. Debbie verslikte zich bijna en Tara hapte als een vis naar lucht. Ze wisten even niks te

zeggen en wachtten tot ze zou zeggen dat het een grap was.
'Ik zweer het!' Ze maakte een kruis op haar borst en hield het bijna niet meer.
Charlie belandde bijna in de haard na alle tumult die losbrak. Tara begon te gillen en danste om de bank heen, Debbie sprong op en maakte rode wijnvlekken op haar T-shirt.
'Lieve hemel. Begin bij het begin en sla niks over,' gilde Debbie.
'Oké, vrijdagavond, waar was je en wat had je aan?'
Tara, altijd de advocate, wilde het verhaal gestructureerd en in detail horen.
Ze zaten uren te luisteren terwijl Lindsay haar moderne versie van een sprookje gaf, al eindigde dat niet met 'en ze leefden nog lang en gelukkig'. Ze werd hooguit een of twee keer onderbroken om een volstrekt onbelangrijk detail toe te lichten, zoals vriendinnen onderling doen.
'Ze vroeg hem of hij met haar naar bed wilde,' prevelde Tara een aantal keren, terwijl Debbie haar ongeduldig een por gaf.
'Wat zei je precies?' Typisch Debbie, recht op het doel af. 'Hebben anderen het gehoord? Wat was zijn eerste reactie? Was je bang dat hij je zou uitlachen, of erger nog, zou weigeren?'
'Ik gunde mezelf niet de tijd om daarover na te denken. Ik vond hem alleen maar leuk en verlangde naar seks met iemand anders dan Paul. Het leek tussen ons te klikken en ik wilde dat dat zo bleef.'
'Ja, maar god, Chris Keating. Dan ga je echt voor de hoofdprijs.' Tara geloofde het nog steeds niet.
'Nou ja, geen betere manier om seks met Paul te vergeten dan door naar bed te gaan met een van de lekkerste mannen van Ierland.' Debbie grinnikte. 'Hoe wist je dat hij geen relatie had, of maakte dat je niets uit, lichtzinnige sloerie?'
Het was lang geleden dat ze zo met z'n drieën hadden gezeten, als tienermeisjes, nieuwsgierig en opgewonden, en Lindsay vond het heerlijk dat ze er waren.
'Ik dacht dat hij geen serieuze relatie had, door de spanning tussen ons, weet je. Maar...' Lindsay kon het uiteindelijk niet laten om haar nieuwe persona te laten zien, 'hij heeft wel een afspraak met iemand anders vanavond.'
Debbie had haar T-shirtje net zo goed rood kunnen verven met al

de wijn die ze er nu overheen knoeide terwijl ze op en neer sprong. 'Wat krijgen we nou?' Ze kon het niet geloven. 'Hoe weet je dat?'
'Dat heeft hij me verteld.'
'En vroeg jij niet waar hij mee bezig was?' Tara was helemaal van slag door de wending die het sprookje had genomen en zag haar droom om bruidsmeisje te zijn in rook opgaan.
'Doe niet zo raar. Het heeft niets met mij te maken. Hij had die afspraak al, we hadden elkaar net ontmoet. Ik kan hem niet claimen en ik weet niet eens of ik wel toe ben aan een nieuwe relatie.'
Goed, dat laatste was misschien een kleine leugen, bedacht Lindsay, want hoe zou ze zich voelen als hij helemaal niet terugbelde?
'Hoe dan ook, hij beseft niet dat ik als vriendin een lot uit de loterij ben, want ik ben absoluut niet van plan verliefd te worden of te trouwen. Nooit meer. Lijkt me een goeie vangst voor een kerel die al genoeg zwijmelende vrouwen om zich heen heeft.'
Ze waren niet helemaal overtuigd van wat ze zei, maar hielden wijselijk hun mond.
Een eetpauze was na verloop van tijd noodzakelijk en Debbie maakte wat pasta met de karige inhoud van Lindsays koelkast – tomaten, knoflook en een stuk verse Parmezaanse kaas, op smaak gebracht met goede olijfolie en een potje enigszins verlepte basilicum op de vensterbank. Ze praatten nog uren en bleven zich verbazen over haar kalme uitstraling.
'Het is zo simpel als wat. Ik vond hem echt leuk, we hadden een fantastisch weekend en ik weet niet of ik hem ooit weer zal zien. Ik hoop wel dat hij terugbelt, maar zo niet, dan overleef ik dat wel. Ik heb nergens spijt van. Tevreden?'
Ze vertrokken om halftien met nog vele onbeantwoorde vragen, maar spraken af later die week naar de Italiaan te gaan, 'voor het laatste nieuws'.
Lindsay lag al om tien uur in bed en vroeg zich af waar hij op dat moment zou zijn.

Om zeven uur de volgende ochtend gingen haar ogen open en dacht ze het allemaal te hebben gedroomd.
Ze wilde kunnen genieten van haar laatste vrije dag, dus sprong ze uit bed. Haar blote voeten raakten nauwelijks de koude har-

de vloerplanken toen ze snel naar beneden trippelde op deze koude, donkere decemberochtend. Als altijd was ze dankbaar voor het comfort dat haar ouderwetse kacheltje bood. Al vóór halfacht had ze de hond uitgelaten en rond negen uur had ze gedoucht, zich aangekleed en haar sapje gedronken. Terwijl ze naar het centrum reed om kerstinkopen te doen, zette ze haar mobieltje aan. Ze had een tekstbericht.

DANK VR T GEK W/END. BED WAS KOUD & LEEG VNCHT.

Het was om kwart voor acht die ochtend verzonden. Lindsay kon een brede grijns niet onderdrukken. Was dit zijn manier om te vertellen dat hij alleen had geslapen, ondanks zijn date, vroeg ze zich af. Ze voelde zich geweldig tijdens het shoppen en kocht een hip, babyblauw angoratruitje voor Tara en een schitterende, glanzende oranje-gouden fluwelen sjaal voor Debbie. Rond de lunch stuurde ze een berichtje terug.

BEDDENOPWARMSERVICE TOT UW DIENST. SCHERPE TARIEVEN. BEL CHARLIE: 333/1833.

Hij reageerde meteen.

WIL DIE VENT ONTMOETEN. SPRECIES WA'K ZOEK. SAMEN ETEN VRDG?

Ze reageerde mogelijk nog sneller.

KOM LANGS VOOR 'HAPJE' ROND 8.30.

Ze kreeg pas later op de avond een reactie terug.

ONDERWEG NAAR LONDEN. TOT VRDG!

Ze verzond haar adres en ging naar bed met een glimlach om haar mond. Ze keek uit naar de eerste dag van haar nieuwe baan en was benieuwd wat deze week nog verder voor verrassingen in petto had.

15

Lindsay was op van de zenuwen toen ze de volgende dag naar haar werk ging. Om halfzeven was ze al klaarwakker en lag ze te woelen onder haar grote dekbed, benieuwd naar wat die dag zou brengen. Om acht uur had ze gedoucht en was ze, na zich twee keer omgekleed te hebben, aangekleed.

Uiteindelijk had ze gekozen voor een lange, gebreide mauve jurk met jasje van Lyn Mar, met daaronder grove trendy enkellaarsjes. De jurk was heel simpel en strak, het jasje dik en warm. De kleur stond haar goed en ze had haar haren weer strak naar achteren getrokken om niet zo meisjesachtig te lijken. Oorbellen completeerden het beeld. Ze voelde zich goed en was blij dat Chris in Londen zat, want ze wist niet zeker of ze het wel aankon om hem al op haar eerste werkdag tegen het lijf te lopen.

Om kwart over negen liep ze het productiekantoor binnen van *Live from Dublin*. Het was al druk. Marissa, de productiesecretaresse, wees haar een vrij bureau aan met telefoon en computer en legde uit dat de wekelijkse vergadering om tien uur zou beginnen. Lindsay ging rustig zitten en maakte een actielijstje, met dingen als 'schrijfbenodigdheden halen' en 'IT bellen over computer'. Ondertussen keek ze goed om zich heen. De kantoorruimte was groot en open, er konden zo'n twintig mensen werken. De redacteuren, die hun telefoons mishandelden en zich gereed-

maakten voor de vergadering, kon je er zo uithalen. Alan Morland, de uitvoerend producent, kwam even gedag zeggen.
'Ik ben zo blij dat je voor ons komt werken.' Hij keek haar vriendelijk aan. 'We kunnen wel wat hulp gebruiken. Het is hier een gekkenhuis. Kom erbij zitten op de vergadering en snuif de sfeer op, dan leg ik je vanmiddag bij de koffie alles uit.'
Lindsay was blij dat hij zo normaal, zo aardig was, wat absoluut een pluspunt was. Televisieproducers en regisseurs waren meestal gedreven, creatieve mensen, soms eigenwijs, een enkeling was ronduit getikt of egocentrisch of beide. Tijdens de vergadering stelde Alan haar voor aan het team. Dat bestond uit acht redactieleden, een regisseur, twee productieassistenten (die voornamelijk in de studio werkten met de regisseur), drie secretaresses en een assistent van Tom Watts, die de show al vijf jaar presenteerde. Tom was nu niet aanwezig. Lindsay vroeg zich af hoe hij zou zijn. Ze kende het programma natuurlijk en wist dat hij eind dertig was. Op tv was hij het ene moment spontaan en charmant, dan weer genadeloos en scherp. Hoewel hij was gescheiden en volgens de bladen een reeks zeer jonge vriendinnen verslond, was het publiek dol op hem, al ging het gerucht dat het programma kijkers verloor aan een concurrerende talkshow die gepresenteerd werd door een travestiet. Lindsay wist dat ze mede om deze reden was aangenomen – om items te produceren die gericht zijn op een publiek van twintigers en dertigers. De vergadering duurde twee uur. Er werden ideeën geopperd en besproken en elk redactielid was gebrand op zijn eigen onderwerp. Het was gezonde competitie die de kijkcijfers alleen maar ten goede kon komen, al twijfelde Lindsay geen moment dat deze concurrentie écht was. Iedereen die voor dit topprogramma werkte, deed dat omdat hij goed was in zijn werk, en buitengewoon ambitieus. Er werd een eerste opzet gemaakt voor de aflevering van zaterdag en er werd een strategie besproken. Alan besloot dat ze zouden openen met een populaire jongensband, waarna een discussie moest volgen over tienerabortussen. Dit onderwerp werd uitgebreid behandeld. Onderwerpen als reclames, de concurrentie en de doelgroep werden gedetailleerd besproken. Lindsay was na afloop uitgeput, terwijl het nog geen lunchtijd was.
Het hele team ging een broodje halen in de kantine en iedereen

zat binnen een mum van tijd weer achter zijn bureau. Dinsdag was meestal een rustige dag, zei Alan toen ze om halfvier aan de koffie zaten. De meeste mensen gingen eerder naar huis, want vanaf woensdag moest men op volle kracht vooruit en de meesten zouden dan overwerken, en natuurlijk werkte iedereen op zaterdag vanaf de lunch totdat de show om elf uur werd uitgezonden.

Ze bespraken wat ze de komende maanden gingen doen. Na kerst begon alweer het nieuwe seizoen, dat tot juni zou duren. Alan legde uit dat ze, omdat er voor de kerst nog maar drie programma's zouden zijn, alleen maar hoefde te observeren, indien nodig wat mee te helpen en met de redactieleden ideeën uit te werken voor het volgende seizoen. Hij zei dat hij werkelijk onder de indruk was van haar eindproject en dat hij zeker wist dat ze met frisse ideeën zou komen. Dat verheugde Lindsay en ze vroeg of ze over een paar weken een functioneringsgesprek kon krijgen.

Na de koffie stond hij erop dat ze een halve dag vrijnam en vroeg naar huis ging, wat inhield dat Lindsay wat meer tijd had voor haar kerstinkopen en eten kon inslaan voor vrijdag.

Ze wilde absoluut geen indruk op Chris maken met kookkunsten en een opgeruimd huis, dus nadat ze tijdens de koffie een van haar vele kookboeken had geraadpleegd, besloot ze een simpel visgerecht te maken, wat verse bloemen in de kamer te zetten en kaarsen aan te steken. Hij moest het maar nemen zoals het was, dacht ze, al vreesde ze dat ze daar minder zeker van zou zijn als het eenmaal zover was.

Na anderhalf uur aan de telefoon te hebben gehangen met haar moeder, haar zus en haar vriendinnen, ging Lindsay uitgeput naar bed, waar ze droomde over rampen tijdens live-programma's, allemaal door haar veroorzaakt.

De volgende dag verliep gemakkelijker omdat Lindsay tenminste wist waar ze aan toe was. Voor negen uur zat ze al aan haar bureau, klaar om meteen bij te springen. Iedereen was aardig en behulpzaam, al twijfelde ze over een van de redactieleden, een lange, tengere blonde vrouw, Kate. Ze had uiterst koeltjes gereageerd toen ze vernam dat Lindsay de nieuwe productieassistente was, en Lindsay vermoedde dat ze heel hard moest werken om Kate voor zich te winnen. Niettemin kon niets haar die dag tegenhouden en ze ging enthousiast aan de slag. Ze gaf al haar benodigdheden een plekje, maakte telefonisch een paar afspraken en begon een lijst met ideeën uit te werken, die ze op de vergadering van volgende week wilde presenteren. De dag vloog voorbij en voor ze het wist was het zes uur. Om zeven uur had ze met Tara en Debbie afgesproken in een nieuw café in Temple Bar.

Ze kwamen kort na elkaar aan en bestelden een grote schaal spaghetti met sappige, gebakken cherrytomaatjes, versnipperde basilicumblaadjes en knapperige, geroosterde stukjes knoflookbrood. Om het beeld van drie kleine biggetjes compleet te maken, namen ze er een grote pizza peperoni bij met flink veel mozzarella. Ze genoten zelfs van de lange wachttijd, snoven de geur op van knoflook en kruiden waarmee het hele restaurant was doordrongen en namen het hectische, maar gemoedelijke lawaai vanuit de keuken voor lief, in afwachting van het feestmaal dat eraan zat te komen. Ondertussen genoten ze van een lekkere koele Frascati. Perfect.

De meisjes wilden eerst horen wat Lindsay te vertellen had. Opgetogen beschreef zij haar eerste twee werkdagen. Ze waren onder de indruk van het schijnbare gemak waarmee ze in het team paste en plaagden haar omdat ze een paar Ierse beroemdheden bij hun voornaam noemde.

'O, dus jij stond toevallig in de lift te kletsen met Jason Nugent,' onderbrak Debbie haar lachend, toen ze geanimeerd vertelde over haar ontmoeting met een populaire nieuwe radiopresentator. Tara merkte op dat de televisiewereld mijlen afstond van het wereldje waarin zij van negen tot vijf zat, vol grijze heren, in grijze pakken, met grijze gezichten.

Het eten werd op zijn Italiaans opgediend, door twee ruziënde obers die luidruchtig de tafel dekten en het eten serveerden als in die scène uit de film *Babette's Feast*. De meisjes keken lachend toe. Ze waren uitgehongerd en stoorden zich helemaal niet aan al die opwinding. Die maakte de sfeer alleen maar nog Italiaanser.

'Raad eens wie me gisteren heeft gebeld en mee uitvroeg?' Tara

kon haar nieuws niet langer voor zich houden. Debbie liet haar vork vol spartelende spaghetti vijf centimeter voor haar mond hangen, in afwachting van het antwoord.
'Wie?' vroeg ze. Ze voelde dat het om iets belangrijks ging, maar wist niet zeker of het de moeite waard was om deze hap spaghetti ervoor uit te stellen.
'Michael Russell.'
De pasta won het, want Debbie had geen idee wie Michael Russell was.
'Michael Russell?' Lindsay was verbijsterd.
'Wie is Michael Russell?'
'O mijn god, ik wist dat hij een oogje op je had.'
Tara werd verlegen.
'Wie is Michael Russell?'
'Wat heb je geantwoord. Heb je hem al ontmoet?'
'Nee, nog niet. Zaterdagavond gaan we ergens wat drinken.' Tara lachte er schaapachtig bij.
'Kan iemand me alsjeblieft vertellen wie in godsnaam Michael Russell is?'
Debbie was geïrriteerd en zag er niet uit met dat stroompje basilicumolie dat van haar kin afdroop. Ze wilde geen seconde langer buitengesloten worden.
'De cursusleider,' riepen ze in koor. Debbie moest even denken.
'O mijn god, de cursusleider!'
Lindsay was nieuwsgierig.
'Ik wist het, die dag van mijn eindproject stond hij uren met je te praten en ik zag dat hij naar je keek toen je rondging met de wijn. Vertel ons alles, snel.'
'Nou, hij belde me de volgende dag op mijn werk op.'
'Hoe kwam hij aan je nummer? Hij heeft het niet van mij!'
'Op dat betalingsformulier dat ik moest invullen voor dat enorme geldbedrag dat we van je kregen toen we als slaven voor je hadden gewerkt, moest ik mijn telefoonnummer geven, voor het geval er iets aan de hand zou zijn. Hij leek een beetje verlegen en dacht dat ik hem niet meer kende, dus stelde hij zich aan me voor en vertelde me bij wijze van introductie praktisch zijn hele levensloop, wat wel lief was.'
'En wist je wie hij was?'

'Ja, ik herkende zijn stem meteen, wat nogal vreemd is.'
'Morgen ben ik de bruid...' zong Debbie, en ze schoten in de lach.
'Wat fijn voor je. Het is een schatje – zoals Tom Hanks in *Sleepless in Seattle*.' Lindsay sloeg als altijd de spijker op zijn kop. Debbie vond dit nou niet echt een groot compliment – te veel jaren negentig.
Ze kletsten minstens nog een uur over dit onderwerp verder en belandden uiteindelijk bij Lindsays afspraak voor vrijdag.
'En wat denk je? Vind je het spannend?'
'Wat trek je aan, ga je koken, wat ben je van plan?'
'Ben je zenuwachtig? Zou ik niet zijn.'
'Ik wel, hij is nogal beroemd en begeerlijk.'
'Fout, hij is heel beroemd en begeerlijk. Eerlijk gezegd, ik zou doodnerveus zijn.'
En zo ging dat maar door, waardoor Lindsay iets onder woorden moest brengen waar ze zelf nog niet zo zeker van was.
'Nee, ik ben niet nerveus, en ik maak er geen grote heisa van. Ik voel me eerder een beetje belachelijk, eerlijk gezegd, als een kind dat een spelletje speelt of zo. En ik vraag me af wat hij in godsnaam van me wil, als hij ze voor het uitkiezen heeft – jongere, slankere, mooiere vrouwen. Waarom pikte hij mij eruit?'
'Dat deed hij niet. Jij hebt hém eruit gepikt.' Debbie keek haar aan met een brutale grijnslach.
'Dat klopt, dat was ik even vergeten, fijn dat je me eraan herinnert. Maar hij deed wel de volgende zet, ik bedoel, hij hoefde geen contact met me op te nemen. Dus wat ik ervan denk? Natuurlijk ben ik blij en een beetje opgewonden en ik zie ontzettend uit naar vrijdag. Maar weet je, als het morgen of volgende week of over een maand zou ophouden, vind ik het ook goed. Toen Paul in mijn leven kwam, was dat het beste wat me kon overkomen en toen dat stukliep, was dat het ergste dat ik me kon voorstellen. Het heeft me voor altijd veranderd. Dus ik laat dit maar gebeuren en ik zie wel wat er van komt, maar ik verwacht absoluut niet dat hij de ware is, want daar geloof ik niet meer in. En ik zal nooit meer voelen wat ik voor Paul heb gevoeld, zodat ik ook niet meer zo gekwetst kan worden, wat er ook gebeurt. Ik wil een leuke tijd hebben, maar hou mijn hart intact. Wat denken jullie daarvan?' vroeg ze iets te luchthartig.

'Het lijkt me het beste dat je kunt doen.' Tara keek haar met triestte ogen aan. 'Ik vind je geweldig.'
'Ik ook.'

16

Dinsdagochtend ontmoette Lindsay dan eindelijk Tom Watts. Rond het middaguur kwam de presentator binnenwandelen en iedereen veerde ineens op, zogenaamd argeloos en toevallig.
'Wat gaan we doen?' vroeg hij aan niemand in het bijzonder.
Alan Morland praatte hem meteen bij over de aanstaande show, en Rosie, Watts' assistent, had al een paar informatiemappen op zijn bureau gelegd. De redactieleden wachtten gespannen af tot ze erbij werden geroepen om hun item toe te lichten.
'Laten we eerst snel bij elkaar komen. Iedereen schakelt zijn telefoon door naar Marissa. Monica, misschien kun jij de dingen opschrijven die we nog moeten doen.' Alan Morland was doortastend.
Stoelen werden als botsauto's in een kring gereden. Tom Watts keek om zich heen, ondertekende post, keek nadenkend. Hij blikte naar Lindsay maar gaf geen blijk van herkenning. Ze beschouwde dit als een teken dat zij de eerste zet moest doen – een vreemdeling binnen het team viel hem immers meteen op. Ze vormden een hechte club mensen, bij elkaar gedreven in een wereld die voor een buitenstaander moeilijk te begrijpen was – een hectische, spannende, onder druk staande wereld vol glamour. Een wereld waar de adrenaline voelbaar onder de oppervlakte borrelde, met werkdagen vol ups en downs en een werkomgeving waar door de jaren heen tijdens de vele overuren gevaarlijke verhoudingen waren ontstaan. Het maakte een bedwelmende indruk op een buitenstaander als zij.
'Hallo Tom, ik ben Lindsay Davidson, de nieuwe producticassistente.'
Niemand in de televisiewereld noemde zich meneer of mevrouw, maar toch was Lindsay zenuwachtig toen ze haar hand uitstak.

Hij was langer dan ze had verwacht en bleek iets gezetter dan hij oogde op tv. Een knappe man met zwart haar, heldere ogen en een sardonische glimlach. Ze wist dat hij een paar jaar in Amerika had gewerkt voordat hij naar Kanaal 6 ging, maar hij was oorspronkelijk een Ier, geboren en getogen in een dorpje in het noordwesten. Van die achtergrond was echter nog maar weinig te merken. Hij zag er heel Amerikaans uit, als een jongen die net van de universiteit kwam, gelikt, gladjes en uiterst verzorgd. Hij was in elk opzicht de geslaagde presentator van een talkshow. Lindsay wist dat hij in heel Ierland razend populair was. Ze voelde meteen dat hij veeleisend was en dat hij zijn populariteit weleens kon uitspelen.
'Lindsay Davidson, klinkt als een tennisster,' zei hij terwijl hij haar een stevige handdruk gaf.
Hij leek haar iemand die iets te veel nam van de goede dingen des levens, maar daar voorlopig nog mee wegkwam, al zou dat volgens haar niet lang meer duren. Het aura van macht maakte hem onmiskenbaar aantrekkelijk, en ze twijfelde er niet aan dat hij dat ten volle benutte wanneer hem dat uitkwam, zoals op dit moment.
'Alan heeft me fragmenten van je eindproject laten zien. Ik was onder de indruk.'
'Dank je, ik hoop dat ik alles wat ik tijdens de opleiding heb geleerd kan inzetten voor het programma.'
'Mooi zo.' Ze wist meteen dat ze kon gaan zitten.
De vergadering was kort en zakelijk. Tom Watts kon precies die vragen stellen waar zijn mensen nerveus van werden.
'Wie zorgt er deze week voor het publiek? Monica? Het leek wel of er vorige week een heel bejaardentehuis was leeggelopen, ik weet zeker dat ik er een paar in slaap heb zien vallen. Deze zaterdag wil ik alleen maar jonge gezichten zien.'
Monica's gezicht werd vuurrood en Lindsay vroeg zich af hoe ze dit probleem kon oplossen. Ze wist dat de kaartjes voor het komende programma al maanden geleden waren uitgedeeld. Er bestond een enorme wachtlijst van wel bijna een jaar. Lindsay moest toegeven dat Tom Watts gelijk had. Het publiek maakte steeds vaker een middelbare indruk.
'Wie schreef dat introotje voor die jongensband? Ik ga ze echt niet

de Monkees van het huidige millennium noemen. Dat is onzin en het maakt ons ouwelijk, en ik weet niet hoe het met jullie zit, maar ik ben nog in de gloed van mijn jeugd.' Hij lachte, waardoor iedereen zich een beetje ontspande. Het kwam wel goed die dag. Hij was in een goede bui. Ook al rustte de eindverantwoordelijkheid bij de uitvoerend producer, een markante presentator als Tom Watts had veel te zeggen en het was duidelijk dat hij dit als 'zijn' show beschouwde.
De vergadering duurde amper twintig minuten en niemand maakte na afloop aanstalten om te gaan lunchen. Een paar mensen haalden snel een broodje met koffie en vroegen of ze wat voor iemand konden meenemen, want vandaag was het donderdag en Tom was aanwezig, dus men kon elk moment op het matje worden geroepen. Ze stonden onder druk.
Toen Lindsay zag dat Tom en Alan in een hoek van het kantoor verwikkeld waren in een gesprek, besloot ze om even met Monica te praten over het publiek. Zoals ze verwachtte was het meisje enigszins in paniek. Ze werkte zonder meer efficiënt en gestructureerd. Iedereen die een kaartje wilde bemachtigen moest een hele vragenlijst invullen, opdat het publiek divers genoeg zou zijn qua achtergrond, woonplaats, geslacht, enzovoort. Ze had er al voor gezorgd dat jongeren een voorkeursbehandeling kregen, maar het effect daarvan zou pas over een paar weken merkbaar zijn, en daarmee was dit specifieke probleem niet opgelost. Bovendien was er nog een eenvoudiger, maar lastiger probleem: men loog.
'Veel mensen weten dat ze de boot missen als ze een kaartje willen voor oma of opa, dus zeggen ze dat het voor een broer of zus, neef of nichtje is,' vertelde Monica. 'Dus ik kan wel denken dat het publiek evenwichtig is samengesteld, maar als ze aankomen blijkt dat heel veel mensen een verkeerde leeftijd hebben opgegeven.'
'Laten we eens kijken wat we daaraan kunnen doen, ik heb het nu toch niet zo druk.' Lindsay wist dat Monica zich zorgen maakte. 'Pak het bestand van vorige week er eens bij, om een idee te krijgen.'
Er waren inderdaad genoeg aanvragen van twintigers en dertigers, maar op de band kon je zien dat grijze hoofden de meer-

derheid vormden onder het publiek.
Ze besprak dit later met Monica.
'Staan de nummers van de zitplaatsen op de kaartjes?'
'Nee, met een publiek van driehonderdvijftig man duurt het te lang voordat iedereen op zijn plaats zit.'
'Hoeveel vrijkaartjes houden we elke week achter voor gasten, vrienden, enzovoort?'
'Veertig ongeveer.'
'Goed, ik heb een idee. We geven zoveel mogelijk vrijkaartjes aan jonge mensen, aan vrienden van medewerkers en zo. We markeren deze kaartjes, zodat we deze gasten bij aankomst in de studio meteen op de eerste rij kunnen zetten. Daarna ronselen we tijdens de borrel vooraf onder het algemene publiek de jonge mensen en die zetten we op strategische cameraposities. Zo lijkt het of er meer jongeren in de zaal zitten, tenminste voor de mensen thuis. En daar gaat het om.'
Lindsay lachte. Monica was opgelucht en ze spraken af dat ze zaterdag zoveel mogelijk redactieleden zouden strikken om mee te helpen. Ook vroeg Lindsay aan Monica of ze een nieuwe vragenlijst wilde maken voor aanvragers van kaarten, met strikvragen erin.
Ze stonden in een hoekje machteloos te giechelen terwijl ze ermee bezig waren.
'Oké, laten we vragen van welk soort muziek ze houden,' bedacht Lindsay. 'Als ze Britney Spears of Slipknot noemen als favoriete popartiest, dan zijn het waarschijnlijk scholieren van het mannelijke geslacht. Noemen ze Perry Como of Doris Day, dan wonen ze waarschijnlijk in een verzorgingstehuis en houden ze zich voornamelijk bezig met het opstrijken van hun pensioen.'
Monica begon de smaak te pakken te krijgen. 'We kunnen ook vragen wat hun lievelingsgerecht is, dat zegt ook veel.'
'Absoluut. Ierse stoofpotten en aardappelen met jus krijgen niks. *Fajitas* en *sushi* krijgen extra kaartjes.' Ze probeerden vergeefs hun gegiechel te onderdrukken.
'Wat hebben jullie een lol.' Alan liep naar Monica's bureau.
'Kom op, laat me meegenieten.' De twee vrouwen staarden hem schaapachtig aan. Doorvragen had geen zin, zag hij in.
'Monica, ik moet het vandaag met je hebben over het publiek.'

Hij zag er vermoeid uit.
'Ja, maar daar zijn we net mee bezig,' verdedigde de jonge medewerkster zich meteen.
Lindsay schoot te hulp. 'Monica had al een plan bedacht, en ik vroeg me af of ik kon helpen, als dat goed is.'
'O ja, prima, bedankt, dan laat ik dat verder aan jullie over. Geef maar een gil als je me nodig hebt.'
'Doen we, maak je geen zorgen.'
De rest van de dag hielp Lindsay waar ze maar kon. David, de redacteur die de jongensband onder zijn hoede had, zat in de problemen. Niet alleen haatte Tom het introotje, maar de platenmaatschappij van de band had ook nog eens een waslijst opgesteld met eisen wat betreft de kleedkamers. Dat kostte minstens twee dagen voorbereiding. Ook mocht er over sommige onderwerpen niet worden gepraat. Niet over de recente politie-inval in het woonhuis van een lid van de band vanwege vermeend drugsbezit, en ook niet over het gerucht dat een bekend Brits tieneridool een kind verwachtte van de leadzanger.
Dit waren natuurlijk precies de vragen waarop Tom antwoord wilde hebben en hij maakte het David niet gemakkelijk, terwijl Alan Morland iedereen tevreden wilde houden.
'Mij maakt het niet uit, laten we het hele item schrappen als ze niet mee willen werken. Zij hebben ons nodig, wij hen niet,' hield Tom vol toen hij naar buiten ging. Niemand was het met hem eens en Alan liep mee tot aan zijn auto om hem te overtuigen. De band stond op dat moment boven aan de hitlijsten in tien landen en het was heel wat om hen in de show te hebben. Lindsay stelde voor dat zij en David in de kantine hun koppen bij elkaar zouden steken om te zoeken naar een compromis met de platenmaatschappij, Tom en de band.
Na het werk sleepte Lindsay zich naar de supermarkt om boodschappen in te slaan voor haar beroemde gast en toen ze om halftien thuis kwam, was Charlie in alle staten. Zelf was ze ook onrustig. Geen liters warme melk – moeders favoriete recept – kon daar iets tegen doen, vreesde ze, terwijl ze haar schoenen uittrok en Charlie negeerde, die languit op haar lievelingskussens lag in een stoel die normaliter verboden terrein voor hem was. Om elf uur naar bed was voor beiden het beste, hoewel ze wist dat Char-

lie, die haar met zijn trouwe ogen smekend aankeek, liever nog een wandelingetje had gemaakt.

17

Eindelijk was het vrijdag en Lindsay wist niet of ze blij of depressief moest zijn. Ze stond om zes uur op en ondanks haar voornemen liep ze door het huis te redderen, klopte kussens uit, zette ramen open en irriteerde vooral Charlie, die niet gewend was aan zo'n tornado in huis. Rond halfnegen had ze bijna heel haar huid eraf gescrubd, haar tanden gepoetst en geflost en minstens de helft van haar peperdure gezichtsmasker aangebracht, in de hoop dat daar geen kolonie fluorescerende vlekjes voor zou terugkomen. Wel drie keer had ze gecontroleerd of ze echt geen koortslip had.

Om tien uur kwam ze, na een bezoek aan haar kapper voor een föhnbeurt, uitgeput aan op kantoor. Nu was het welletjes, besloot ze, en ze verdrong allerlei doemgedachten over de aanstaande avond, zich vermannend met de mantra 'doe normaal'. Het werkte bijna.

De vrijdag, besefte ze, is bij een zaterdagavondprogramma een van de zwaarste werkdagen. Voor de meeste mensen is het de laatste werkdag van de week, de dag waarop alles mis lijkt te gaan. Deze dag was geen uitzondering. Iedereen racete tegen de klok. Tom Watts was bijna de hele dag aanwezig en voerde lange gesprekken met de redacteuren. Ieder van hen deed uitvoerig verslag over zijn gast en probeerde die zo interessant mogelijk te maken. Ook kreeg Tom een alternatieve introductietekst voorgelegd, die hij naar eigen inzicht kon gebruiken, en verder nog een lijst met relevante vragen. Het was de kunst om de gasten te laten praten over onderwerpen waar ze het liever niet over wilden hebben, maar waar de kijkers alles over wilden weten, ja, zelfs op zaten te wachten. Deze week was er een probleem met een voormalig naaktmodel. Ze was uitgenodigd om haar boek te promoten, maar ze wilde niet ingaan op vragen of ze haar borsten had la-

ten vergroten, een onderwerp dat de afgelopen maanden de kolommen van de roddelpers had gevuld. Alice, de verantwoordelijke redacteur, wist zeker dat haar gast meteen zou opstaan en vertrekken als het onderwerp ter sprake werd gebracht. Toch wilde Tom het er per se over hebben en hij zocht steun bij Lindsay.
'Hoe denk jij hierover? Ik vind dat we die borstoperatie ter sprake moeten brengen, maar Alice is er huiverig voor.'
Aarzelend deed Lindsay haar duit in het zakje. Ze wist dat het om een telefoontje ging dat ze zelf zou moeten plegen als zij de leiding had. Er bestond geen klinkklare oplossing voor.
'Ik denk dat dit probleem vaak voorkomt bij live-programma's, het is echt een dilemma. Ik vind dat we onze belofte moeten nakomen en het er niet over moeten hebben, als daar tenminste duidelijke afspraken over zijn gemaakt in de voorgesprekken.'
'Aha, je wilt eronderuit komen,' probeerde Tom haar te prikkelen.
'Nou, ik vind het raar dat we deze discussie een dag voor de opnames voeren. Deze dingen moeten duidelijk zijn voordat we de gast laten opdraven. Als we het in dit geval eerder hadden geweten, hadden we een item over plastische chirurgie kunnen inlassen en haar misschien om commentaar kunnen vragen, maar dat kan nu niet meer, daar is het te laat voor.'
'Hoe dan ook, ik kan het onderwerp niet laten liggen, ze lachen ons uit, het is de enige reden waarom het publiek haar wil zien.' Tom was niet te vermurwen.
'Kunnen we haar vragen of ze er iets algemeens over wil zeggen?' vroeg Lindsay aan Alice.
'Dat wil ze misschien nog wel doen, onder voorbehoud. Ik heb gisteravond een lang telefonisch interview met haar gehad. Ze heeft genoeg van de mediahype over haar borsten en wil nu aan haar carrière beginnen als schrijfster.'
'Nu ja, die borsten hebben haar schrijfcarrière wél op gang geholpen,' proestte Lindsay uit. 'Ik denk dat we een andere invalshoek voor het onderwerp moeten bedenken, bijvoorbeeld vragen of haar carrière als naaktmodel een voordeel of een nadeel is. Ook kunnen we peilen hoe ver deze vrouwen gaan om de blootpagina's van de kranten te halen, en dan doorvragen zolang dat kan.'
'Goed, geef me een uurtje, ik verander de strekking van mijn vra-

gen.' Alice was blij dat er een compromis was bereikt, al meende Lindsay dat Tom Watts er minder gelukkig mee was. Het zouden zowel op het televisiescherm als daarbuiten twintig interessante minuten kunnen zijn, dacht ze.

De ochtend was voorbij voor ze het wist, de spanning was om te snijden en het liefst stond Lindsay ermiddenin, in plaats van aan de zijlijn, maar haar tijd kwam wel, wist ze.

Ineens was het zes uur en hoewel iedereen nog druk aan het werk was, ging Lindsay toch naar huis, haar beste superwoman-imitatie ten beste gevend, maar zonder ergens over te liegen en met een enorm schuldgevoel.

Om halfacht had ze de haard aangestoken en de kaarsjes op de schoorsteenmantel gezet. De keuken en zitkamer maakten een redelijke indruk – warm, gezellig en elegant, maar tegelijk praktisch en comfortabel. In ieder geval zag het er niet uit alsof het huis speciaal was opgepoetst voor een intiem avondje. Lindsay hield van bloemen, kaarsen, schemerlampen en kussens, het geheel maakte dus een natuurlijke indruk.

Ze nam een supersnelle douche, wegens tijdgebrek, maar ook om haar kapsel niet te ruïneren, dat zacht, glanzend en golvend was, maar onder een hete stomende douche meteen zou inzakken. Ze stalde haar make-up uit met het fanatisme van kolonel Gadaffi. Ze begon met de Beauty Flash balsem van Clarins. Niemand had haar ooit kunnen uitleggen wat het precies deed, maar iedereen gebruikte het volop. Daarna Secret Camouflage van Laura Mercier, simpelweg de beste camouflagestick ter wereld. Vervolgens het spul dat ze zou meenemen naar een onbewoond eiland: Touché Eclat, voor onder haar ogen, wat de gehele oogstreek deed oplichten, vooral nadat Geri Halliwell eens beweerd had dat ze niet meer zonder kon. Foundation, oplichtende gekleurde poeder (gaf een fantastisch sprankelend effect, vooral op het decolleté), oogschaduw en het lippenpenseel van Posh Spice – Mac 'Spice' geheten – maakten het geheel af, al mocht tot slot ook de rouge van Prescriptives niet worden vergeten, waar ze drie maanden lang naar had gezocht nadat Madonna in een chique plee in Los Angeles met deze stick zou zijn gesignaleerd. Een vijfentwintig minuten durende exercitie met een arsenaal van wel vijftien verschillende make-upproducten verzekerde een look die naturel

was. Nu ja, bijna dan. Ze had nog niet nagedacht over wat ze aantrok, maar koos uiteindelijk voor haar wollen zwarte broek met krijtstreep, die mooi strak gesneden was en iets uitlopende pijpen had, waardoor haar benen lang en redelijk slank leken, mits ze hoge hakken droeg. Verder droeg ze een fantastisch Frans bloesje in verschillende tinten blauw, grijs en zwart. Even flamboyant als subtiel. En doorschijnend. Ze liet genoeg knoopjes los om een royale blik te bieden op het bijpassende, zwarte, fraai bewerkte beha-topje, een specialiteit van de ontwerper. Dat tilde haar borsten wat op, waardoor ze zich uitermate sexy voelde, zonder dat het haar hoerig maakte.
Uiteindelijk deed ze toch maar een knoopje dicht, je wist maar nooit.
Ach nee, waar maakte ze zich druk om, hij had haar al gehad, dacht ze, en ze deed er twee open.
Ze hield het eten in de gaten en maakte een fles koude witte wijn open, zocht wanhopig naar een glas, maar besloot dat ze hem nu eens nuchter onder ogen moest zien. Net nadat ze had besloten dat het topje te veel van het goede was en ze in haar beha voor de spiegel stond, ging de deurbel.
Achteraf gezien had ze wel een oscarnominatie verdiend voor haar optreden in de deuropening, zoals ze die angstige blik wist te verbergen waarop te lezen stond 'ik vrees dat dit een vergissing is'. Meteen toen ze hem zag, schoot ze in de lach, gedeeltelijk van de zenuwen, maar vooral om wat hij bij zich had: een groot blik Pedigree met daarbovenop, met plakband bevestigd, een enorm, sappig, vlezig en geurig bot.
'De goodwill van je hond kan weleens cruciaal zijn voor de toekomst van onze relatie,' grinnikte hij, en voor de honderdste keer vroeg ze zich af waar ze toch het lef vandaan had gehaald om te doen wat ze die afgelopen vrijdag had gedaan.
'De meeste van mijn vrienden zijn wat subtieler, ik vrees dat hij je plannetje doorheeft en zal weigeren om ook maar bij je in de buurt te komen.' Lachend deed ze een stap opzij. Dat ongemakkelijke eerste moment van 'zal hij wel of niet, zal ik wel of niet' ging op in een geur van mergbeen.
Hij liep achter haar aan het trapje naar de keuken af. Met opzet had ze hem nog niet in de zitkamer binnen gelaten. Hier zaten zij

en Charlie het meest en dat wilde ze hem laten zien in de hoop dat het hem aanstond.
'Wauw, wat een geweldige ruimte.' Hij keek om zich heen en verdiende daarmee vijf punten in even zoveel seconden. Lindsay was dol op deze keuken. Hij was groot, open en gemoedelijk met een oude Victoriaanse haard, een grote zachte zitbank en originele balken en lambrisering. Er stond ook een grote antieke, blinkend geboende houten tafel, waarop een enorme ouderwetse bloemenvaas stond. Daar stonden altijd bloemen in, vers van de markt of uit eigen tuin, of beide. De keuken was niet ingebouwd, maar bestond uit losse eenheden, wat paste bij de gezellige sfeer van het huis. De originele tuindeuren waren nog intact en het zestig jaar oude Aga-fornuis, waar de vierjarige Charlie aan vergroeid leek, maakte de landelijke stijl compleet. Soms dacht ze dat Charlie operatief verwijderd moest worden als ze ooit ging verhuizen. Met argwaan volgde Charlie op dit moment de nieuwkomer. Hij was gewend aan Lindsays vrienden die hem altijd over zijn buik krabbelden en meestal was hij niet van zijn favoriete plek weg te slaan. Maar deze gast rook anders, en zijn neus zocht naar de bron van het beste luchtje dat hij die dag had geroken. Binnen een mum van tijd waren Charlie en Chris de beste vrienden.
'Bier of wijn?' Lindsay voelde zich weer ongemakkelijk.
'Een glaasje wijn graag, lekker.'
'Rode of witte?'
'Rode, als je die open hebt staan.'
'Natuurlijk.' Ze schonk bijna een halve fles leeg in een van haar grote, langstelige wijnglazen, maar nog steeds leek het een bodempje. Voor zichzelf schonk ze een witte in en ze genoot van de onmiddellijke verdoving toen ze een grote slok nam, waarbij ze de helft over zich heen knoeide. Gelukkig had hij niets gezien.
Hij was een indrukwekkende verschijning, viel haar weer op toen ze naar hem keek, terwijl ze haar decolleté schoonmaakte. Hij was meer dan zomaar een stuk, hij was een totaalpakket. Hij was lang, goedgebouwd en zag er werkelijk heel gezond uit, alsof hij elk moment in actie kon komen. Hij rook fris en mannelijk, en die avond droeg hij een duur zwart jasje met een bij de hals open geknoopt grijs overhemd, en zijn haar zag er net gewassen uit. Ze kreeg alweer de neiging om hem aan te raken.

'Vertel, hoe was je eerste week? Beter of erger dan je had verwacht?'
'Ik verwachtte dat hij fantastisch zou zijn en dat kwam uit. Het was ook wel eng.' Ze vertelde hem er alles over en hij leek tevreden en ontspannen terwijl ze het voorval noemde met het naaktmodel.
'Dat mag ik niet vergeten om morgenavond op te nemen.'
Ze vroeg zich af of hij die vrouw van afgelopen zondag nog gezien had. 'Hoe was jouw week?'
'Prima, al ben ik wel moe. Ik moest naar Londen, zoals je wist, en belandde daarna in Luxemburg in verband met een verhaal waar ik al een tijd op zat te azen. Gisteravond kwam ik laat thuis en vanochtend om halfnegen belde Jim Burns, onze nieuwschef. Hij vroeg of ik iets wilde doen voor *Ireland Today*.'
'En wat denk je?' Lindsay wist dat dit het meest bekeken ochtendprogramma was, dagelijks van zeven tot negen, met hard nieuws en interessante gasten.
'Ik weet het nog niet. Zelf kijk ik 's ochtends nooit tv en ik vind het vreselijk om al om vijf uur op te staan. Ik had liever voor de radio iets gedaan, dan kon ik tenminste in spijkerbroek en met nat haar naar mijn werk gaan. Het is maar voor een paar weken in januari, maar je weet hoe dat gaat, straks zit ik er nog tot Kerstmis volgend jaar, wat absoluut niet mijn bedoeling is. Ik wil nog zoveel andere dingen doen.'
'Zoals?'
'Meer diepgaande achtergrondreportages, en ik werk momenteel aan twee projecten – documentaires. Ik ben ook gevraagd voor een laat nieuwsprogramma op de radio, waar ik meteen na de kerst kan beginnen. Ik ben al ingepland, maar ik kan onmogelijk tegelijkertijd een avondprogramma op de radio en een ontbijtprogramma op tv doen. Dat zou een nogal desastreus effect hebben op mijn sociale leven.' Hij grinnikte met opgetrokken wenkbrauwen.
'Om over je seksleven maar te zwijgen.' Shit! Deze woorden, die als dunne yoghurt uit haar mond waren gesijpeld, kon ze absoluut niet meer terugnemen.
Hij dacht nu vast dat ze eraan verslaafd was.
'Nu je er zelf over begint, ik heb een fantastisch weekend met je

gehad. De zondagavond verbleekte er een beetje bij.'
Mooi zo, dacht ze kwaadaardig, en het kostte haar moeite er niet over door te vragen. Ze wist dat hij haar uitlachte, ze voelde kleine druppels in haar nek terwijl ze fanatiek door het hoofdgerecht roerde, al meldde het recept nadrukkelijk dat de massa maar één keer mocht worden omgeschept. Nou, dat kwam later wel. Toch kon ze niet eeuwig met haar rug naar hem toe blijven staan, en nadat ze zichzelf had bijgeschonken in haar al te volle glas, en Charlie twee keer had geaaid, moest ze hem wel aankijken.
'Als je zo graag met uitdagende, hitsige vrouwen omgaat, moet je wel tegen de gevolgen kunnen,' mompelde ze lachend, terwijl ze wist dat haar rood aangelopen gezicht elke poging tot nonchalance tenietdeed.

18

De avond ging verder zijn gangetje. De herinnering aan hun losbandige weekend schiep een band en ze was blij dat hij erover was begonnen.
Het diner was een succes. Lindsay had haar kookboeken dichtgeslagen en on line haar lievelingskok, bekend van de tv, geraadpleegd, die haar geadviseerd had om 'het simpel te houden en alleen maar de beste ingrediënten te gebruiken'. Van de visschotel werd afgezien nadat ze er met Tara over had gesproken, die volhield dat eigenlijk niemand van vis hield. Ze wees ook op het risico van salmonella, wat het einde betekende van de vis. Dit gesprek had een grote crisis veroorzaakt en Lindsay een nieuw rampenscenario voor haar nachtmerries bezorgd. Uiteindelijk besloot ze om terug te vallen op een beproefd recept: lamsbout, door gekruide bloem gehaald en aangebakken in een braadpan, daarna langzaam gebraden, een paar uur lang, in het gezelschap van een fles krachtige wijn, zoete rode uien, laurierblad, tijm en veel zwarte peper. Wat daaruit te voorschijn kwam, leek niet op lamsvlees zoals we dat kennen. Het viel van het bot af en zag eruit alsof het door een papiervernietiger was gehaald, en het lag heer-

lijk te sudderen in de lekkerste rode wijnsaus met uien.
Het rook onweerstaanbaar lekker, wat veel hielp. Het fanatieke roeren had de risotto geen goed gedaan, en Lindsay gooide hem meteen weg. Die risotto was sowieso een slecht idee geweest. Ze had indruk willen maken en zoals gewoonlijk lukte haar zoiets niet. De smaak was te sterk voor bij het lamsvlees, troostte ze zich toen ze het in haar gedachten al voor Charlie bestemde. Ze was hierdoor helemaal niet van haar stuk gebracht, want ze was een zelfverzekerde kokkin. Een schaal knapperige gebakken aardappelen stond al klaar, dus daar voegde ze wat boontjes aan toe en met de verschillende zakjes sla die ze altijd onder in de koelkast had liggen, maakte ze een kleurrijke salade. Ze kookte graag en kletste vrolijk met Chris terwijl ze bezig was, legde hem uit hoe de Aga-kachel werkte en vertelde hem over haar droom om chef-kok te zijn in Ballymaloe, de wereldberoemde koksschool in Cork. Hij waste de slablaadjes en had het over zijn familie, dat zijn moeder graag in de keuken bezig was en moeiteloos twintig mensen kon ontvangen.
Ze had kennelijk een beetje van haar kennis op haar kroost overgebracht, want iedereen kon een beetje koken, al betwijfelde Chris of hij de geuren die in haar keuken walmden wel kon overtreffen, plaagde hij. Ze had geen voorgerecht gemaakt, weer een poging om het simpel te houden die avond, dus toen alles klaar was, zette ze het midden op de grote, oude tafel: een ouderwetse, geurende lamsbout met een heerlijke saus, een veel gebruikte houten saladekom en een paar aardewerken borden met de gebakken aardappeltjes en boontjes. Het zag er allemaal heerlijk uit en Chris schepte op alsof hij de hele week niks gegeten had. Hij leek ontspannen en blij en helemaal niet 'beroemd'.
'Dit smaakt voortreffelijk, hier kan ik niet tegenop,' lachte hij achteroverleunend om een pauze te nemen, nadat hij zijn eerste portie naar binnen had gewerkt. Ze praatten en dronken wijn. Hij vond het prettig om in de keuken te eten, zei hij, en Lindsay legde uit dat deze ruimte dankzij de Aga altijd warm was, en dat daarom haar gasten zo vaak naar de keuken trokken. Vandaar dat het haar verstandig leek om er een grote, oude tafel in te zetten en een beetje sfeer te maken. De comfortabele zitbank en de haard maakten het in de winter heel gezellig, de ultieme boeren-

keuken. Het was de meest karakteristieke ruimte van het overigens kleine huis en de reden waarom ze het had gekocht. In de zomer zette ze gewoon de tuindeuren open en at ze buiten, zo vaak ze maar kon.

'Mijn woning is heel anders,' vertelde Chris toen hij nog eens opschepte. 'Ik heb het gekocht omdat het vlak bij het centrum lag en ik wilde graag in een oud gebouw wonen, en niet in zo'n karakterloos nieuw project. Het gebouw zelf is al fantastisch, alle details uit de tijd van de Georges zijn origineel. Toen ik erin trok wilde ik tegen de mode ingaan en koos ik voor een heel moderne, bijna minimalistische look, geholpen door een vriendin van me die binnenhuisarchitecte is.'

'Hoe heet ze?' vroeg Lindsay, nadat ze had verteld dat ze zelf binnenhuisarchitecte was geweest voordat ze aan haar nieuwe baan begon.

'Dat verklaart veel – ik wist dat je zo'n soort achtergrond had toen ik hier binnenkwam. Je kleuren zijn geweldig. Ze heet Catherine Hickson.'

'Ja, die ken ik, ze heeft een zaak in Blackrock. Ze is heel goed, ik ben benieuwd wat ze er bij jou van gemaakt heeft.' Weer wenste Lindsay dat ze dit niet had gezegd, het klonk alsof ze zichzelf uitnodigde.

'Nou, ik wilde je uitnodigen voor een etentje bij me volgende week, maar daar ben ik nu niet meer zo zeker van.'

'Ik eet alles, maak je geen zorgen. Charlie eet alles wat ik niet aankan, en die is makkelijk te imponeren.'

Als toetje had Lindsay een warme citroenpudding gemaakt met een flinke toef slagroom.

'Het is echt gemaksvoedsel,' verontschuldigde ze zich half. 'Ik maak dit al sinds mijn jeugd, een soort volwassen versie van Liga.'

'Je bent gek,' lachte hij toen hij het naar binnen werkte.

'Dat denk ik ook, een beetje. Ik eet er enorme hoeveelheden van als ik me een beetje down voel.'

Hij lachte nog steeds toen ze op de bank gingen zitten om hun glas wijn leeg te drinken. Plotseling voelde het vreemd om zo dicht naast hem te zitten. Ze vroeg zich af of hij met haar naar bed wilde. O god, ik heb de lakens niet verschoond en Charlie heeft er vandaag op gelegen, bedacht ze, toen ze uit haar hoofd de slaapkamer inspecteerde, en ze vroeg zich af of ze eruit moest knijpen om snel wat op te ruimen.

'Vind je het erg als ik naar het laatste nieuws kijk?' Hij leek haar onrust niet op te merken.

'Natuurlijk niet.' Ze gaf hem de afstandsbediening en ontspande zich even.

Maar niet lang.

Misschien wil hij blijven slapen. Ik heb niet eens de badkamer schoongemaakt.

'Gaat het met je?'

'Jawel.'

'Moe?'

'Een beetje, het is lang geleden dat ik 's avonds zo actief ben geweest,' antwoordde Lindsay, terwijl ze besefte dat ze eraan gewend was geraakt om thuis te komen en naast Charlie te vegeteren. 'Als mijn vriendinnen op visite komen zijn die meer geïnteresseerd in wijn dan in eten, dus als we al eten komt dat van buiten.'

'Een hechte vriendschap dus?'

'Nou, ze houden me gezond én ze maken me gek.'

'En zij waren het die je hielpen toen je relatie uitging met... eh, die vent met wie je was verloofd?'

'Ja. Ze waren fantastisch. Zonder hen had ik het waarschijnlijk niet gered.'

'Zie je ze vaak?'

'Ongeveer een of twee keer per twee weken, maar we spreken elkaar bijna elke dag. Debbie werkt voor Aer Lingus, dus die is altijd op reis. Het is een pittige, impulsieve meid die gek op je is of je haat. Ze maakt me voortdurend aan het lachen. Tara is heel anders. Ze is advocate, veel bezadigder, ze wil altijd de andere kant horen. Heel zacht. Debbie is feitelijk ook een zacht eitje en iemand die je 24 uur per dag kunt bellen.'

'Soms ben ik jaloers op vrouwen en hun vriendinnen. Mannenvriendschappen zijn zo anders. Zelfs goede vrienden onder elkaar zeggen niet vaak wat ze voelen, dat blijft allemaal verborgen achter voetbal, politiek en een biertje.'

'Dat hoeft niet zo te zijn, je moet jezelf gewoon kwetsbaar op dur-

ven stellen, een geheim durven vertellen.'
'Over geheimen gesproken, vertel me er een.' Weer was ze in de val gelopen.
Ze aarzelde en bedacht toen dat een recht-voor-zijn-raap antwoord tot nog toe had gewerkt.
'Ik heb me nogal zorgen gemaakt over deze avond, het is wel iets heel anders dan vorige week vrijdag.'
'Ben je nog steeds bezorgd?'
'Ik vroeg me af of je ervan uitgaat vanavond weer met me naar bed te gaan of te blijven slapen; ik zou het teleurstellend vinden als we elkaar alleen op het seksuele vlak konden vinden.'
'Weet je, seks is altijd het gemakkelijkste gedeelte.' Hij keek ernstig. 'Het klikt of het klikt niet. Soms is het echt fantastisch en soms gebeurt er niks en meestal merk je dat meteen. De rest ligt gecompliceerder. Ik denk dat ik in wezen nogal egoïstisch kan zijn. Als ik na een tijdje mijn interesse verlies, doe ik niet eens meer de moeite om iemand te leren kennen. Naarmate je ouder wordt, word je minder tolerant. Toen ik twintig was, wilde ik gewoon een fantastische tijd doormaken, nu ben ik minder geneigd tijd te verspillen aan relaties die niet werken.'
'Relaties zijn heel kwetsbaar, toch,' sprak Lindsay uit eigen ervaring, 'vooral in het begin. Ze gaan snel stuk. Je moet eraan werken. En ik denk dat je eerlijk moet zijn, zelfs als het pijn doet. Nu mag jij een geheim vertellen.'
'Ik wist dat ik er niet omheen kon. Even denken, eh, ik heb ongeveer twee jaar lang met iemand samengewoond. Vorig jaar kwam daar een einde aan en ik heb sindsdien geen serieuze relatie meer gehad. Ze was, en dat is ze nog steeds, een fantastisch mens, ons seksleven was precies goed, maar ergens klopte er iets niet. Ik dacht dat we van haar elkaar hielden en zelfs nu nog denk ik dat ik echt van haar hield, maar uiteindelijk ontdekten we op een dag dat we elkaar toch niet leuk genoeg vonden. Is dat raar?'
Ze schudde haar hoofd.
'Het eindigde rottig. Mijn familie was diep teleurgesteld, ik denk dat ze te veel verwachtingen hadden.'
'Het spijt me.'
'Nee, dat hoeft niet. Ik denk dat ik eerder doorhad dan zij dat het voorbij was. Toen we uit elkaar gingen, was ik mentaal al een

stap verder. Ik denk dat zij het pas op het bittere eind aan zichzelf toegaf, het kwam dus nogal als een schok.'
'Wat zijn we toch voor mensen? Niet bepaald het toonbeeld van eeuwig huwelijksgeluk.' Lindsay was blij dat hij het haar verteld had.
'Ik weet niet of ik nog geloof in tot de dood ons scheidt.'
'Ik ook niet,' zei ze met een dromerig lachje.
Onverwachts boog hij zich voorover om haar te kussen. Het voelde anders, zacht en traag, sensueel en nieuwsgierig, alsof het de eerste keer was. Het leek uren te duren en ze kreeg er een vreemd gevoel van. Plotseling voelde ze zich niet meer triest.

19

Lindsay belde meteen Tara op toen hij was vertrokken. Het was halfeen. Ze moest met iemand praten.
'Hoe was het?'
Tara zag het telefoontje als een slecht teken
'Weet je, ik heb werkelijk geen flauw idee. In het begin voelde ik me een beetje ongemakkelijk, toen hij aankwam, maar dat gevoel verdween en ik heb echt van de avond genoten. Na het eten vertelde hij me dat hij twee jaar met iemand had samengewoond en toen werd hij een beetje stil, ook al liet hij doorschemeren dat híj het had uitgemaakt. Ik kreeg het gevoel dat hij een beetje genoeg heeft van relaties.'
'Geldt dat niet voor ons allemaal? Hebben jullie seks gehad?'
'Nee. Ik dacht dat hij ervan uitging, maar het was helemaal niet zo'n soort avond, dus dat zei ik hem, maar hij zei dat seks het gemakkelijkste onderdeel was van een relatie.'
'Dat gaat voor hem waarschijnlijk wel op, hij krijgt vast genoeg aanbiedingen. Wat zei hij bij het afscheid?'
'Hij kuste me en zei dat hij me in het weekend nog zou bellen en voor mij zou koken. Ik weet niet waarom, maar ik denk dat hij niet gaat bellen, hij leek zo afstandelijk. Ik kan er mijn vinger niet op leggen.'

'Ik denk dat jij overal te veel achter zoekt.'
'Ja, misschien wel. Pas toen hij vertrok besefte ik dat het een heel gewone avond was geweest, niet veel bijzonders. Hij vroeg of ik moe was en ik zei ja. Ik bedoel, hoe saai kun je zijn op een vrijdagavond?'
'Nu ben je paranoïde.'
'Dat kan wel zijn. Ik laat er in elk geval niet mijn hele weekend door overschaduwen. Ik hoor het wel als hij belt.' Ze voelde dat Tara glimlachte.
'Dat zal ik onthouden als je zondagavond gek wordt.'
'Ik haat het om op een telefoontje te wachten. Misschien verveelde hij zich en kon wat hem betreft de avond maar niet snel genoeg voorbij zijn.'
'Hou nou toch op. Het is bespottelijk. O mijn god, hoor mij nu preken. Ik zal morgen precies zijn zoals jij nu.'
'Ja, ik wil er alles over horen. Wat trek je aan? Neem je hem mee naar je huis? Wacht, ik haal mijn glas erbij.'
Lindsay nestelde zich op de bank en luisterde naar Tara's zorgen over wat ze aan moest.
Vervolgens werd het eeuwenoude probleem besproken of ze hem wel of niet mee naar haar huis moest nemen.
'Dat moet je nu nog niet beslissen. Kijk eerst hoe de avond verloopt. Misschien rijdt hij niet zelf, en dan gaan jullie waarschijnlijk ieder in je eigen taxi naar huis.'
'Ik hoop dat hij het rustig aan doet, niet te veel verwacht.'
'Tara, de man heeft net een pijnlijke scheiding achter de rug. Hij heeft jaren geen afspraakje meer gehad. Hij zal je echt niet bespringen. Hij is waarschijnlijk net zo nerveus als jij. Bovendien stel jij iedereen op zijn gemak, je gaat geweldig om met mensen.'
'Dank je wel. Ja, je hebt gelijk. Ik ben blij dat ik je heb gesproken. Ik begon echt in paniek te raken.'
'We zijn allemaal hetzelfde.' Ze kletsten nog bijna een uur door, en Lindsay voelde zich beter toen ze haar bed opzocht, moe, maar minder gespannen.

Ze stond vroeg op en besloot die ochtend niets te doen. Snel liet ze Charlie even uit. Het was een gure, grijze decemberochtend, de lucht was donker en dreigend. In een supermarkt kocht ze

croissantjes en verse jus d'orange.
Om halftien belde Debbie en even later kwam ze ontbijten. Hun gesprek was een herhalingsoefening van het gesprek met Tara, al was Debbie stelliger.
'Je bent niet wijs. Hij zou je toch absoluut niet bij hem thuis uitnodigen als hij je niet leuk vond?! Mannen doen zoiets niet.'
'Je zult wel gelijk hebben. Laten we het maar afwachten. Ik blijf ondertussen niet naast de telefoon zitten. Ik moet werken vanavond, dus zullen we morgenavond ergens iets gaan drinken?'
'Prima, kunnen we Tara's avondje bespreken, terugkomen op jouw *date* en de laatste roddels doornemen van het programma. Perfect. Helaas maak ik zelf niets spannends mee.'
Lindsay schoot in de lach. Debbie was altijd zo positief en daarom was ze zo dol op haar. Ze bleven nog een paar uur gezellig praten totdat Lindsay zich klaar moest maken voor haar werk.
Op weg naar buiten zette ze haar mobieltje aan. Ze had een tekstbericht.

HEB ECHT GENOTEN GISTER. SORRY DAT IK ZO STIL WAS. MANNELIJKE ONZEKERHEID! WOE AS ETEN?

Lindsay glimlachte. Ze wist dat het goed zat.

Aangekomen in de studio trof ze een georganiseerde chaos aan. Het drumstel van de eerste band was zoekgeraakt, waardoor ze niet konden repeteren. Redacteur David probeerde radeloos het instrument te achterhalen, en maakte zich tegelijk zorgen om de jongensband zelf, die vastzat in een platenzaak in de stad temidden van duizenden hysterische fans. Lindsay schoot te hulp en liep naar het kantoor. Iedereen was rustig. 'Maak je niet druk,' zei Alice toen ze het drumstel ter sprake bracht. 'Zoiets gebeurt wekelijks. Al heb je alles tot in de details voorbereid, er gaat altijd iets mis. En toch komt op het eind alles nog goed. Spaar je krachten voor een echte ramp.'
'Bedankt voor het advies. Is iedereen aanwezig?'
'Ja, tenminste, iedereen die er moet zijn. Alan komt pas rond vier uur, Tom is er pas om zeven uur, bij de laatste repetities.'
'Goed, ik ga weer naar de studio, naar de *box*.' De 'box' was de

regiekamer, een ruimte achter glas boven de studio, hij leek in de lucht te zweven. Het was het zenuwcentrum vanwaaruit het hele live-programma werd bestuurd. Lindsay kwam er graag, al vanaf de eerste keer dat ze er tijdens de opleiding in was geweest. Ze hield van de gespannen sfeer.
Alles gebeurde daar. Uiteindelijk was de regisseur degene die het live-programma domineerde – de camera's, het geluid, de belichting, de telefoontjes, reacties, spelletjes – en alles werd daar geregeld. Geoff, die het programma vandaag regisseerde, was briljant maar moeilijk, en hij overleefde door op iedereen te schelden. Klootzakken en idioten bevolkten zijn leven. Hij was nog steeds woedend over het verloren drumstel. Ze liepen nu een halfuur achter op het schema en dat was slecht nieuws, want ondertussen ging alles door. Want hoe dan ook werd het programma om negen uur live uitgezonden, of er gerepeteerd was of niet. Hierdoor stond het hele team extra onder druk. Vandaag maakte men een slechte start, al lag dat niet aan het productieteam, en Geoff wist uit ervaring dat ze dat niet zouden inhalen. Iedereen liep op zijn tenen, bang om een fout te maken. Lindsay zat stil en keek gefascineerd toe. Ze wist weer waarom ze hier wilde werken.
Om halfzes werd er gepauzeerd en daarna kwam het hele team bij elkaar voor een spoedvergadering met Alan Morland.
'Alles goed?'
'Tot nog toe wel,' mompelde Geoff, en iedereen knikte. 'Als die idioten hun drumstel niet hadden vergeten zodat ze hadden kunnen repeteren, zaten we helemaal op schema.'
'Ons naaktmodel heeft haar vlucht gemist, maar ik heb geregeld dat ze met het volgende vliegtuig mee kon en verwacht dat ze om zeven uur in Dublin aankomt.' Alice keek bezorgd. 'Er staat een taxi op haar te wachten bij het vliegveld, dus dat komt wel goed, maar ik vermoed dat ze in de watten gelegd moet worden. Ik heb gehoord dat ze op Heathrow door fotografen is belaagd, dus ze zal geen al te best humeur hebben. Ik zal al mijn tijd aan haar moeten besteden om haar zover te krijgen dat ze optreedt. Kan iemand mijn band overnemen, iemand anders dan David die zijn handen al vol heeft,' lachte ze naar haar collega, omdat ze wist dat hij een zware middag achter de rug had. Niemand reageerde.
'Dat wil ik wel doen.' Lindsay glimlachte. Alan Morland knikte

dankbaar. 'Ik heb alleen wat hulp nodig met het publiek, maar daarna kan ik voor ze zorgen.'
'Bedankt.' Alice leek opgelucht.
Ze namen allemaal nog een kop thee en maakten zich gereed voor de generale repetitie. De spanning steeg.
Tom Watts wilde van alles en wel meteen. Hij had duidelijk een slecht humeur en de redactie moest het dan ook bezuren. Niets leek goed te gaan. Hier en daar botste het. Tom viel uit tegen elk teamlid dat hij tegenkwam, en die reageerde zich op zijn beurt op zijn omgeving af.
Lindsay bleef op de achtergrond, nam alles in zich op, hielp waar mogelijk, leerde waar de moeilijkheden zaten.
Om acht uur arriveerde het publiek, dat uiterst goed ontvangen werd vanaf het moment dat ze de receptie van de tv-studio binnenliepen. Voor de meeste mensen was dit een eenmalige ervaring en iedereen was opgewonden.
Elke week hield een van de redactieleden een praatje, nam het draaiboek van het programma door en vroeg het publiek om medewerking, want het was heel belangrijk voor het programma dat iedereen er vrolijk bij zat en alles geïnteresseerd volgde. Teamleden die even vrij hadden kwamen erbij zitten en beantwoordden vragen. Monica en Lindsay voerden hun plannetje uit en zochten naar jonge gezichten. Ze stapten op hen af en vroegen of ze mee wilden helpen. Dat wilde iedereen. Daarna brachten ze hen naar hun strategische plek in de studio. Als beloning werden ze uitgenodigd voor een drankje met het team na de show, wat voor hen een buitenkansje was: eindelijk kregen ze de kans zich te mengen onder de beroemdheden. Lindsay zag dat ze weinig tijd hadden, zoals gewoonlijk, dus vroeg ze of Kate wilde helpen.
'Kate, zou je ons kunnen helpen met het publiek?'
'Niet echt, Tom wil dat ik naar zijn kaartjes kijk.' Kate was afstandelijk. Nee, ijzig.
'Nou, misschien als je daarmee klaar bent. Ik kan alle hulp gebruiken die voorhanden is en aangezien jij het enige redactielid zonder gast bent vanavond, zou ik je heel dankbaar zijn.' Die woorden waren verkeerd gekozen.
'Ik zei je dat ik het druk heb, Tom gaat voor.' Kate ging ervandoor.

Lindsay was woedend maar hield zich in. Ze kon zich nu nog geen vijand veroorloven. Ze liep achter haar aan.
'Goed dan, je hebt gelijk, maar als je even tijd hebt vanaf nu tot wanneer het programma begint, kan ik je hulp goed gebruiken. Oké?' Lindsay keek haar in de ogen en ging toen verder met haar taak, wetend dat ze van Kate geen assistentie hoefde te verwachten.
Ze konden het publiek nog net op tijd naar binnen loodsen. Plotseling veranderde de sfeer. Tom Watts kreeg bij opkomst een geweldig applaus en leek zijn pesthumeur vergeten. Hij gaf een korte inleiding waarin hij vertelde wat er op het programma stond, vooruitblikkend op bijzondere gasten, en zorgde ervoor dat iedereen op het puntje van zijn stoel ging zitten.
Even later galmde de tune van het programma door de studio; de floormanager riep 'we zijn in de lucht' en plotseling was alle spanning verdwenen. Iedereen was druk bezig alles gladjes te laten verlopen. 'Live' hield in, dat elk foutje door de kijkers kon worden opgemerkt en dat iedereen zijn best deed om ervoor te zorgen dat alles perfect was. Lindsay vond het heerlijk om er deel van uit te maken en haar bonzende hart kwam pas tot rust toen de aftiteling in beeld kwam.
De jongensband was een enorm succes. Het naaktmodel lokte bij het minste geringste boegeroep uit. Geweldige televisie. Tom Watts vond echter het interview duidelijk niet de moeite waard en Lindsay wist niet wat ze van zijn aanpak moest denken. Hij maakte voortdurend opmerkingen over plastische chirurgie waardoor het model zich steeds meer schrap zette tegen het onderwerp en het gesprek stilviel. Het was interessant om naar te kijken. Op het eind van het interview betrok Tom het publiek erbij, al was dat niet volgens de afspraak. Alice schrok ervan. 'Had hij dat maar met mij overlegd, dan had ik een paar mensen in het publiek gezet die daar een mening over hebben.'
Een knappe jongen van ergens in de twintig met een oorbel, stelde met een brede grijns de voor de hand liggende vraag, wat precies Toms bedoeling was.
'Ik zou graag willen weten of... u een borstvergroting hebt ondergaan, en zo ja, welke maat u nu heeft?' Het publiek begon te lachen.

'Daar wil ik niet op reageren, dat hou ik voor mezelf, geen commentaar.' Ze was zichtbaar woedend.
'Nou ja, of het waar is of niet, u heeft een prachtig stel borsten.' Alan Morland, die naast Lindsay stond, kreeg bijna een hartaanval, want hij wist dat ze moeilijkheden om die opmerking konden krijgen. Hij gebaarde naar Tom Watts om door te gaan. Tom negeerde hem.
'Hoeveel mensen in het publiek zouden een cosmetische operatie willen ondergaan, als geld geen probleem was?' Slechts een paar mensen staken hun hand op.
'Die mevrouw in het rood op de tweede rij, wat zou u willen laten doen?'
'Ik heb maat 36 dubbel D dus ik zou ze laten verkleinen. Ik heb genoeg van al die opmerkingen die mannen maken als ik voorbij loop.'
'Heb jij daar problemen mee?' vroeg Tom aan zijn gast.
'Nee.'
'Maar ik neem aan dat je voortdurend op je uiterlijk wordt aangesproken.'
'Daar kan ik wel mee omgaan.'
Zo ging het maar door totdat Tom het interview moest beëindigen vanwege de reclame. Zijn gast wachtte niet eens het applaus af, maar liep kwaad weg. Lindsay wist dat dit nog een staartje zou krijgen. Ze zag Alan in gesprek met Tom, die dik tevreden was met zichzelf. Ze wist dat het strikt zakelijk was totdat de show voorbij was. De repercussies volgden later. Er leken nog maar tien minuten voorbij te zijn toen Tom goedenavond zei en de aftiteling in beeld kwam. Het was elf uur en iedereen slaakte een zucht van verlichting. Het was redelijk goed gegaan, op het naaktmodel na, dat die arme Alice een luidruchtige uitbrander gaf voordat ze vertrok.
De gasten en het team gingen later in de ontvangstruimte nog iets drinken. Lindsay bleef een halfuurtje en zag erop toe dat de mensen uit het publiek een drankje kregen aangeboden. Plotseling besefte ze dat ze helemaal op was.
'Zo gaat dat elke week.' Geoff zag haar gapen. 'Je werkt in een roes en plotseling ben je helemaal op. En als je thuiskomt, zit er nog zoveel adrenaline in je lijf dat je niet kunt slapen. Neem een

drankje en ontspan je.' Lindsay ging ervan uit dat hij gelijk zou hebben en ging naar de bar.
'Jij bent wel aan een glaasje wijn toe, zo te zien. Rood of wit?' Julie, een van de gastvrouwen, lachte haar toe.
'Een witte, lekker. Is het altijd zo druk na afloop?'
'Het is eigenlijk vrij rustig nu, bijna iets te.' Vriendelijk gaf Julie haar een groot glas koele witte wijn, die verrassend drinkbaar was, vond Lindsay. Ze hadden haar verteld dat ze die wijn niet moest drinken. 'Het is lauw bocht,' had Geoff nog gezegd, maar die kwalificatie klopte die avond niet. Hoe dan ook, het maakte haar niets uit. Ze had het naar haar zin.
Alan zag haar staan en kwam een praatje maken. 'Je bent een heel goede hulp geweest en je hebt heel wat druk van me afgenomen, en nog bedankt voor wat je met het publiek gedaan hebt, dat maakte echt veel uit.'
'Graag gedaan.'
'Daar heb je Tom, die moet ik even spreken voordat we allemaal wat gaan drinken. Ik spreek je later.'
Lindsay wilde alleen maar zitten, om zich heen kijken en zich ontspannen. Het was een drukke dag geweest. Het was haar eerste echte programma en ook al stond ze niet op de aftiteling, ze maakte er deel van uit en was tevreden.

20

Lindsay verliet om kwart voor één de studio, na het wegwerken van een tweede glaasje wijn. Daarna reed ze langs haar vaste benzinepomp en kocht daar alle kranten die ze hadden. Ze vond het altijd prettig om de zondagskranten al op zaterdagavond thuis te hebben, dat gaf haar het gevoel alsof ze vooruitwerkte. Charlie was dolgelukkig dat ze er was en ging naast haar zitten in de badkamer toen zij haar make-up verwijderde, iets wat hij normaliter nooit deed. Hij liep zelfs met haar mee naar de wc en snuffelde aan haar achterste toen ze wilde gaan zitten, waardoor ze in de lach schoot, zodat ze het nog even moest ophouden. Ze trok haar

meisjesachtige fleece pyjama aan, kroop op de bank en was nog klaarwakker, precies zoals Geoff had voorspeld. Ze nam de kranten door, dronk een hele kan warme melk leeg om de slaap te verwekken. Ze moest grinniken om een grappig artikeltje en dacht terug aan vorige week. Toen zou ze het waarschijnlijk aan Chris hebben voorgelezen.
Wat een rare week was het geweest, dacht ze, en plotseling herinnerde ze zich Tara's afspraakje.
Ze belde meteen op, met een blik naar de klok. Halftwee.
'Hallo,' antwoordde een slaperige stem.
'Met mij, kun je praten?'
'Hoi, Lindsay.'
'Ik ben net thuis, lig jij al in bed?'
'Ja.'
'Ben je alleen?'
'Ja.'
'En, was het een beetje gezellig?'
'Ja.'
'Mooi zo. Bel me maar terug als je morgen wakker bent, schat, 'trusten.'
Een typisch vrouwengesprekje.
Na een halfuur werd ze eindelijk moe en ging ze zelf ook naar bed. Ze droomde over nog meer televisierampen waarbij ze zelf een hoofdrol speelde.

Ze werd gewekt door de telefoon. Het was halftwaalf. Ze deed haar best om op te nemen want ze wist dat het Tara zou zijn.
'Ik wil alles horen, maar laat me eerst wat aantrekken,' lachte ze toen ze opnam.
'Als je erop staat, maar voor mij hoeft het niet.'
'Met wie?'
'Hallo, met Chris.' Er fladderden vlinders op.
'O, hallo, ik dacht dat het Tara was. Ik heb haar vannacht nog om halftwee gebeld, en ik vermoedde dat ze nu haar wraak nam.' Ze sprak snel want ze was zenuwachtig en wist niet waarom.
'Zal ik je later terugbellen?'
'Nee, blijf hangen... zo, da's beter. Ik lig weer in bed want ik had het hartstikke koud. Nog bedankt voor je sms-je, ik wilde je van-

daag een bericht terugsturen.'
'Mooi zo. Ik heb het erg leuk gevonden vrijdagavond. Het was heel ontspannend.'
'Ik was bang dat je het doodsaai vond. Bijzonder opwindend was het niet, nu ik erover nadenk.'
'Qua opwinding was de vrijdag daarvóór moeilijk te verslaan, maar geloof me, het was precies wat ik nodig had. Ik neem tegenwoordig nauwelijks nog de tijd voor een beetje ongedwongen ontspanning. Dus dank je wel.'
'Graag gedaan.'
'Hoe ging het gisteravond?'
Lindsay bracht hem aan het lachen met een kijkje achter de schermen.
'Heb je ons naaktmodel gezien?'
'Nee, ik was niet thuis, maar heb het wel opgenomen; ik kijk er straks naar als ik de kranten doorneem.'
Had hij weer een afspraakje? Ze vroeg het niet.
'Wat voor plannen heb je vandaag?'
'Geen, ik laat Charlie uit en ga later iets drinken met mijn vriendinnen. Ik wil een bad nemen en lekker luieren vandaag. En jij?'
'Mijn moeder is in de stad, dus ik neem haar mee voor een lunch in Café Caprice. Daarna heb ik een etentje bij een vriend, waar ik waarschijnlijk een paar uur zal blijven. Verder niet veel, misschien ga ik nog naar de sportschool, en ik moet nog naar kantoor vandaag.'
'Wauw, drukke dag zeg, ik word al moe als ik naar je luister,' grinnikte Lindsay. 'Ik neem straks een kop thee en ga daarna weer terug naar bed, denk ik.' Dit was hun eerste telefoongesprek, besefte ze ineens. Op de een of andere manier werd hij daardoor echter en ze voelde zich close met hem. Nog steeds schrok ze weleens van zijn status als 'beroemdheid', maar het verbaasde haar altijd weer dat hij zo gewoon was. Hij was aardig, je wist gewoon dat hij om mensen gaf. Hij werd niet volledig door zichzelf in beslag genomen, zoals de meeste knappe mannen. Nee, zoals de meeste mannen, eigenlijk.
'Luie meid. Zeg luister, wat betreft woensdagavond, kunnen we een andere keer bij mij eten? Ik moet morgen weer naar Londen en ik kom waarschijnlijk woensdagavond pas terug.'

'Maar natuurlijk. Zal ik je nog bellen deze week?' Lindsay was trots op zichzelf dat ze zo cool kon blijven.
'Eh, we zouden woensdagavond misschien nog wel naar de film kunnen gaan. Dan kook ik een andere keer voor je. Wat zeg je daarvan?'
'Goed idee.'
Ze maakten een afspraak voor woensdagavond om zeven uur ergens in de stad, omdat hij rechtstreeks van het vliegveld moest komen. Lindsay hing op en dook weer onder de lakens, nog nagenietend van zijn telefoontje.
Plotseling schrok ze wakker.
De telefoon ging weer.
'Hallo?' Deze keer was ze iets minder zeker.
'Ik kan er maar niet over uit dat je me vannacht om twee uur nog hebt durven bellen. Ik lag al te slapen.'
'Het was pas halftwee. Vertel me alles. Nee, wacht, laat me eerst opstaan en water opzetten. Ik bel je over vijf minuten terug.'
'Nee, want dan hangen we minstens een uur aan de telefoon, en dan moet ik daarna precies hetzelfde vertellen aan Debbie, en vanavond willen jullie het vast allemaal nog een keer horen. Je zult even geduld moeten hebben.'
'Trut.'
'Dank je wel, ik zie je om halfacht in McGivneys.'

Trouw aan haar voornemen deed Lindsay die hele dag niets, behalve voor de tv hangen, lezen en snoepen. Ze genoot ervan met volle teugen. Charlie probeerde haar tot een wandeling te verleiden, gaf dat op, maar bleef wel een uur lang bij de achterdeur zitten in de hoop dat het haar zou opvallen. Ze weerstond al zijn pogingen tot emotionele chantage – met de bal spelen, achter haar voeten aanlopen en haar tenen likken, smachtend kijken naar het haakje waar de riem aan bungelde.
Na de nodige chocoladekoekjes en zoutjes nam ze een bad in essentiële oliën van jeneverbes en ylang ylang, vervolgens deed ze haar nagels en bracht ze een royale laag vochtinbrengende crème aan op haar lome lijf, genietend van haar vrije dag. Ze wilde nog niet aan Kerstmis denken, al stond dat voor de deur. Dit jaar deed kerst er niet zo toe, na alles wat er was gebeurd. Ze vroeg zich af

wat Paul nu aan het doen was en even voelde ze weer dat verlangen, maar voor het eerst kwam hij daardoor niet dichterbij. Het was alsof hij uit haar net was gevallen en ergens heel ver weg vertoefde.

Om halfnegen ontmoette Lindsay haar vriendinnen in een van hun stamkroegen, dicht bij haar huis, zodat ze te voet was gegaan in haar sexy zwarte wollen jas, die een fortuin had gekost en haar het gevoel gaf stinkend rijk te zijn.
Ze zaten al te wachten, Debbie bijna hysterisch omdat Tara geen woord wilde zeggen voordat ze met z'n drieën waren.
'Sorry, sorry, laat me iets te drinken halen en dan kom ik er bij zitten.'
'Je hoeft helemaal niks te halen, neem maar een slok van mij.' Debbie kon niet wachten.
'Doe niet zo raar. Ik ben zo terug. Kan ik iets voor jullie meenemen?'
Lindsay liep al naar de bar.
Drie minuten later zaten ze in een hoekje zo geanimeerd te kletsen dat ze de hele omgeving vergaten.
'Het was gezellig, we hebben ergens wat gedronken en gepraat...'
'Nee, hè! Tara, dit kun je mij niet aandoen.' Debbie had het hele voortraject gemist omdat ze de afgelopen twee dagen op reis was. 'Bij het begin beginnen. Wat had je aan? Kwam hij je ophalen? Wat dacht je toen je hem weer zag?'
Tara en Michael bleken veel met elkaar gemeen te hebben, en bovendien was hij nogal verlegen. 'Hij was echt in mij geïnteresseerd, wat ongekend is voor een man, tenminste de mannen die ik ken. Meestal hebben ze het alleen maar over zichzelf, of over sport en politiek.'
'Of seks,' lachte Debbie. 'Echt waar, hoeveel mannen ik in het vliegtuig wel niet hebben horen praten over vrouwen en neuken... Ze zijn erdoor geobsedeerd, ik zweer het je.'
'Nou, volgens mij heeft hij sinds zijn scheiding niet meer aan seks gedacht,' zei Tara naïef, waarop ze door haar vriendinnen werd weggehoond.
'Wat ben je toch naïef. Hij heeft het er misschien niet over gehad, maar hij zal er zeker wel aan hebben gedacht, en misschien nog

wel meer ook,' knipoogde Debbie. 'Hoe zijn zijn ogen?'
Ze proestten het uit, terwijl de vaste klanten naar hen omkeken. 'Om de tien seconden, zo vaak denken mannen aan seks.'
Ze schakelden ineens over op een ander onderwerp, bestelden nog een drankje en gingen op in geroddel, schandaaltjes en vriendschap. Ze waren diep onder de indruk van Chris en zijn sms-berichtje en beloonden hem met een dikke voldoende. Ze voerden een lange discussie over borsten, naar aanleiding van de vraag of die van de vrouw aan het tafeltje naast hen nep waren of echte.
Om halftwaalf gingen ze naar huis, nadat ze te horen hadden gekregen dat Michael Tara bij het afscheid had gekust.
'Op de wang.'
'Wat?'
'Ja, dat had wel iets, ik vond het wel lief; ik voelde me echt op mijn gemak bij hem. Veilig. Maar lekker veilig, niet saai veilig.'
'Hoe hebben jullie in godsnaam ooit vriendinnen van me kunnen worden?' vroeg Debbie zich af. 'De een wil bij haar eerste afspraak alleen maar op de wang worden gekust, de ander beukt er meteen op los.'
Ze kletsten onophoudelijk terwijl ze in de richting van Lindsays huis liepen, vanwaar de andere twee een taxi zouden nemen. Onderweg stopten ze voor 'fish 'n chips', waar ze pas van zouden mogen eten als ze binnen in de warme keuken waren, maar toen ze er eenmaal aan hadden geroken konden ze de zoute, vette patat niet weerstaan.
Er waren nog een paar frietjes over toen ze in Lindsays huis aankwamen, die ze meteen verslonden. Ze dronken er liters thee bij, terwijl hun gesprek geen moment stokte. De sfeer was warm en ongedwongen.
Een halfuur later lag Lindsay in bed, moe alsof ze de hele dag had gewerkt.

De volgende ochtend was ze blij dat ze niet naar haar werk hoefde. Het team werkte van dinsdag tot en met zaterdag, alleen in noodgevallen ook op maandag. Wél belde ze even op voor het geval ze iets kon doen. Daarna ruimde ze het huis wat op, deed nog kerstinkopen, nam een snelle lunch met Debbie en ging on-

derweg naar huis nog even bij haar moeder langs. Miriam Davidson had het zoals altijd druk, maar ze wilde alles weten over haar dochters nieuwe baan. Lindsay praatte honderduit, maar verzweeg haar affaire met Chris, ook al zei haar moeder nog dat ze er zo goed uitzag. Dat was ongebruikelijk. Meestal had haar moeder het te druk met van alles, vooral met zichzelf. Ze schonk weinig aandacht aan haar kinderen en kleinkinderen, wat hun soms een gevoel van vrijheid gaf, en soms een beetje pijn deed.
'Ik neem aan dat je niks meer hebt gehoord van Paul?'
'Nee.'
'Jammer. Ik mocht hem wel.' Lindsay had het gevoel alsof het haar eigen schuld was dat hij was vertrokken.
'Ik ook, destijds.'
'Niet zo cynisch alsjeblieft, ik was alleen nieuwsgierig.'
'Ik deed niet cynisch. Ik heb alleen het gevoel alsof jij vindt dat het allemaal mijn eigen schuld is.'
'Doe niet zo raar, natuurlijk niet.' De woorden leken niet overeen te komen met de manier waarop ze werden uitgesproken, en vandaag stak dat.
'Het bleek namelijk dat hij helemaal niet wilde trouwen, tenminste niet met mij. Hij had iemand anders ontmoet en ging uiteindelijk met haar trouwen.' Het was er eindelijk uit.
Lindsay draaide zich om en voelde de pijn weer binnenstromen, toen ze de ontzetting in haar moeders ogen zag. Even had ze zich in haar sterke armen willen koesteren, maar dat deden ze nu eenmaal niet en dat kon niet ineens worden veranderd – vreemd eigenlijk, als je besefte hoe intiem Lindsay in haar andere relaties kon zijn. Ze draaide zich weer om naar de oudere vrouw. 'Ach ja, het is voorbij, ik ga verder met mijn leven en over heel veel dingen heb ik op dit moment een goed gevoel.'
'Het spijt me, je hebt vast een moeilijke tijd achter de rug. Ik wou dat je het me toch eerder had verteld.'
'Je hebt het altijd zo druk.' Het was een constatering, geen verwijt.
'Ik ben er altijd als je me nodig hebt.'
'Nou goed dan, dank je wel.' Ze zag de pijn weer in haar moeders ogen en voelde dat die echt was. Even wisten ze beiden niet wat ze moesten zeggen.

Ze dronken thee en Lindsay praatte nog wat en ging toen naar huis. Later dacht ze terug aan het gesprek en voelde ze zich een beetje down. Ze besefte dat ze eigenlijk veel meer over dit soort dingen moesten praten.

Op de weekvergadering van dinsdagochtend ging het er hard aan toe. De kijkcijfers waren binnen, en die waren lager dan de week daarvoor. Ze waren goed begonnen en hielden de kijkers vast tot na het naaktmodel; daarna verloren ze kijkers aan de concurrerende show die om kwart over tien was begonnen.
Tom Watts wist meteen waar de oorzaak lag.
'We worden te zelfgenoegzaam. Ik wil geen mensen meer in mijn show die hun boek promoten.'
Alan stuurde het gesprek naar de laatste twee afleveringen voor Kerstmis. Iedereen wilde de laatste show lichtvoetig houden, met korte flitsende stukjes – een spelletje, een popgroep, cadeautjes voor de gasten, enzovoort. Lindsay was het daar niet mee eens, want alle andere shows zouden die week precies hetzelfde doen. Ze had het gevoel dat de kijker meer behoefte had aan inhoud en bracht dat naar voren.
Tom Watts brandde haar meteen af. 'Iedereen die op de zaterdagavond voor de Kerst thuiskomt, wil vermaak en geen gezeik over abortus en zelfmoord.'
'Het gaat niet om de keuze tussen kerstcadeautjes en zelfmoord. Daar zit nogal wat tussen.' Lindsay liet zich niet uit het veld slaan. Sommige redactieleden waren het met haar eens, hoewel iedereen toegaf dat het moeilijk zou zijn om beroemdheden te vinden die rond die dagen wilden reizen.
Ze bespraken nog een uur lang allerlei ideeën en besloten om later die week nog een keer bij elkaar te komen. Ook de komende aflevering vergde aandacht, vooral in het licht van de tegenvallende kijkcijfers. Iedereen ging aan het werk.

Woensdagochtend ontving Lindsay een tekstbericht van Chris.

SORRY, BEN TOT DON. IN LNDN. ZIE JE AS W/EIND?

Het duurde even voordat ze besefte hoe ze naar hem had uitgezien. Toch liet ze de afspraak met de kapper doorgaan, zodat ze zichzelf kon wijsmaken dat ze dat niet alleen voor hem deed.

21

Op woensdagavond voelde Lindsay zich niet lekker en donderdag vertoonde ze alle symptomen van griep. Met knallende hoofdpijn en koorts werd ze wakker. Het was alsof ze door een mangel was gehaald. Het bed uitkomen alleen al was een opgave. Ze nam een aspirientje, ging in de keuken zitten en rilde ondanks de warmte.

Misschien zou een douche haar goed doen, dacht ze vermoeid, maar ze voelde meteen dat ze dat niet aankon. Haar lichaam voelde als een zoutzak, maar had de stevigheid van plumpudding. Ze kon niet anders dan weer naar bed gaan en voelde zich zoals altijd schuldig wanneer ze ziek was, alsof dat op een of andere manier haar eigen schuld was.

Ze belde het kantoor en sprak met Alan Morland, die al aan het werk was, ook al was het pas kwart over acht. Hij verzekerde haar dat ze het zonder haar wel zouden redden.

Ze maakte een warme citroendrank, vulde daarmee twee thermoskannen en kroop weer in bed. Ze sliep bijna de hele dag, kwam voor een paar uurtjes uit bed en maakte wat soep en lag 's nachts weer te woelen.

Vrijdagochtend was alles nog hetzelfde, alleen konden haar benen haar niet meer dragen. Ze belde de huisarts. Het was heel druk, iedereen had ongeveer dezelfde klachten. Kon ze langskomen? 'Nee, ik ben veel te ziek.' Het enige dat ze konden doen, was een co-assistent laten langskomen die een antibioticarecept voor haar kon uitschrijven. Dat vond ze goed.

Ze strompelde naar beneden om thee te drinken en geroosterd brood te eten, maar ze proefde er niets van, dus kroop ze ook deze ochtend weer terug in bed en besloot ze Tara te bellen om lekker te klagen.

'Wat moet ik nou met Chris? Ik word vanavond bij hem thuis

verwacht en ik zie eruit als een heks!'
'Doe niet zo raar, bel hem gewoon af. Ik bel Debbie en dan komen wij samen of misschien een van ons, na het werk bij je langs. Heb je nu iets nodig?'
'Arsenicum alsjeblieft.'
'Hou op met dat zelfbeklag, je bent er zo weer bovenop. De eerste drie dagen moet het uitbreken, daarna ben je drie dagen echt ziek en dan moet je nog drie dagen uitzieken.'
'Dus dan ben ik pas in januari weer beter. Fijn om te horen.'
Tara lachte. 'Ik was vergeten hoe kribbig je kon zijn als je ziek bent. Kruip lekker onder de wol, tot later.'
Lindsay kon niet slapen. Ze wilde Chris niet bellen omdat ze zich zo beroerd voelde. Een tekstbericht was de enige optie.

KAN VNVND NIET. HEB GRIEP. SPIJT ME ZR.

Een uur later kreeg ze een antwoord.

BEN IN PARIJS. KOM NIET THUIS VNVND. WILDE JE NET SMSEN. SPREEK JE MORGEN. BETERSCHAP!

Ze was teleurgesteld en opgelucht tegelijk. Eén blik op haar vlekkerige huid, vette haar en pukkels zou hem in snel tempo doen omdraaien, maar toch zou ze graag willen dat hij even langskwam en haar een knuffel gaf. Ze viel in slaap, werd wakker en belde haar moeder op.
'O, kind toch, wat erg voor je. Ik sta net op het punt te gaan golfen. Zal ik Anne langs laten komen?'
Jeetje, bedankt zeg.
'Nee, maak je geen zorgen, het gaat wel.' Ze maakte zich duidelijk geen zorgen.
Anne belde. 'Gaat het? Zal ik langskomen?'
'Nee, dank je wel, maar misschien kun je later een recept voor me afhalen. Ondertussen probeer ik uit te rusten.'

'Zal ik doen, bel me als de dokter is geweest. Dan kom ik meteen.'
De middag kroop om, ze kon niet eens tv kijken. Haar ogen deden pijn. Haar achterste was schraal. Met elk lichaamsdeel was iets mis. De dokter kwam en was binnen vijf minuten weer vertrokken, zonder medelijden te tonen, wat ook al niet hielp. Haar vriendinnen kwamen rond zeven uur aan met bloemen, druiven en een fles whisky 'louter voor medische doeleinden'.
'Jezus, wat zie jij eruit! Wees blij dat Chris niet in het land is.'
'Fijn, daar zat ik nou net op te wachten.'
'Ik maak wat soep voor je,' zei Tara vriendelijk.
'Alsjeblieft niet, ik kan geen soep meer zien.'
Anne wipte binnen om het recept op te halen. 'Jezus, wat zie jij eruit!'
Haar zus vertrok weer, giechelde schaapachtig en beloofde dat ze de pillen door de brievenbus zou gooien als ze van de avondapotheek naar huis zou gaan, na nog wat te hebben gewinkeld.
'Laten we chinees halen,' grinnikte Debbie, die de spottende opmerkingen negeerde. Lindsay kreeg braakneigingen.
Uiteindelijk namen ze alwéér pizza, ondanks de vieze lucht van de vorige keer. Lindsay zat in haar nachthemd naast het laaiende haardvuur en dronk rillend van haar warme citroendrank.
Charlie nestelde zich aan haar voeten, alsof hij voelde hoe beroerd ze eraan toe was. Tara was weer met Michael uit geweest. Ze waren uiteten gegaan en hij had haar thuis afgezet.
'En?' vroeg Debbie nieuwsgierig.
'Niets gebeurd, maar hij kuste me wel bij het afscheid.'
'En?'
'Meer niet.'
'Kan hij zoenen of niet?'
'Maar al te goed.'
'Joepie, ik zie bruidsmeisjes.'
Ze lachten, ook al deed dat Lindsay pijn. Om tien uur kon ze niet meer en gingen ze naar haar slaapkamer om naar een film te kijken. Met zijn drieën lagen ze in bed, met Charlie aan het voeteneind. Lindsay moest denken aan die andere avond dat ze zo in bed lagen, nadat ze Paul tegen het lijf was gelopen. Nog steeds lachend stopten ze haar onder en gingen daarna naar huis. Mor-

gen zouden ze weer bellen. Ze sliep een paar uurtjes maar werd vroeg wakker. Ze was uitgedroogd, haar huid was mogelijk nog vlekkeriger.
Zelfs haar vriendinnen konden haar niet opbeuren, en ze weigerde alle hulp.
Rond lunchtijd kreeg ze een nieuw sms-je.

ONDERWEG NR MANILA! PAS OVER 1 WK TRUG. GATUT?

Ze nam zelfs niet de moeite om te antwoorden, zoveel zelfmedelijden had ze.
Gelukkig sliep ze bijna de hele dag. Alan had gebeld om te vragen hoe het ging en haar eraan herinnerd dat ze morgenavond bij Tom thuis was uitgenodigd voor een kerstdiner.
Laat op de middag belde ze hem terug, maar kreeg zijn antwoordapparaat.
'Alan, met Lindsay. Nog geen verandering. Ik kan morgen niet naar dat diner, het spijt me. Ik spreek je maandag.'
Diep vanbinnen vond ze dat ze eigenlijk helemaal niet op dat kerstdiner thuishoorde, maar deze gedachte maakte haar ellende alleen maar groter. Bovendien was ze maar wat nieuwsgierig naar Toms huis. Ze ging weer terug naar bed en zou later opstaan om naar het programma te kijken. Rond middernacht werd ze wakker en barstte ze in tranen uit omdat ze het hele programma had gemist.
Ze had een nieuw sms-bericht.

NET AANGEKOMEN. HEERLIJK WEER. LEKKER ZWEMMEN STRAKS. GAAT HET WAT BETER?

Haar antwoord was kort.

HET GAAT WEL. NOG STEEDS IN BED. WE BELLEN.

De telefoon ging.
'Ha die Rudolf.'
'Dat is helemaal niet grappig. Het dringt waarschijnlijk niet tot je door dat ik nu niet alleen een charmante knalrode neus heb, maar ook een alleraardigste vlekkerige, bleke kop en sliertig lang haar waarop je een ei kunt bakken.'
'Maar goed dus dat ik op de Filippijnen zit. Van seks zal het dus wel niet komen?'
Ze schoot in de lach.
Ze kletsten urenlang. Hij was bezig, zo bleek, met een internationaal drugsschandaal, dat terugvoerde naar Manila, dus daar zat hij nog wel even.
Lindsay voelde zich na dit gesprek een stuk beter. Ze liet de rest van de avond voor wat die was en ging weer slapen.
Haar zus deed de dag daarna wat boodschappen en haar vriendinnen kwamen met nog meer fruit en tijdschriften. Dinsdag voelde ze zich pas goed genoeg om haar werk te bellen. Alan stond erop dat ze de rest van de week zou thuisblijven: ze vermoedde dat hij gewoon bang was dat ze de anderen zou aansteken, en bovendien werkte ze toch nog niet op volle kracht.
'Het heeft geen zin om ons je bacillen als kerstcadeautje te geven.'
'Fijn om te weten dat men je zo nodig heeft.'
'Maak je geen zorgen, in het nieuwe jaar heb ik genoeg voor je te doen. Rust zo veel mogelijk uit.'

Plotseling was het kerstavond. Lindsay was nog steeds niet de oude, ondanks liters vruchtensap en veel verse groenten. Ze wist dat Chris hoopte dat hij met kerst thuis kon zijn, maar ze had nog niets van hem gehoord.
Ze ging met haar vriendinnen lunchen in de stad, voordat die zouden vertrekken. Tara ging naar haar ouders in hun luxe landhuis in Wicklow en Debbie ging naar haar moeder en broers in Wexford, een kustplaats in het oosten. Ze gaven elkaar cadeautjes en dronken warme chocolademelk. Tot hun verrassing had Tara Michael Russell uitgenodigd om bij haar thuis Kerstmis te vieren, en hij had de uitnodiging aangenomen.
'Hij had geen andere plannen.'
Ze plaagden haar meedogenloos, maar waren heimelijk jaloers.

Lindsay voelde zich een beetje eenzaam toen ze bedacht hoe close haar vriendin al was met iemand die ze pas een paar weken daarvoor had ontmoet.
Zij had Chris nauwelijks meer gezien.
Na de lunch ging ze naar de kapper, pakte ze haar weekendtas in, nam haar cadeautjes en Charlie mee en ging toen op weg naar haar ouderlijk huis. Toen ze op het punt stond naar buiten te gaan, ontving ze een sms-je:

WAAR BN JE? KWIL JE ZIEN VOOR IK NAAR HUIS GA.

OP WEG NAAR MAMS. BEL ALS JE KUNT.

ZOU IK KUNNEN LANGSKOMEN?

LIJKT ME LEUK.

Ze gaf hem het adres en vertrok, een stuk opgewekter dan daarvoor. Ze had hem gemist, besefte ze ineens. Het was vreemd om hem 's avonds op het nieuws te zien, via de satelliettelefoon. Hij zag er gebruind en gezond uit, zijn ogen waren nog indringender blauw door de achtergrond van de heldere lucht en ze voelde zich een beetje eenzaam zonder hem, wat belachelijk was want ze kende hem amper. Hij was bijna twee weken weg geweest.
Ze voelde zich weer een klein meisje, zoals altijd wanneer ze de oprijlaan naar haar ouderlijk huis opreed. Het was een grandioos huis met een dubbele gevel uit de tijd van koning Edward, met indrukwekkende erkers en een prachtig gazon. Haar ouders hadden het meer dan dertig jaar geleden voor een prik gekocht. In de loop der jaren hadden ze het helemaal opgeknapt en toen haar vader overleed, had haar moeder overwogen om het te verkopen en naar een appartement te verhuizen, maar gelukkig had ze daar van afgezien. Lindsay hield van dit huis, vooral in de winter, met de huiselijke geur van jasmijn en winterkers, en de prachtige, weelderige hulst die de wacht hield bij de ingang.
Zoals altijd stond de kerstboom bij het raam aan de voorkant en

was de voordeur zwaar versierd met een iets te grote groene krans. Ze miste haar vader het meest met deze dagen. Lindsays moeder was druk bezig in de keuken en begroette haar enthousiast.
'Kun je de kaarsen op de schoorsteenmantel in de huiskamer aansteken? Het is al bijna donker.'
'Natuurlijk, laat me eerst mijn tassen wegzetten en voor Charlie zorgen. O ja, een vriend van mij die onderweg is naar huis komt hier nog even langs voor een borrel.'
'Leuk. Anne en haar gevolg zullen hier zo zijn, en er komen nog een paar van mijn golfvriendjes op bezoek.'
'Zal ik dan maar mijn gebruikelijke klusje doen bij de haard?'
'Ik kan je waarschijnlijk niet tegenhouden.'
Lindsay moest lachen en ging aan de slag. Ze pakte een stuk of tien mandarijnen van de grote schaal en stak ze vol met kruidnagels; daarna legde ze de vruchten op de schoorsteenmantel in de grote kamer. Ze herinnerde zich nog dat ze toen ze een jaar of vijf was een Amerikaans gezin op de tv dit zag doen, waarna ze er een traditie van maakte binnen de familie Davidson, al vond Miriam het een beetje ordinair. Lindsay was dol op de geur van mandarijnen en kruidnagels, die sterker leek te worden door het loeiende haardvuur. Ze zocht naar haar kleine flesje sinaasappelolie dat haar vader voor haar had gekocht en dat ze al die jaren verborgen hield op de vensterbank achter de gordijnen, en sprenkelde wat druppels over de houtmand. Dat deed ze elk jaar weer stiekem, en ze genoot van het feit dat niemand begreep waardoor de geur bijna overweldigend kon zijn als er weer een nieuw blok op het vuur werd gegooid. Elk jaar had ze hierom met pappa gegrinnikt, het was een van hun vele geheimpjes. Nu glimlachte ze terwijl Charlie zich aan haar voeten vlijde voor een lange, gezellige avond en haar hand likte om haar te laten weten dat haar geheim veilig bij hem was. De huiskamer zag er perfect uit, maar toch had Lindsay hem nooit gezellig gevonden. De ruimte was jaren geleden gemeubileerd door een binnenhuisarchitect en Lindsay zat te wachten tot ze gevraagd werd om het over te doen toen ze eenmaal ontwerpster was, maar dat verzoek bleef uit. De zitkamer had alles, alleen warmte en gezelligheid ontbraken nog, al wist Lindsay dat de enorme boom, het knapperende haardvuur en de kaarsen (die ze zelf had meegenomen, Miriam vond dat

maar rotzooi) de kamer perfect deden uitkomen. Ze rende naar boven om zich op te maken. Ze droeg haar lievelingsbroek, een zwarte leren, met een strakke zwarte trui. De strengheid van deze look zwakte ze af met een halsketting waaraan een groot bewerkt kruis hing dat op haar boezem rustte, en met fantastische oorbellen, het laatste geschenk van Paul. Ze had golvende, glanzende haren en ze voelde zich goed, ook omdat ze bijna drie kilo was afgevallen toen ze ziek was.
Er werd gebeld: de vrienden van haar moeder, die haar goddank in de keuken kwamen helpen. Lindsay raakte opgewonden van het idee dat Chris binnenkort voor de deur stond, en toen de bel weer ging, moest ze zich inhouden om niet naar de deur te rennen. Helaas was door deze nonchalante benadering haar moeder haar voor.
'Hallo.' Lindsay kon horen dat haar moeder verrast was.
'Hallo, ik ben Chris.' Hij stak zijn hand uit.
'Hoi.' Lindsay stormde naar de voordeur en struikelde bijna in haar enthousiasme.
'Hoi, hoe gaat het?' Weer die glimlach.
'Kom toch binnen. Ik ben Miriam.'
Lindsay hoorde haar moeder denken. O, laat hem nou alsjeblieft niet blijken hoe dankbaar je bent dat hij een beetje aandacht geeft aan je vrijgezelle dochter, dacht Lindsay in stilte, en ze hoopte maar dat haar moeder 'neutraal' bleef kijken. Zo gespannen was ze dat ze niet doorhad dat Chris zich vooroverboog om haar te zoenen, op de mond, wat haar kriebels in haar buik bezorgde, terwijl ze haar moeder zag denken.
Hij moest lachen om haar verlegenheid toen ze met zijn drieën de huiskamer in gingen.
'En, kan ik je een glas champagne aanbieden?'
O, o, hij krijgt de volledige koninklijke behandeling, dacht Lindsay boosaardig, terwijl ze hoopte dat haar moeder hen even alleen zou laten.
'Eh, doe mij maar een biertje graag, als u dat in huis hebt.'
'Lindsay?'
'Ik lust wel een glaasje, maar doe geen moeite, mam, ik haal het zelf wel. Ga jij maar terug naar je vrienden.' Lindsay beende naar de keuken terwijl haar moeder haar stevig aan haar mouw trok.

'Waarom zei je niet dat híj kwam?'
'Weet je dan wie hij is?' Lindsay kon het niet geloven, haar moeder keek nooit televisie.
'Niet precies, maar ik weet dat hij iemand is. Hoe lang is hij je vriendje al?'
'Hij is gewoon een vriend.'
'Maar...?'
'Mam, rustig aan.'
Je bent alleen maar geïnteresseerd om wie hij is. Hij maakt zeker het verlies van Paul goed, had Lindsay willen zeggen, maar ze hield zich in. Het was kerst en waarschijnlijk was het ook niet eerlijk. Al haar vrienden waren altijd welkom geweest, wie het ook waren.
Lindsay haalde de drankjes, liet haar moeder namen van bekende Ieren noemen, en ging terug naar Chris.
'Wat ruik ik toch in deze kamer? Het is heerlijk.'
Lindsay lachte luid en verklapte haar geheime kerstrecept.
Charlie rende naar binnen om te kijken wie die indringer was en kreeg een cadeautje voor de moeite.
'Wat is het? Maak maar open, ik heb het in Parijs gekocht, in een hondensalon. Ongelooflijk!'
'Een hondensalon, nu twijfel ik echt aan je verstand.'
Het was een zonneklep voor honden, een felgroene. Hij moest met klittenband achter zijn oren worden vastgemaakt. Er zat een zonnebril bij, die aan de klep moest worden bevestigd. Lindsay kwam niet meer bij toen ze het geval aan Charlie vastmaakten. Charlie rende door de kamer heen en probeerde de bril te vangen, zoals hij soms achter zijn eigen staart aanzat. Het was ontzettend grappig.
'En dit is voor jou. Ik heb het in een iets smaakvollere zaak gekocht, dat zweer ik je.'
Lindsay verontschuldigde zich. 'En ik heb niks voor jou. Ik had je niet verwacht voor de feestdagen. En ik was ziek,' voegde ze er mat aan toe.
'Maakt niet uit, voor mij was het geen moeite, ik zat in Londen én in Parijs. Ik heb veel moeten wachten voor interviews, dus ik heb wél kerstinkopen kunnen doen. Eén ding moet je me beloven, dat je het morgenvroeg pas openmaakt.'

'Ga weg.' Ze had al een scheurtje in het pakpapier gemaakt.
'Anders krijg je het niet, dus niet zo verwend doen.'
'Oké.'
'Gelukkig kerstfeest.'
Plotseling kwam hij dichter bij haar zitten, nam haar glas uit haar hand en trok haar naar zich toe. Hij gaf haar een lange, lome, natte zoen die uren leek te duren.
'Ik heb je gemist.' Bonzende harten.
'Ik jou ook.'
'Goed. En...' Hij ging op de bank zitten en trok haar naar zich toe. 'Vertel. Ben je nog ziek?'

Ze bleven uren kletsen, en toen moest hij gaan om op tijd in Galway bij zijn familie te zijn. Blijkbaar hielden ze altijd een groot feest op kerstavond.
'Ik bel je, als je me je nummer van hier geeft.'
Ze gaf het nummer en hij gaf haar het zijne en ze liep mee naar zijn auto om hem uit te zwaaien. Ze had zich lang niet meer zo goed gevoeld.

22

De rest van de dag bracht ze door in perfecte harmonie. Ze ontspande zich, nipte af en toe van haar champagne, nam uitgebreid een bad en bracht 's avonds haar neefjes naar bed. Zus Anne was uitgeput, maar verzekerde dat het gewoon door overwerk kwam. Haar man, David, had een marketingbedrijf en werkte vaak over; het huis en de kinderen liet hij aan Anne over. Anne werkte daarnaast nog parttime als lerares en klaagde, zoals de meeste moeders, over aanhoudende vermoeidheid. Lindsay zorgde ervoor dat haar zus haar voeten op een bankje kon leggen en een drankje bij de hand had, en zij beschouwde dat als haar grootste kerstcadeau. Om tien uur liepen moeder en dochters naar de nachtmis, ook een traditie van de familie Davidson, terwijl David op de kinderen paste en de kerstcadeaus neerlegde. Ze namen een lichte maal-

tijd met gebakken ham, geroosterd brood en kaas, en Lindsay viel als een blok in slaap zodra ze in haar bed lag.
Zoals in zovele andere huishoudens waar ook ter wereld, begon eerste kerstdag belachelijk vroeg. Jake, het jongste neefje, glipte in Lindsays slaapkamer, want hij wist dat zij niet zou zeggen dat de kerstman nog in Zweden was en eerst langs alle andere landen moest voordat hij in Ierland aankwam.
'Is hij er al?'
'Ik weet het niet. Laten we naar buiten kijken, misschien zien we sleesporen.'
'Ja, ik zie ze, kijk maar, daar. En daar zie ik de hoefafdrukken van Rudolf.'
'Nou, misschien moeten we eerst boven aan de trap even luisteren of hij er nog is.'
'Oké.'
Lindsay kroop uit bed, veegde de slaap uit haar ogen en liep achter het opgewonden jongetje aan.
Hij had zich tussen de spijlen van de trapleuning gewurmd en luisterde aandachtig.
'Hoor je wat?'
'Nee, hij moet net weg zijn. Zullen we kijken of de peen er nog ligt?'
'Ja, want meestal blaft Charlie als hij komt en ik heb niets gehoord.'
'Is Charlie niet bang voor de kerstman?'
'Nee, hij is een beetje jaloers, denk ik, om die cake en die wortel.'
Ze liepen de trap af naar de keuken. Het glaasje sherry was soldaat gemaakt en van de wortel was een stompje over.
Jake struikelde over zijn benen toen hij naar de boom rende, en ze brachten een genoeglijk uurtje door met het openmaken van de cadeautjes. Luke was natuurlijk meteen op het geluid afgekomen, dat de volwassenen in het huis vreemd genoeg niet hadden opgemerkt.
Lindsay maakte het cadeautje van Chris open, twee prachtige, antieke granaten oorbellen, lang en chic – precies haar smaak. Ze vond ze prachtig en in gedachten gaf ze het paar dat op haar nachtkastje lag al weg aan Debbie of een goed doel.

Het ontbijt stond klaar – warme broodjes, vers vruchtensap en gebakken eieren – op een gedekte tafel toen de volwassenen eindelijk uit bed kwamen.
Daarna bezochten ze het gebruikelijke rijtje familieleden, en rond drie uur gingen ze weer naar huis. Iedereen hielp mee met het diner, een uitgebreid, formeel gebeuren in de eetkamer, compleet met het gegraveerde glasservies, het tafelzilver, echte servetten en een knisperend haardvuur – ook een traditie binnen de familie Davidson.
Inmiddels zaten ze allemaal te vechten om de afstandsbediening toen Chris belde. Haar moeder begroette hem als een oude vriend en Lindsay wist dat ze iedereen inlichtte toen ze de hoorn aannam.
'Hoi, hoe gaat het?'
'Zo dik als een pad, maar ook de trotse bezitter van zes paar marineblauwe sokken en drie flessen Old Spice. En jij?'
'Ik heb kennelijk beter opgepast dit jaar, want ik heb van de kerstman ongelooflijk mooie oorbellen gekregen, die perfect passen bij mijn huidskleur en die nu, terwijl we praten, fonkelen in het licht. Dank je wel.'
'Graag gedaan. Hoe was het vandaag?'
'Het was heerlijk. Jake maakte me om halfzes wakker, en we hebben er een leuk feestje van gemaakt. Daarna gingen we bij een hele reeks oude tantes op bezoek en bezochten we vaders graf, wat altijd een beetje triest is. Maar we hebben net een heerlijk diner achter de rug en maken nu ruzie over welke film we gaan kijken.'
'Komt me bekend voor. Wij gingen vannacht tot vier uur door dus iedereen sliep uit en we hebben nog niets gegeten. Mijn moeder kennende zullen we nog tot negen uur moeten wachten, al belooft ze elk jaar weer dat om vijf uur alles op tafel staat en hebben wij ondertussen al een halve kalkoen verslonden.'
Zo wisselden ze nog wat verhalen uit totdat Chris werd geroepen door een van zijn vrienden die onverwacht op bezoek kwam.
'Ik ga de 28e terug naar Dublin omdat een vriend van mij de dag daarna gaat trouwen. Heb je zin om die avond daarna dan eindelijk bij mij te komen eten? Ik zal waarschijnlijk een flinke kater hebben. Ik heb het niet zo op bruiloften.'

'Lijkt me leuk.'
'Wat doe jij trouwens op oudejaarsavond?'
'Debbie geeft een feestje en ik ben gestrikt om te helpen met eten koken. En jij?'
'Mijn zus geeft ook een feestje en ik ben gestrikt als reserveman. Ik zou liever in jouw schoenen staan.'
'Dan ken jij de feestjes van Debbie nog niet. Veel piloten die zichzelf een godsgeschenk vinden en je proberen te betasten.'
'Zeg hun dat ik hun verbied om aan je te zitten.'
'Dat zal ze er vast van weerhouden.' Ze lachten en kletsten nog wat en ze voelde zich heel vertrouwd met hem.
'Oké, ik moet gaan. Ik spreek je van tevoren nog wel.'
'Veel plezier in het gekkenhuis.'
Lindsay liep de kamer in en wist dat iedereen het erover had gehad, maar ook dat haar zus er meer van wilde weten.
Op tweede kerstdag werd altijd een flinke wandeling gemaakt, werden de restjes opgewarmd en deed iedereen zich tegoed aan te veel chocolade, dus Lindsay was blij dat ze de volgende dag naar huis kon. Ze wilde goed voorbereid zijn, dus ging ze nog even naar kantoor om haar e-mail op te halen en een paar bestanden mee naar huis te nemen.
Debbie en Tara waren nog steeds de stad uit. Van haar nieuwe vriendin Carrie had ze een berichtje gekregen: ze wilde iets met haar afspreken. Carrie had in de weken voor kerst buiten Dublin gewerkt en weigerde Lindsay ook maar iets te vertellen over haar en Dan Pearson 'zonder een glas bier in haar hand'. Lindsay stuurde een berichtje terug waarin ze vroeg of ze wilde terugbellen als ze thuis was.
De rest van de dag ruimde ze de overgebleven rotzooi op van haar ziekbed; beschimmelde druiven, bergen tissues en lege flessen en een hele stapel tijdschriften. Daarna wipte ze op de bank met de afstandsbediening en Charlie. Niet erg opwindend.
Om negen uur kreeg ze plotseling de behoefte Chris te bellen. Ze draaide het nummer dat hij haar had gegeven. Ze was een beetje onzeker, maar wist niet waarom. Dat had niet gehoeven, want hij was gewoon niet thuis. 'Probeer zijn mobieltje,' zei een stemmetje in haar. Datzelfde stemmetje deed haar fantaseren dat hij aan iedereen verteld zou hebben dat zij weleens kon bellen. Ze

gaf het op, stuurde een berichtje en kreeg daar meteen spijt van. Misschien dacht hij wel dat ze niets beters te doen had, of dat ze hem controleerde. Belachelijk, deze permanente staat van onzekerheid. Ze nam uitgebreid een bad en ging naar bed.
Pas de volgende avond hoorde ze wat van hem.

OP WEG NAAR HUIS. OVERLEEF JE T?

BEN THUIS DUS BIJNA OK. MOET MORGEN WERKEN. FIJNE BRUILOFT.

JE KOMT TOCH WEL ETEN VRIJDAG?

IK HEB NU AL HONGER.

BLIJF JE SLAPEN?

MOET IK C. VRAGEN.

NEEM HEM MEE.

IS KIESKEURIG INZ. LOGEERADRESSEN.

IK WOON NAAST EEN BIOSLAGER.

HIJ KOMT ERAAN.

ROND ACHTEN?

IK PAK MIJN KOFFERS AL.

LAAT KLEREN THUIS.

OOK MIJN NETKOUSEN EN KRUISLOOS SLIPJE?

1 WEEKENDTASJE DAN.

Zo gingen ze nog een tijdje door, totdat hij zei dat hij zich niet

meer kon concentreren en ze hem glimlachend goedenacht wenste. Ze voelde zich heel erg op haar gemak bij hem, al vond ze het wat moeilijker om oog in oog met hem te praten. Maar ze voelde dat ze dichter tot elkaar kwamen.
Haar vriendinnen kwamen de dag daarna weer thuis en het gewone leventje was weer begonnen. Ze kletsten uren aan de telefoon over wat ze op oudejaarsavond moesten aantrekken, wat ze zouden drinken en koken – in die volgorde. Lindsay en Tara zouden samen de boodschappen doen, omdat zij veel gestructureerder te werk gingen. Debbie maakte ondertussen haar huisje schoon en zou meubels en kostbare voorwerpen naar boven brengen.
Rond de lunch op oudejaarsdag werden ze verwacht, zodat ze meteen met koken konden beginnen. Charlie was uitgeroepen tot het officiële feestbeest dus Lindsay besloot om al haar spullen in te pakken toen ze naar Chris ging, zodat ze de volgende dag meteen door kon gaan naar Debbie. Ze had voortdurend moeten denken aan deze vrijdagavond, en dat alleen al bezorgde haar geweldige voorpret. Het vooruitzicht dat ze bij hem zou blijven slapen wond haar op en ineens kreeg ze fantasieën hoe ze het op de gekste momenten met elkaar zouden doen, bijvoorbeeld tijdens het wassen van de auto. Als een zondig geheim bleven deze gedachten haar de hele dag op een prettige manier lastigvallen.
Ze wist al wat ze aan zou trekken: dat prachtige pakje van Joseph, dat haar een fortuin had gekost, zelfs in de uitverkoop bij Brown Thomas. Het was vervaardigd van het zachtste materiaal, heel eenvoudig, maar voortreffelijk gesneden en het paste perfect. Het lange jasje liep taps toe naar haar taille, waar haar korte rokje begon. Ze zou dit combineren met gitzwarte nylons en zwarte suède laarzen die tot aan haar knieën reikten, en verder niets dan een schitterend zwartkanten topje, dat verborgen zou blijven totdat de knopen van haar jasje werden losgemaakt, waarna haar weelderige decolleté zou worden onthuld, dat meer te danken had aan opvulling dan aan de natuur. Hopelijk zou hij, wanneer hij eenmaal was aangekomen bij de vullingen, inmiddels voldoende zin hebben. Ze zou haar haren laten föhnen en het dan naar achteren doen in een staart, zodat de hele look werd afgezwakt en aan de buitenkant hooguit nog een zweem liet zien van de totale

slettenbak, de femme fatale, de hoer of seksgodin – ze wist nog niet zeker wat ze zou zijn – die daaronder zat. Ze wist dat ze nooit als een seksgodin gezien zou worden, maar ze genoot wél van de opwinding die het denken eraan bij haar veroorzaakte.

23

Ze was nog steeds opgewonden toen ze vrijdagavond om tien over acht bij hem aanbelde. Charlie was door het dolle heen, een 'avondje uit' was voor hem een nieuwe ervaring en ze kon hem, noch zijn losse haren, nauwelijks van zich afhouden. Hij leek dol op de geuren die de donkere avond voortbracht, en sprong alle kanten uit. Ze was blij dat Chris de deur elektronisch en niet in eigen persoon had opengedaan, want ze viel praktisch naar binnen met haar opgewonden hond, bloemen en weekendtas.

Hij stond boven aan de trap naar haar te lachen en ze voelde zich plotseling overdreven en belachelijk gekleed, vooral toen ze zag dat hij gewoon een spijkerbroek en wit T-shirt aanhad.

'Hoi, kom maar naar boven, mijn moeder is hier even op bezoek.'

'O, leuk, oké.'

Dat heb ik weer, dacht ze. Ze trok haar rokje recht en hield de bloemen voor haar borsten.

'Hallo Charlie.' Zodra Charlie die vriendelijke stem hoorde, dezelfde die hem eens het sappigste bot ooit had gegeven, was hij niet meer te houden, zodat ze onder de hondenharen en een stuk 'lichtzinniger' dan ze nu wenste, voor zijn deur was aangekomen.

'Hallo.'

'Kom binnen, je kunt zo te zien wel een drankje gebruiken.'

'Je moet me eraan herinneren mijn hond thuis te laten als je me te eten vraagt, vooral als het zo lekker ruikt.'

Ze liep achter hem aan in zijn werkelijk fantastische appartement. Het was heel anders dan haar eigen huis, met veel houtwerk en strakke muren, schitterende kunstwerken overal, enorme ramen en een plafond dat tot aan de hemel reikte.

'Dit is mijn moeder, Nina. Ze is dit weekend in de stad en wipte

even binnen voordat ze gaat dineren.'
'Hallo, ik ben Lindsay.' Ze schudde de hand van een kleine, aristocratisch uitziende vrouw met een lieve glimlach, die haar vriendelijk aankeek.
'Hallo, Lindsay, wat een enige hond.'
De genoemde enige hond liet liggend op zijn rug zijn hele hebben en houden zien en wachtte tot iemand hem zou aaien. Lindsay gaf hem een duwtje – nee, porde hem op – waarop Charlie verongelijkt begon te piepen. Ze gaf de enorme bos witte lelies aan Chris en hield haar armen stijf voor haar borsten gevouwen.
'Dank je wel. Ik geloof niet dat ik ooit van iemand bloemen heb gekregen. Ze zijn prachtig.'
Ze probeerde wanhopig iets gevats te zeggen, maar kon alleen maar een beetje lachen.
'Ik ben erg onder de indruk van de geuren die uit de keuken komen. Pas maar op, Lindsay, hij doet duidelijk zijn best.' Nina knipoogde naar haar en pakte haar tas. 'Goed, dan wens ik jullie nog een prettige avond. Ik hoop je nog eens te zien.'
'Ik spreek je na dit weekend,' zei ze tegen Chris, waarna ze was vertrokken.
Waarom kunnen niet alle moeders zo discreet zijn, dacht Lindsay licht hatelijk.
'Glaasje wijn?'
'Ja, lekker, witte alsjeblieft. Je appartement is trouwens echt geweldig.'
'Dank je wel, ik ben er nooit zo zeker van. Soms, als ik een tijd van huis ben geweest en dan thuiskom, denk ik ja, wat hou ik van dit appartement. Maar als ik hier te lang ben, vraag ik me af of het niet kil is.'
'O nee, helemaal niet, het houtwerk en die fantastische kleuren maken het echt warm.'
'Da's fijn om uit jouw mond te horen. Hier, pak aan.' Hij gaf haar een glas wijn. 'Je ziet er geweldig uit trouwens.'
Ze was op een hoge kruk in de keuken gaan zitten en begon verlegen te worden toen hij naar haar keek. Haar pakje was echt een misser. Hij zag er zo gewoon uit en zij als een dure prostituee.
'Dank je wel. Kijk, Charlie voelt zich hier al helemaal thuis.'
De hond lag uitgestrekt voor een hypermoderne haard op een al-

lerzachtst gebroken wit haardkleed.
'Mooi, nu jij nog.'
'Wat, op mijn rug liggen met mijn benen in de lucht?' Ze kreeg al meteen spijt van deze opmerking. Wat had ze toch, vroeg ze zich af. Als ze bij hem was, leek ze voortdurend seksuele toespelingen te moeten maken, en al die verleidingspogingen werkten duidelijk niet.
'O, ja, als je dat echt wilt, maar ik bedoel, jezelf hier thuis voelen. Kan ik je jasje aannemen?'
'Eh, nee, dank je wel.' Ze had zich nog nooit zo stom gevoeld en vroeg zich af of ze haar jasje met een speld kon dichtmaken toen ze voelde dat hij naast haar stond.
'Is er iets?'
'Nee, waarom?'
'Je lijkt gespannen.'
'Nou kijk...' Ze nam plotseling een besluit.
'Zou je het erg vinden als ik me omkleedde? Ik heb een spijkerbroek en een T-shirt bij me voor het geval... eh... dat ik blijf slapen en ik zal me daarin lekkerder voelen, eh... denk ik... misschien.'
'Ga je gang. Ik breng je wel even naar de slaapkamer. Maar betekent dat ook dat je dat zwarte kanten geval boven je rokje uittrekt, dat ik per ongeluk gezien heb?'
'Nou, ik ken niet zo heel veel vrouwen die *stay-ups* bij hun jeans dragen, maar...'
'Kom op.' Hij bracht haar lachend naar een ruime kamer, die bijna helemaal wit was en waarin een enorm bed stond met een zacht, chocoladebruin leren hoofd- en voeteneind en schitterend felgeel beddengoed. Aan de muur boven het bed hing een enorm schilderij in verschillende tinten geel en oranje. Alles was verborgen achter gladde witte kastdeuren.
Een lange, zachte leren leunstoel en een tv, video- en dvd-speler waren de enige zichtbare objecten. Het geheel zag er rustig en cool uit, maar de geeltinten brachten de zon binnen.
Ze besloot te zeggen wat haar op het hart lag.
'Ik heb het helemaal verkeerd aangepakt deze avond. Zie je, het feit dat we al met elkaar naar bed zijn geweest, gaf me het gevoel dat ik het allemaal extra spannend moest maken, dus ik ging voor

de strenge schooljuf-look, weet je wel, met niks eronder...' Ze voelde een licht gehijg in haar nek. 'Het ging mis toen Charlie me de trap op trok, mijn kapsel inzakte en mijn borsten er zo ongeveer uitflapten. Wat moet je moeder wel niet gedacht hebben?'
Hij wees haar de badkamer; ze had dit allemaal gezegd terwijl ze naar zijn rug keek. Hij draaide zich om en schoot in de lach.
'Wat is er toch met je aan de hand? Je bent gek.' Hij lachte niet meer toen hij zag dat ze zich schaamde.
'Kom hier.' Hij zette haar op het blad naast de wastafel, de enige ruimte waar je kon zitten, ging voor haar staan en pakte haar handen vast. Hij duwde haar kin omhoog zodat ze hem moest aankijken.
'Ten eerste, mijn moeder denkt helemaal niets, al was je poedelnaakt binnengekomen; ze neemt mensen zoals ze zijn en oordeelt niet. Maak je toch niet zo druk. Ten tweede, hoezo wil je het extra spannend voor me maken? Ik heb je uitgenodigd omdat ik wat tijd met je wil doorbrengen, na al dat heen en weer gevlieg de afgelopen weken, en toen kwam kerstmis nog en zo. De seks die we hebben gehad, was fantastisch en ik zie uit naar meer, maar ik wil je ondertussen ook beter leren kennen, is dat goed?'
'Dat is goed.'
Hij kuste haar, een kus die heel zachtjes begon, bijna zonder aanraking, en die langzaam steeds intenser werd. Hij schoof dichter tegen haar aan en zij klemde haar benen om hem heen terwijl hij haar naar zich toe trok. Ze boog zich voorover, waarbij haar rokje omhoog trok, en hij liet zijn handen over haar lichaam gaan, voelde de zijde om haar benen, toen het kant en daarna haar naakte huid.
'Je bent mooi, grappig en slim en gek, en ik ben gek op jou en je hoeft je voor mij niet extra op te tutten, al vind ik het heerlijk dat je dat hebt gedaan.'
'Ik kon mijn jasje niet uitdoen, al was het nog zo warm, want ik heb er niet zo veel onder aan.'
'Laat zien.'
Langzaam maakte ze haar jasje open en keek ze toe hoe zijn ogen haar vingers volgden. Toen ze klaar was, legde hij het jasje voorzichtig achter hem neer, zodat hij haar borsten kon zien, die naar boven waren gedrukt en niet bijzonder goed verborgen waren,

terwijl zij daar bleef zitten met haar rokje om haar taille en haar benen om hem heen. Ze kwelden elkaar met hun lippen, tongen en handen en rukten aan kledingstukken. Dit ging maar door, en geen van beiden wilde ermee ophouden. Toen ging hij bij haar naar binnen en bedreven ze boven het fonteintje de liefde met hun kleren nog half aan, een ultieme erotische ervaring, vooral omdat het zo onverwacht gebeurde.
Daarna legde hij haar op bed en hielden ze elkaar vast zonder veel te zeggen, totdat ze zei: 'Hoe zit het met het eten? Ik heb trek.'
'Ik vrees dat we iets moeten gaan halen.'
'O nee, zo gemakkelijk kom je er niet van af. Red maar wat er nog te redden valt.'
Hij kuste haar op haar voorhoofd. 'Trek jij ondertussen maar iets gemakkelijks aan, er is genoeg in de klerenkast, dan ga ik naar de keuken.'
Haar weekendtas stond nog bij de voordeur. Ze zocht in zijn kast en rook zijn inmiddels vertrouwde geur. Ze vond een spijkerbroek en een groot wit T-shirt. Ze genoot ervan zijn kleren aan te trekken. Het shirt was veel te groot dus ze maakte er een knoop in bij haar middel. Opgelucht trok ze haar strakke beha en prikkende stay-ups uit.
In de badkamer moest ze lachen toen ze haar verwilderde haar zag. Ze liet het loshangen en besloot om zich niet verder op te maken, ondanks de ernstige schade die de recente aardbeving had veroorzaakt.
Toen ze weer in de keuken kwam, stond hij inderdaad het eten te redden.
Hij gaf haar een nieuw glas wijn, dat ze gulzig achterover sloeg terwijl ze weer op de kruk ging zitten en toekeek, veel meer ontspannen nu.
'Je lijkt amper vijftien.'
'Was dat maar waar. Hoe staat het met het eten?'
'Het is pasta en ik had alleen maar de saus gemaakt, dus ik denk dat het wel goed is.' Het water kookte en hij maakte een pak spaghetti open. 'Durf je het aan?'
'Absoluut.'
Ze dekte de tafel terwijl hij de laatste hand legde aan de maaltijd

en ze aten in de keuken bij een grote, vette kaars en het licht van een flinterdunne maan, zo dun als een vingernagel. Het smaakte verrukkelijk. Ze hadden honger gekregen van hun spontane actie.
Het toetje bestond eenvoudigweg uit fruit en kaas. Ze zaten urenlang te praten, deden onschuldige ontboezemingen en waren melig. Daarna ruimden ze samen alles op en vergaten ze Charlie uit te laten, omdat ze allebei verlangden naar de warmte van het bed, waar ze in het donker tv keken, elkaar kusten en aanraakten, zich gedroegen als een verliefd stel.
Uiteindelijk stond Lindsay op, verwijderde de laatste restjes make-up en poetste haar tanden, terwijl Chris het huis klaarmaakte voor de nacht. Ze probeerden te slapen maar bleven eindeloos praten. Ze vertelde hem meer over Paul, hoe bang ze was geweest toen ze uit elkaar gingen dat ze nooit meer gelukkig zou worden.
'En moet je nu zien, nieuwe baan, nieuw leven, alles zit je mee.'
'Ja, hij zal me niet meer herkennen, ik ben zo veranderd.'
'Wat bedoel je?'
'Ik weet het niet. Ik ben veel relaxter nu, ik pieker niet meer zo, ik leef bij de dag. Vroeger was ik altijd bezig, wilde ik van alles, probeerde ik dingen te regelen precies zoals ik ze wilde hebben. Ik heb van die hele affaire geleerd dat je niet alles onder controle kunt hebben. En ik was zó met mezelf bezig, ik begrijp niet hoe mijn vriendinnen het met me hebben uitgehouden. Ik geef de voorkeur aan mijn nieuwe ik, ik ben zachter nu, de harde kantjes lijken ervan af.'
'Fijn dat je me dit vertelt.'
'Ken jij dat gevoel?'
'Nou en of. In dit vak, vooral als je zelf in de picture staat, moet je wel voor jezelf gaan. Soms is het alsof de mensen denken dat je een bepaald type mens bent, omdat je 'beroemd' bent. Soms merk ik dat ik een rol speel en dat irriteert me mateloos. Dan trek ik me daarna terug in mijn kleine kring van vrienden die me heel goed kennen, zodat ik helemaal mezelf kan zijn. Ook ik heb tegenslagen gehad.'
'Bijvoorbeeld?'
Hij aarzelde, maar niet lang.
'Ik heb ooit een vriendinnetje gehad, een paar jaar geleden. Ik

vond haar echt leuk, stelde haar aan iedereen voor, en ze is een paar keer op bezoek bij mijn familie geweest. Ze leek dol op me, en toen ontdekte ik dat ze met me naar bed was geweest vanwege een weddenschap. Dat deed mijn ego geen goed, kan ik je zeggen.'
'Hoe ben je met haar in contact gekomen?'
'Ik heb haar ontmoet in een nachtclub. Ik was nog niet zo bekend toen, maar haar vriendin herkende me en wedde om vijfhonderd pond dat ze mij niet in bed kreeg. Dat ontdekte ik pas maanden later op een feestje, toen diezelfde vriendin dronken was en het grappig vond om me het hele verhaal te vertellen.'
'En je ging toen nog met dat meisje?'
'O ja, zeker. Ze zwoer dat ze het geld niet had aangenomen en echt van me hield, maar weet je, ik geloofde haar al niet meer, en er waren nog wat andere voorvallen geweest, kleine dingetjes...'
'Wat naar voor je.'
'Ik ben eroverheen gekomen, maar ik ben wel een stuk voorzichtiger geworden met mensen. En op een grappige manier probeerde ik je eerder zoiets duidelijk te maken. Weet je, ze was zonder meer een stuk, de seks was fantastisch en ik voelde me echt heel erg gelukkig met haar. Maar ze bleek achteraf dus niet zo leuk te zijn. Ik heb mijn lesje wel geleerd.'
'Welk lesje?'
'Dat het uiterlijk niet zo belangrijk is...'
'Jij hebt makkelijk praten...'
Hij keek haar even droevig aan. 'Maar relaties draaien uiteindelijk niet om uiterlijk en seks, hoewel het uiterlijk mensen aanvankelijk bij elkaar brengt en seks natuurlijk wel heel belangrijk is. Je moet de persoon in kwestie echt leuk vinden, kunnen vertrouwen, en weten dat die eerlijk is tegenover jou. Zo niet, dan heeft het echt geen zin.'
'Fijn dat je me dit vertelt.'
'Dus nu weet je het. En dat is het beste dat ik je te bieden heb, grappig genoeg. Ik zal niet tegen je liegen en je niet bedriegen, ik zal altijd eerlijk tegen je zijn, ook als dat pijnlijk is. Dat is volgens mij de enige manier om een relatie in stand te houden.'
Ze stak haar hand uit. 'Dat is dan afgesproken.'

24

Lindsay werd wakker tussen twee monden vlak bij haar gezicht. De ene kuste haar en de andere likte haar.
'Ik was ontzettend opgelucht toen ik opstond en ontdekte dat niet jij maar je hond op me lag, anders had ik eens ernstig met je moeten praten over je gewicht.'
'En ik dacht even dat je ochtendadem wel heel erg slecht was. Hoe is hij in hemelsnaam hier binnengekomen?'
'De deur stond open. Ik hoorde hem om vier uur vannacht, toen lag hij nog op de vloer. Tegen vijven lag hij te snurken aan het voeteneind. Om zeven uur wilde hij met me naar bed.'
'Eruit, grote boef, je mag hier helemaal niet komen.'
Charlie negeerde haar, rolde over het bed en wilde spelen.
'Het spijt me, dit kan echt niet.' Ze hees zichzelf op en duwde hem van het bed af.
Chris was al opgestaan. 'Volgens mij wil dat arme beest alleen maar duidelijk maken dat hij moet plassen. Ik ga water opzetten, een croissantje en een krantje halen, en neem hem mee uit. Wat zeg je daarvan?'
'Te mooi om waar te zijn. Wat zit erachter?'
'Jij maakt het ontbijt én doet de afwas.'
'Afgesproken.'
Lindsay bleef nog even liggen en genoot wat na toen ze waren vertrokken. Het was een leuke avond geweest, ze was blij dat het zo gegaan was, blij dat ze zichzelf kwetsbaar had durven opstellen, en dat hij haar beloond had door hetzelfde te doen. Grappig dat je juist aantrekkelijker wordt voor een ander als je je zwakheden toegeeft, bedacht ze toen ze het bed uitging om koffie te zetten.
Ze stond in de keuken met zijn witte shirt aan – een mooie vrouw met lange benen en een wilde bos haar – toen Charlie naar binnen stoof en met zijn staart een boek van de tafel veegde. Chris kwam achter hem aan. Hij grijnsde breed.
'Wat is er?'
'Niets.'
'Wat is er?'
'Je snurkt.'

‘Nietes!’
‘Welles, in het hotel ook, maar ik wist niet hoe je zou reageren als ik het je vertelde. En vannacht weer.’
‘Jeetje, dat kan niet waar zijn. Waarschijnlijk was het Charlie.’
‘Sorry, jij was het. Maar ik vond het wel lief. Je maakt een soort walvisgeluidjes, je blaast en puft met je grote ronde mond.’
‘Oké, ik ga al.’
‘Niks daarvan, jij maakt eerst het ontbijt en wast daarna af!’
Ze plaagden elkaar nog even, maar vanbinnen schaamde ze zich dood. Niemand had haar dat ooit verteld. Waarom had Paul daar nooit iets van gezegd?
Dat was een van de vele dingen die hij verzweeg, herinnerde een stemmetje haar, terwijl Chris achter haar ging staan om met haar te knuffelen. ‘Wil je ontbijt op bed?’ vroeg ze. Hij kuste haar in haar nek.
‘Alleen als je dat beest opsluit.’
‘Zal ik doen als je belooft dat jíj boven op me gaat liggen.’
‘Oké, maar als je me begint te likken, ben ik vertrokken.’

De ochtend ging veel te snel voorbij en het werd tijd om te vertrekken en te koken voor Debbie. Lindsay belde haar vriendin op voordat ze vertrok, misschien had ze nog iets nodig.
‘Niks, maar kom zo snel je kunt. Tara probeert alles te regelen tot ik erbij neerval, ik heb snel steun nodig. Waar ben je?’
‘Ik ben gisteravond niet naar huis gegaan.’ Lindsay probeerde discreet te zijn want Chris zat naast haar de krant te lezen.
‘Dat weet ik, idioot, vroeg hij niet of je bleef? Ben je nog daar?’
‘Ja.’
‘Verdorie, ik heb meer glazen nodig. Kan hij er soms een paar missen?’
‘Zal ik vragen.’
‘Fantastisch. Kom zo snel je kunt.’
‘Zo, is alles al geregeld voor het feest?’
‘Nee, Tara doet haar best alles te regelen. Ze heeft glazen nodig. Kan ik er van jou een paar lenen?’
‘Kijk maar in de kast, maar ik vrees dat glazen niet mijn sterkste punt zijn. Ik heb er een paar die ik gekocht heb toen ik hier kwam wonen, dat is alles.’

'Ik heb er een stuk of twintig nodig.'
'Misschien kan ik van Maurice glazen lenen, als je wilt. In het hotel hebben ze er genoeg.'
'Als dat niet te veel moeite is.'
'Helemaal niet, als hij ze tenminste kan missen. Ik bel als je onder de douche staat.'
'Geweldig, dank je wel.'
Lindsay nam een douche en trok haar eigen kleren aan. Ze vond het jammer dat ze moest gaan, vooral nu het oudejaarsdag was. Hij liep met haar mee naar de auto en zei dat hij later die dag de glazen zou komen brengen.

Tara regelde de boel terwijl Debbie zich daartegen verzette, dus ze kwam net op tijd.
'Heb je de glazen?'
'Chris kan glazen lenen van Maurice en komt ze later brengen,' antwoordde ze nonchalant, al voelde ze zich helemaal niet zo.
'Joepie, dan krijgen we hem eindelijk te zien.' Tara en Debbie maakten een dansje en waren hun onenigheid op slag vergeten. 'Dan kunnen we ons maar beter meteen optutten voordat hij aankomt.'
Ze werkten zich uit de naad en al snel was het eten klaargemaakt. Debbie had pittige Indiase pasteitjes en loempia's gemaakt en Tara zorgde voor het nagerecht. Lindsay maakte het hoofdgerecht – twee grote schalen *coq au vin* en een vegetarische lasagne, de rijst kwam later wel. Ze maakten kroepoek voor bij de dipsaus en aten bijna alles op. Daarna begonnen ze aan de grote schoonmaak, eerst de vaat en toen zichzelf.
Ze zaten in Debbies slaapkamer champagne te drinken en zich op te maken toen de deurbel ging. Lindsay was licht gespannen. Het was voor het eerst dat hij haar beste vriendinnen zou ontmoeten, wat hun relatie tot een vaststaand feit maakte.
Ze liep naar beneden, op de voet gevolgd door de andere twee. 'We zitten in de huiskamer een beetje ongeïnteresseerd te doen.'

'Hallo, je hebt het kunnen vinden.'
'Ja, geen probleem.' Hij gaf haar grinnikend een kus. 'Gaat het een beetje? Er zit bloem op je neus.'

'Wat ben je toch weer complimenteus. Ik mocht geen douche nemen omdat ik dat bij jou al had gedaan. En toen ik me wilde opmaken, hielden mijn vriendinnen de spiegel bezet.' Wel had ze andere kleren aangetrokken, een nieuwe zwarte jurk, die van boven strak om haar lichaam zat, met een zijden rok die vanaf haar borsten naar beneden fladderde. Daaroverheen droeg ze nog een jurk met lange mouwen van een ragfijne visnetstof. Haar huid was er goed door te zien, en ze straalde zowel iets chics als sexy's uit, vooral ook met die flinterdunne kousen en de hoge zwarte naaldhakken. Ze vond het heerlijk dat ze deze outfit aan hem kon laten zien.
'Je ziet er geweldig uit, veel te goed voor een vrouw alleen.'
Ze leken helemaal in elkaar op te gaan toen Debbie en Tara 'toevallig' verschenen, bang als ze waren dat hij de glazen zou afgeven en daarna meteen vertrok.
'Hallo, kom binnen.'
Debbie had besloten een perfecte gastvrouw te zijn. Ze ging gehuld in zwart leer en had een enorme bos rode krullen.
'Hallo, nu zie ik jullie dan eindelijk bij elkaar. Jezus, jullie lijken me een gevaarlijk trio als jullie samen op stap zijn.'
'Ach onzin, we zijn poeslief. Ik tenminste wel, die andere twee moet ik soms nog wat in toom houden.' Tara zag er schitterend uit in haar strakke, blauwe wollen jurk, haar blonde haar en grote ogen. Ze vormden zonder het te beseffen een plaatje toen ze zo met een grote glimlach naar hem stonden te kijken.
'Glaasje champagne?'
'Oef, sinds ik Lindsay heb ontmoet, drink ik champagne als water... Ja, graag.'
Hij liep babbelend achter hen aan en terwijl Lindsay naar hem keek, kreeg ze kriebels in haar buik. Hij zag er goed uit in zijn ruimvallende donkergrijze pak van zachte stof en witte overhemd dat zijn gebruinde huid goed deed uitkomen. Hij had zich gedoucht en hij rook heerlijk. Zijn haar was nog nat en ze hunkerde naar een herhaling van de scène in de badkamer. Hij ving haar blik op en gaf een knipoog, en even dacht ze dat hij haar gedachten kon lezen en werd ze vuurrood.
'Nu moet ik gaan. Ik moet mijn auto naar huis brengen en daarna ga ik naar Sandycove. Ik wens jullie een prettige avond. Als

het aan mij ligt, maken de heren geen kans.'
'Wie weet.'
Debbie en Tara maakten zich uit de voeten terwijl zij hem naar de voordeur bracht.
'Waar dacht je aan toen je naar me stond te kijken?'
'Gaat je niets aan.'
'Volgens mij dacht jij aan hetzelfde als ik.'
'Jij eerst.'
'Badkamer.'
'Bingo!'
'Dat moeten we maar snel eens overdoen. Ik bel je volgend jaar.'
'Bel me op nieuwjaarsdag zo snel mogelijk, mijn agenda zit al bijna vol.'
Hij lachte en vertrok. Ze rende terug naar binnen om de reacties te horen.
'Hemel, het is echt een stuk, veel knapper nog dan op tv. Waarom heb je dat verzwegen?'
'Nou snap ik waarom je hem zo snel mogelijk uit de kleren wilde hebben.'
'Hij bleef naar je kijken en lachen.'
'Nietes.'
'Welles, en jij gedroeg je als een tienermeisje.'
'Ga weg.'
'Hij is zo... Ik weet niet, normaal. Helemaal niet wat je zou verwachten.'
'Ik weet het, dat vond ik ook.'
'Hij is echt heel leuk. O, ik ben zo blij voor je, je hebt het verdiend.'
Ze dansten door de keuken, omhelsden elkaar en stonden te ginnegappen. De avond ging verder zoals hij was begonnen, met muziek, geintjes en plezier. Het huis raakte gevuld en het feest kon beginnen.
Tegen middernacht was het een dolle boel. Zelfs Charlie blies zijn partijtje mee. Hij droeg een belachelijk papieren feestmuts en had serpentines om zijn halsband. Zoals in miljoenen huizen keken ze naar de klok op televisie en maakten ze zich daarna volstrekt belachelijk door in polonaise de straat op te gaan en iedereen te zoenen die ze tegenkwamen.

Zodra ze binnen waren, belde Lindsay haar moeder en zus op en ze kletsten lang aan de telefoon. Daarna leende Tara Lindsays mobiel, omdat ze haar tasje niet kon vinden en de huistelefoon voortdurend in gebruik was.
Pas na een uur kreeg Lindsay haar mobieltje terug en zag dat ze een bericht had.

G.N. ZIE IK JE NOG VOOR OKT.?

Ze was verrukt en draaide zijn nummer.
'Gelukkig nieuwjaar!'
'Dag, jij ook. Hoe gaat het daar?'
'Geweldig. Ik mis je.' O, o, hier was ongetwijfeld de champagne aan het woord.
'Ik jou ook, ik moet steeds denken aan die jurk van je en wat je daaronder aanhebt.'
'Niets.'
'Daar was ik al bang voor.'
'Jíj krijgt de primeur.'
'Zorg dat je die piloten van je afhoudt.'
Het lawaai was aan beide kanten oorverdovend dus ze hielden het kort en spraken af de volgende dag verder te praten. Ze hing op en stortte zich in het feestgedruis, alweer iedereen omhelzend. Voor het eerst hoefde ze bij een gelegenheid als deze niet aan Paul te denken.

Het was halfzes toen Lindsay het voor gezien hield en haar bed opzocht in Debbies logeerkamer. Tara kwam er bijna meteen achteraan en probeerde nog wat te babbelen. Maar na een paar minuten lagen ze te slapen.
De volgende ochtend werd Lindsay wakker terwijl Tara naast haar stond met een mok koffie.
'Debbie heeft niet geslapen. Ze staan met zijn vijven in de keuken pannenkoeken te bakken voor het ontbijt.'
'Oké, kom op, laten we naar beneden gaan, we kunnen het maar beter gehad hebben.'
Het was vier uur 's middags toen een vermoeide Lindsay en een schele Charlie, die nog steeds zijn hoedje ophad, thuis kwamen.

Ze dwong zichzelf een douche te nemen, trok haar lekkerst zittende stretchjeans aan en een strak kasjmier truitje, deed haar haren in een paardenstaart met een lintje en reed weg naar haar moeder. Charlie lag plat tegen de kachel aan toen ze de deur uitging en lag daar twee uur later nog toen ze thuiskwam.
Chris belde net nadat ze thuis was gekomen.
'Hoi, met mij. Hoe is het afgelopen?'
'Ik kan niet meer.'
'Ik ook niet, en vanavond heb ik weer zo'n drankfeestje. Dat is vlak bij jouw huis. Heb je zin om mee te gaan of heb je al wat?'
'Nee, maar ik wilde nog wat dingen doornemen voor mijn werk morgen. En trouwens, ik kan toch niet zomaar op een feest verschijnen waar ik niemand ken?'
'Je kent mij toch? Waarom kijk je het niet even aan en bel je me later op? Je hoeft er maar een uurtje te zijn, het is letterlijk bij jou om de hoek.'
'Ik denk dat ik bij mijn standpunt blijf, maar toch bedankt. Als ik je niet meer zie, bel ik je morgen.'
'Oké, maar misschien moet ik terug naar Londen. Dat laat ik je dan wel weten. Pas goed op jezelf.'
'Jij ook.' Lindsay hing op en nam haar bestanden door onder het genot van een glaasje wijn. Ze had nog net genoeg energie om een lucifer af te strijken en zo'n zakje kant-en-klare kolen aan te steken. Ze staarde naar de gloeiende oranje sintels en vroeg zich af waarom ze ineens te verlegen was om naar een feestje te gaan en te zeggen dat ze bij hem hoorde. Het was allemaal nog zo nieuw, zo kwetsbaar en zo heerlijk, ze wilde het koesteren. Niet al te gulzig zijn, waarschuwde ze zichzelf. Niet te veel willen. Ze was heel gelukkig met wat ze had. Later zou ze genoeg tijd hebben om vol zelfvertrouwen met hem te pronken. Tevredenheid was niet iets wat ze vaak ervaren had in relaties, maar nu genoot ze ervan, zeker nadat ze een nacht in zijn appartement had doorgebracht. Ze wist dat hun relatie een nieuwe fase inging.
Ze ging zitten, stiekem hopend dat hij zou bellen om haar nogmaals voor dat feest te vragen. Ze trok wat anders aan en maakte zich wat beter op, want ze wist dat ze meteen zou opstaan als hij het haar nog een keer zou vragen. Misschien moest ze hem zelf bellen. Nee, ze kon beter afwachten.

Daar ging de deurbel. Wie zou dat zijn? Ze vloog. Ze glimlachte.
'Hoi.'
Daar stond Paul.

25

Het was pikdonker buiten. Lindsay knipperde met haar ogen, ervan overtuigd dat het Chris was en dat ze hersenschimmen zag. Toen hij begon te praten, wist ze het.
'Kan ik binnenkomen?' Een fluwelen stem die ze nooit meer dacht te horen.
Haar oude helft wilde hem grijpen en naar binnen trekken, voor het geval hij zou ontsnappen. Haar andere helft wilde hem van het tuinpad schoppen, de straat op duwen, precies wanneer er een bus aankwam.
Zwijgend deed ze een stap naar achteren, zichzelf hatend om haar stille enthousiasme.
'Hoe gaat het?' vroegen ogen die ijs van twintig meter afstand konden doen smelten.
'Geweldig,' zei een paar al te grote, verbijsterd staande ogen.
'Ik wilde met je praten. Maar mag ik eerst naar de wc?'
Niet bepaald een romantische inleiding, maar ze liet hem toch binnen, machteloos als altijd, leek wel. Hij liep de trap op, hij kende de weg. Ze liep achter hem aan, wist niet waarom en ging naar de slaapkamer.
Ze deed het licht aan, bekeek zichzelf in de spiegel, toch nog blij dat ze zich had omgekleed. Ze zag er moe uit. Ze voelde zich misselijk. Hij daarentegen zag er als altijd piekfijn uit, hoewel hij wel een beetje was aangekomen en zijn gezicht wat voller was, hij had zelfs iets van een onderkin.
Plotseling stond hij naast haar.
'Wat hebben we goede tijden gehad in deze kamer, in dit huis. Ik heb er vaak aan teruggedacht.' Hij stond recht voor haar en raakte haar arm aan. Hij stond dichtbij, heel dichtbij, ze rook dat hij

had gedronken, al leek hij niet aangeschoten.
Ze boog zich voorover en trok het gordijn dicht, omdat ze niet gezien wilde worden.
Dat was te laat.
Als ze wat beter om zich heen had gekeken, had ze misschien Chris naast zijn auto zien staan, aan de overkant van de straat, starend naar hen beiden.
'Kom mee naar de keuken.' Ze voelde zich niet op haar gemak, wat ze niet helemaal begreep. Wat had ze hem de afgelopen paar maanden vaak teruggewenst in deze kamer, terwijl hij haar vasthield, kuste en vertelde dat het allemaal een groot misverstand was. Hoe vaak had ze hem niet bij het ontwaken precies daar zien staan waar hij nu stond, terwijl hij haar met zijn ogen stond uit te kleden?
Ze deed het licht uit en hij liep achter haar aan naar de keuken. Charlie keek op, maar bleef liggen en hij deed geen poging om het dier te begroeten.
'Wat doe je hier?' Dat moest ze weten. En snel.
'Ik lust wel een drankje, kan dat?'
Ze schonk werktuiglijk een glas whisky voor hem in, blij dat ze iets om handen had, nog blijer dat ze een excuus had om haar rug naar hem toe te keren, bang voor de macht die hij nog op haar uitoefende. Ze reikte hem het glas aan en dronk haar eigen glas wijn in een teug leeg, vulde dat weer aan met meer dan ze wilde en minder dan ze nodig had.
Hij zat op de bank en leek ineens niet meer zo krachtig als ze zich had voorgesteld, een beetje verwaarloosd zelfs, vond ze. Of zag ze hem nu pas zoals hij werkelijk was? Ze ging met opzet niet naast hem zitten, maar krulde zich op als een egel in een van haar grote, zachte leunstoelen.
'Ik heb veel aan je gedacht de afgelopen weken, vooral met kerst. We moeten eens praten.'
'Dat hadden we maanden geleden moeten doen, maar je gaf me niet eens de kans. Waarom nu? Wat is er veranderd?'
Hij sloeg het brandende vocht achterover en hield zijn ogen op haar gericht terwijl hij dat deed. Ineens kon ze zien dat hij echt moe was, misschien maakte dat hem zo anders.
'Ik mis je.'

Ze wist niet of ze moest gaan lachen of huilen, maar wist dat het eerste zou voortkomen uit hysterie, en het tweede veel dichter bij wat ze voelde stond.
'Ik heb je maanden gemist. Het was voor mij een stuk gemakkelijker geweest als je gestorven was. Dat zou veel minder pijn hebben gedaan.'
Hij voelde zich opgelaten en dat deed haar goed. Hij gebaarde naar zijn glas en ze wist dat hij onder haar ontoegeeflijke blik vandaan wilde komen.
Ze wees naar de fles en hij ontsnapte aan haar ogen terwijl hij bijschonk.
'Het berustte allemaal op een misverstand.' Hij stond weer naast haar.
'O ja, hoezo? Het gedeelte dat je ging trouwen, maar niet met mij?'
'Ik raakte in paniek, was er niet zeker van, zenuwen...' Zijn stem stierf weg.
'Je was bang, dus je vroeg een ander ten huwelijk, terwijl je met mij verloofd was?' Ze dacht dat ze gek werd.
'Ik had haar in werkelijkheid niet ten huwelijk gevraagd, dat zei ik alleen maar om je tijdelijk op afstand te houden.'
'Wát?' Nu sprong ze pas echt uit haar vel.
'Ik kwam haar tegen en we gingen na het werk een borrel drinken, zoiets. Ik kreeg het benauwd bij jou, en zij vroeg niets van me.'
'Nee.'
'Ik heb het nooit zover willen laten komen...'
'Je hebt niet eens geprobeerd contact met me op te nemen, om uit te leggen...'
'Dat durfde ik niet.'
'Goed, laat me alles op een rijtje zetten. Je loog tegen mij, liet me dat allemaal doorstaan, omdat je niet durfde te zeggen dat je wat ruimte nodig had?'
Ze keek naar hem alsof ze hem voor het eerst zag. 'Hoe kon je me dat aandoen? Wat heb ik jou aangedaan dat je me zo diep wilde kwetsen?'
Hij nam een slok en schonk weer bij, deed alles om haar blik maar te vermijden.

'Onze scheiding is het ergste dat mij is overkomen. Bijna was het me te veel geworden.' Nu huilde ze, maar eigenlijk wilde ze dat niet. Grote, vochtige, stille tranen, die misschien onopgemerkt waren gebleven in het zachte schemerlicht, als ze niet door het gedruppel en gesnotter was verraden. Het waren tranen van frustratie, woede, kwetsbaarheid.
'Ik maak het goed met je.'
'Dat kan niet.'
'Geef me nog een kans.'
'Ik gaf je alles wat ik had en dat was niet genoeg. Ik heb niks meer voor je.'
'Luister, laten we ergens naartoe gaan, een hapje eten, praten...'
'Nee.'
'Ik wil dat wij weer bij elkaar komen.'
'Er is geen wij.'
'Luister, ik ben veranderd. Ik...'
'Ik ook.'
'Ik kan het uitleggen, het was echt niet zo erg als het klinkt...'
Hij vulde zijn glas weer bij en nu zag ze dat hij behoorlijk aangeschoten was. Hij begon zelfs met dubbele tong te praten en terwijl hij zich bijschonk, zag ze dat hij bijna een halve fles op had.
'Waarom drink je zo snel?'
'Jenevermoed.' Hij grinnikte en zij herinnerde zich alles en voelde de pijn weer.
'Hoeveel jenevermoed heb je je ingedronken voordat je hier durfde te komen?'
'Een of twee glaasjes. Ik wist niet of je wel met me wilde praten, maar ik moest het proberen en wilde je zien.'
'Waarom nu? We zijn allebei veranderd... Ik heb heel wat meegemaakt... Ik ben niet meer dezelfde.'
Ze stopte, werd ineens bang dat hij haar nog steeds kon kwetsen.
'Waarom nu...?' Dat was de hamvraag.
Net nu het me geen pijn meer doet je naam te horen, nu ik niet meer elke seconde aan je moet denken, net nu ik iemand heb ontmoet op wie ik weleens een beetje verliefd zou kunnen worden. Maar dit durfde ze allemaal niet te zeggen, of ze wilde niet dat hij dit allemaal zou weten, bang dat hij het zou verpesten zoals hij hiervoor haar leven had verpest.

'Ik wil dat je gaat.' Ze had het zojuist pas beseft.
'Kunnen we morgenavond ergens naartoe gaan waar het rustig is, alleen maar om te praten... Alsjeblieft?'
'Nee.'
'Denk er nog eens over na. Ik zal je bellen.' Hij stond op en wankelde even.
'Je kunt zo niet rijden, dat is zelfmoord.' Wat maakte haar dat eigenlijk nog uit?
Hij las haar gedachten. 'Zou je dat erg vinden?'
'Ik bel een taxi. Ze belde snel, bang voor haar antwoord en wat dat met hen zou doen.
Het was een godswonder, maar de taxi kwam binnen tien minuten aan, ongekend in de oververhitte economie van het moderne Ierland.
'Ik bel je morgenvroeg om mijn auto op te halen. Misschien kunnen we ergens ontbijten.'
'Ik moet vroeg op mijn werk zijn, ik heb een vergadering.' Ze loog zonder moeite.
Hij stond bij de deur. 'Ik hou nog steeds van je, echt waar.' Die woorden kwamen als een dolksteek aan en even voelde ze haar maag ineenkrimpen, totdat ze plotseling besefte dat ze niet van hem hield. Niet meer. Ze zou zich opgelucht moeten voelen, maar de wond was nog te rauw.
Ze deed snel de deur achter hem dicht en net als enkele maanden daarvoor, gleed ze uit over de koude, harde vloer in het tochtige halletje en huilde ze om hoe het had kunnen zijn.

26

Ze bleef uren roerloos zitten. Ineengedoken lag ze tegen de muur aan, als een goedgeklede armoedzaaier die onderdak zocht, en ze merkte niet eens dat Charlie naast haar was gaan zitten, totdat ze eindelijk besefte dat iets haar beschermde tegen de ijskoude wind die door de kieren van haar slecht sluitende oude voordeur gierde. Ze stond op omdat ze wel moest, vanuit haar verwrongen

houding, zakte door haar knieën toen ze haar nog slapende voet op de vloer zette. Het was donker in de hal en de vloerplanken kraakten terwijl ze naar de keuken strompelde met haar hond aan haar zijde, die op haar paste.
Het was heerlijk warm in de keuken, het haardvuur deed nog steeds zijn werk. Ze sidderde en ging zitten. Charlie overtrad de huisregels en sprong naast haar. Ze aaide hem, want dan zou hij bij haar blijven, en ze kon wel troost gebruiken. Even later schonk ze een glas cognac in om zo wat warmte terug te krijgen in haar stijve, verdoofde lichaam.
Voor het eerst wilde ze nu eens niet met iemand praten. Ze zat daar maar, dronk wat en aaide haar hond, en staarde naar het nu dovende haardvuur zoals je naar een slechte film kijkt. Even later keek ze op de klok en zag ze dat het ver na middernacht was – er waren bijna drie uren verstreken sinds haar bezoeker was vertrokken. Ze deed de lichten uit en ging naar bed, nadat ze haar antwoordapparaat had afgeluisterd – er was een paar keer gebeld die avond. Geen berichten. Het kon haar niet schelen.

Tien minuten later stond ze met gepoetste tanden, een ingevallen, door tranen gewassen gezicht een kruik te vullen met warm water en ging ze naar bed, waar ze in foetushouding de warmte aan haar borst koesterde en zichzelf wilde beschermen tot de ochtend.
Die ochtend bracht weinig verzachting in haar stramme lichaam en bonzende hoofd. Ze stond om zeven uur op en schrok zich wild toen ze haar grauwe gezicht, lusteloze ogen en de zwarte kringen daaronder zag. Ze kleedde zich aan en stampvoette door de straten met Charlie, het haar naar achter getrokken en met een zwarte zonnebril op die haar tegen nieuwsgierige blikken beschermde. Ze liep langer dan een uur en probeerde alles op een rijtje te zetten, terwijl ze zich afvroeg waarom hij nog steeds bij machte was om haar te kwetsen als zij niets meer om hem gaf.
Toen ze terug was in haar huis belde ze Tara, maar die was al naar haar werk vertrokken en haar mobiel stond uit. Wanhopig probeerde ze Debbie, die op weg naar huis was vanaf het vliegveld, net aangekomen van een vroege vlucht uit Londen.
'Vertel.'

'Ik wil met je praten, maar ik moet uiterlijk om tien uur op mijn werk zijn.'
'Het is verschrikkelijk druk op de weg dus ik kan niet eerder dan om negen uur bij je zijn. 'Zullen we dan maar gaan lunchen?'
'Oké, zie ik je in O'Shea.'
'Gaat het een beetje?'
'Niet echt.'
'Is er iets met Chris?'
'Nee.' Lange stilte. 'Paul belde gisteren aan.'
'Belde aan?'
'Hij stond voor de deur.'
'Was je thuis?'
'Ja.'
'Heb je hem binnengelaten?'
'Ja.'
'Wat wilde hij.'
'Mij. Terug.'
'Jezus Christus, verdomme, waar haalt die klootzak het lef vandaan? Hoe gaat het?'
'Kweetniet, gaat wel. Ik moest het aan iemand kwijt.'
'Goed zo, hou je taai tot de lunch, oké babe?'
'Oké.'

Ze nam een douche, kleedde zich aan en hoorde de telefoon rinkelen maar nam niet op. Toen ze om halftien naar haar werk reed, stond zijn auto er niet meer.
'Je ziet er verschrikkelijk uit,' begroette Alan Morland haar toen ze het kantoor binnenliep.
'Jij ook nog gelukkig nieuwjaar,' was het beste dat ze kon antwoorden.
Om tien uur werd er vergaderd, maar Lindsay kon geen woord onthouden van wat er werd gezegd. Om halftwaalf liep een van de secretaresses het kantoor binnen met een enorme bos rozen, die ze aan Lindsay gaf. Ze nam niet de moeite het kaartje erbij te lezen, in de hoop dat het van Chris kwam, maar ze durfde het risico pas te nemen als ze alleen zou zijn.
Om twaalf uur stuurde Alan haar naar huis, ondanks haar protesten.

'Ik zweer je, ik ben helemaal van die griep genezen.'
'Mooi zo, dat betekent dat je nog een dag of twee moet uitrusten. Ga naar huis, doe het rustig aan op je eerste werkdag en wacht af hoe je je morgen weer voelt.'
Ze gaf toe en belde Debbie, die erop stond dat ze naar haar huis kwam in plaats van te lunchen.
Ze werd begroet met een enorme kom zelfgemaakte soep en vers bruin brood met noten, dat ze van Debbie moest eten.
'Het heeft geen zin om weer ziek te worden,' bemoederde ze.
Daarna maakten ze een tochtje naar het strand bij Dollymount en parkeerde Debbie de auto terwijl Lindsay haar korte, maar indringende verhaal vertelde.
'Ik kan het niet geloven, ik kan het gewoonweg niet geloven,' kon ze alleen maar zeggen. Een paar keer.
Tara belde om vier uur. Ze was de hele dag op de rechtbank geweest en had zojuist Lindsays berichtje afgeluisterd.
'We zijn op weg naar McGivney's. Kom langs als je onderweg bent en zeg al je afspraken voor deze avond af, dit is een noodgeval.' Debbie was zoals altijd heel direct.
'Is alles goed met je?'
'Het gaat om Lindsay.'
'Iets met Chris?'
'Paul.'
'Paul?'
'Ben bang van wel en geloof me, je kunt wel een borrel gebruiken als je dit verhaal hoort.'
'Ik ben er over een halfuur.'
En zo zaten ze voor de duizendste keer met zijn drieën over het bekende scenario te praten en nog steeds begrepen ze het niet goed, hoewel Lindsay merkte dat het haar wel hielp. Plotseling werd ze rustig en begon ze de dingen helder te zien, daarbij geholpen door Debbies krachttermen en een paar warme whisky's van Tara. Ze waren gechoqueerd door zijn botheid, Tara nog meer omdat ze alles voor de eerste keer hoorde.
'Dus hij was helemaal niet van plan om met je te trouwen? Maar hoezo dan...? Wat dan wel?'
'Hij zei dat hij het benauwd kreeg, hij wist niet zeker of hij ermee wilde doorgaan en wilde wat ruimte.'

'Daar kan ik nog inkomen, maar wat een verdomd harde manier om dat duidelijk te maken.' Lindsay besefte dat Debbie zoals gebruikelijk meteen tot de kern kwam.
'Dat vind ik ook, dat blijf ik maar denken. Wat heb ik misdaan om zo grof behandeld te worden en zo weinig liefde of medeleven te krijgen?'
'Luister goed, hou jezelf niet voor de gek. Welke goede kanten hij misschien nog heeft, medeleven kent hij zeker niet.' Debbie was niet in de stemming om tactisch te zijn.
'Dit heeft niets met jou te maken. Het was niet jouw fout.' Tara begreep hoe moeilijk het voor haar moest zijn geweest.
'Ik voel me gebruikt. Ik voel me smerig. Alsof ik het aan mezelf te danken heb.'
'Dat is niet zo.' Tara zag er verdrietig uit.
'Denk je eens in dat hij dat zomaar met me kon doen. En dan maanden later terugkomen en verwachten dat we zo de draad weer konden oppakken. Hij vroeg niet eens of ik een ander had, stond geen moment stil bij wat dit met mij gedaan heeft.'
'Alsjeblieft, voordat ik mijn polsen opensnijd, en daarna de jouwe, je gaat toch niet naar hem terug, hè?'
'Nee.' Er kon een heel klein lachje af.
Zodra ze dit gezegd had, voelde ze zich een stuk beter, mede dankzij de vreugdekreetjes van haar vriendinnen.
'Goddank, anders moest ik je ombrengen.'
'We hebben wel een glaasje champagne verdiend.'
'Nee, dank je wel. Ik ben nog lang niet in een feeststemming. Ik voel me niet eens opgelucht. Ik voel me eerder afgestompt. Alsof ik vijftien ronden lang in een boksring heb gestaan. Het idee dat hij me zo slecht heeft behandeld omdat ik hem iets verschrikkelijks heb aangedaan, krijg ik maar niet van me afgeschud.'
'Jij hebt niks fouts gedaan. Dit gaat niet om jou. Dank God dat je niet met die klootzak bent getrouwd.'
'Heb je het er al met Chris over gehad?' wilde Tara weten.
'Nee. Die heb ik nog niet gesproken. Volgens mij zit hij in Londen.'
'Ga je het hem vertellen?'
'Ik weet echt niet of ik dat wel durf. Ik schaam me, dat Paul zo weinig om me gaf en me zo heeft behandeld.'

'Hij zal het begrijpen. Het kan iedereen overkomen.'
'Ja, dat zal wel. Ik weet zeker dat ik het hem zal vertellen. Als hij nog eens om een geheim vraagt, flap ik het er gewoon uit.' Ze glimlachte, voelde zich plotseling heel dicht bij hem, ook al had ze geen flauw idee waar hij zou kunnen zijn of wat hij aan het doen was. Ze zou hem later bellen.
Ze bestelden een kroegmaaltijd: grote sappige steaks met huisgemaakte patat en salade, niets bijzonders maar wel erg lekker. Lindsay voelde zich echt opgeknapt toen ze rond negen uur naar haar huis liepen. Ze was hun vergeten te vertellen over de bos bloemen en liet Tara het kaartje openmaken.
'Misschien zijn ze van Chris.'
'Dat hoop ik, maar nee, volgens mij niet. Ik heb nooit zo van rode rozen gehouden.'
'Vergeef me. Ik zal het weer goed maken,' las Tara voor terwijl ze een van haar geliefde gebaartjes maakte waarmee ze aangaf dat ze moest overgeven.
'Ik denk niet dat hij het snel zal opgeven. Je zult het voor hem moeten spellen.'
Lindsay luisterde ondertussen haar berichten af en daar zaten er twee bij van Paul, die vroeg of ze hem wilde bellen.
'Meteen doen, dan ben je ervan af.'
'Nee. Zo beleefd was hij ook niet tegen mij. Laat hem maar afzien.'
Zo kenden ze haar niet en haar vriendinnen waren verrukt. Ze zaten aan tafel thee te drinken en hielden haar gezelschap, maar om tien uur moest ze echt naar bed. Haar escapade van die nacht liet zich plotseling voelen.
Ze boende haar gezicht schoon en klopte er een dikke laag vocht inbrengende crème in. Toen ging ze naar bed met haar mobiele telefoon. Geen berichtjes. Ze verstuurde er zelf een.

HOE GING HET GISTER? BEN JE IN DUBLIN?

Net toen ze in slaap dommelde, kreeg ze antwoord.

IN LONDEN. JE KON NIET OP HET FEESTJE KOMEN.

NEE. MOEST WAT DOEN. GING VROEG NAAR BED. WANNEER KOM JE THUIS?

Het was niet echt een leugen, hield ze zichzelf voor. Het was alleen nog te vers om het erover te hebben.

KWEETNIET.

Hij zal wel moe zijn, dacht ze, en op dat moment ging de telefoon. Ze was blij verrast dat hij belde. Die avond wilde ze heel dicht bij hem zijn.
'Kun je het mij vergeven?' waren niet meteen de woorden die ze verwachtte te horen.

27

Het gesprek bleek veel moeilijker dan ze had verwacht. Ze besloot direct tot de kern te komen, legde uit dat het niet een kwestie was van vergeving, maar dat het om vertrouwen draaide – iets dat ze nooit meer in hem zou kunnen hebben, maar dat hield ze voor zich. Hij dacht duidelijk dat ze nog om te praten was. Dat ging zo nog een tijdje door en het gesprek eindigde vervelend toen ze ophing, uitgeput maar opgelucht, nauwelijks in staat te geloven dat ze al zover was dat ze niet meer op zijn avances inging.
Wanneer was dat gebeurd, vroeg ze zich af toen ze in bed lag en probeerde te slapen. Ze hoopte dat ze het goede had gedaan, was bang om de eindigheid van alles, maar wist diep vanbinnen dat er nooit een toekomst voor hen was geweest. Vroeger of later zou het zijn geëindigd.
Ze vroeg zich af hoeveel Chris had geholpen bij haar herstel en was benieuwd wat hij zou zeggen wanneer ze het hem vertelde. Áls ze het hem vertelde, dacht ze, maar ze wist dat ze dat toch zou doen. Na verloop van tijd. Ze vond het opmerkelijk dat ze zoveel vertrouwen in hem had.
Ze dacht na over de beslissingen, vrijwillige dan wel opgelegde,

die ons in een bepaalde richting duwen en ons leven vormen. Paul ontmoeten, met hem trouwen, zou haar in een totaal andere richting hebben geduwd; hem verliezen had haar perspectief onherroepelijk veranderd en haar levensloop drastisch gewijzigd. Hoewel ze haar ergste vijand niet toewenste wat ze zelf had meegemaakt, wist ze dat ze door deze ervaring een ander mens was geworden, en ze was wel tevreden met wie ze nu was.
Ze sliep goed, een verrassing gezien de omstandigheden, en werd moe wakker maar een stuk opgeknapt. Ze nam een douche en ging vroeg naar haar werk, vastbesloten de verloren tijd in te halen.

De uitzending van deze week was zwak, vond Lindsay. Er stonden geen grote namen in het draaiboek. Alan maakte zich bezorgd en Tom Watts had de pest in, was ontevreden met hoe het programma er op papier uitzag.
'We hebben een beroemdheid nodig,' riep hij toen hij binnen liep. Ze hadden al een spoedvergadering achter de rug en iedereen zat aan de telefoon. Lindsay werkte een paar ideeën uit voor een interessante discussie, mocht die nodig zijn wanneer de gewenste beroemdheid niet kwam opdagen. De redactie zat met de handen in het haar. Alice had een nieuwe, knappe latino popster als gast, die de Britse top-veertig had bestormd, maar hij had afgezegd, waardoor Toms stemming er niet op vooruitging. Een afzichtelijke, maar populaire televisiekok zou ook komen, maar in de bladen van die dag stond dat hij een affaire had met een meisje van zestien, terwijl zijn vrouw zes maanden zwanger was, en ook hij kon uiteraard niet verschijnen.
Iedereen werkte zich uit de naad, pauzeerde niet eens om te lunchen, maar niets pakte gunstig uit en iedereen ging uitgeput naar huis. Lindsay bleef tot zeven uur, belde Tara en Debbie om even hallo te zeggen en te vertellen over haar nachtelijke telefoongesprek. Tara had een afspraak met Michael Russell en Debbie wilde meteen langskomen, maar Lindsay verzekerde haar dat alles goed was. Ze ging naar huis en nam een uitgebreid bad, belde haar moeder en kroop op de bank, terwijl ze zich afvroeg waar Chris was. De telefoon ging rond een uur of tien, maar iets weerhield haar ervan op te nemen. Het was Paul, die vroeg of ze te-

rug wilde bellen zodra ze thuis was. Ze trok de stekker eruit en ging vroeg naar bed, nadat ze had gecontroleerd of Chris haar nog een sms-bericht had gestuurd. Niets.

De volgende dag was de sfeer op de redactie nog erger. Ze hadden het tweede garnituur beroemdheden aangesproken en nog niets interessants gevonden. Alan riep een spoedvergadering bijeen voordat Tom zou komen.

Lindsay stelde voor dat ze, gezien het gebrek aan grote namen, misschien moesten gaan voor een goede discussie. Ze had onderzoek gedaan naar het toenemend aantal zelfdodingen onder jongemannen en de moeder van een twintigjarig slachtoffer bereid gevonden naar de studio te komen. Ook kon ze misschien een jongeman die een zelfmoordpoging had gedaan, zover krijgen om erover te praten, hoewel ze nog geen direct contact met hem had gehad.

Tom Watts kwam halverwege de vergadering binnenlopen en boorde het idee de grond in. Hij deed alsof Lindsay probeerde om stiekem achter zijn rug een discussie-onderwerp erdoor te drukken, wat helemaal niet zo was. Er volgde een verhit debat, waarbij iedereen zich drukte, gezien Toms stemming. Alan, die het heft in handen zou moeten nemen, hield zich gedeisd en Lindsay nam gas terug, al kon ze het niet laten op te merken dat een goede discussie volgens haar beter was dan een serie middelmatige interviews. Nu steun van Alan uitbleef was de enige optie om gewoon te gaan voor deze aflevering en maar hopen dat de kijkers loyaal zouden blijven.

Op donderdagavond ging Lindsay naar haar zus voor een etentje ter gelegenheid van Jake's verjaardag. Het kinderfeestje was die middag geweest, en Jake stond bij de poort op Lindsay te wachten tot hij haar alles in detail erover kon vertellen. Met een glimlach hoorde ze hem vertellen over de taart met glittertjes die je kon eten, 'zilveren, gouden en bruine stukjes die aan mijn vingers plakten en heel lekker waren'. Ze had een videoband, een boek en een spijkerbroek voor hem gekocht, en hij huppelde naar haar toe en greep haar hand vast en wilde tegelijk zijn nieuwe cadeautjes en zijn snoepzak niet laten vallen.

Anne had een paar vrienden uitgenodigd en ze zaten ontspannen te praten totdat ze op de achtergrond Chris op tv zag, in een interview vanuit Parijs in een van de belangrijkste nieuwsprogramma's.
'O kijk eens, Lindsays nieuwe vriend,' riep Anne terwijl ze de tv harder zette. Ze waren allemaal diep onder de indruk en Lindsay voelde zich opgelaten en gelukkig tegelijkertijd.
Hij zag er moe maar toch geweldig uit, vond ze, en voor de zoveelste keer vroeg ze zich af waaraan ze dit te danken had.
'Mijn hemel, goeie vangst. Hoe is hij in het echt?' vroeg Dorothy, Annes beste vriendin, bewonderend.
'De vangst van de eeuw, volgens mam,' proestte Anne uit.
'Hij is niet echt mijn vriendje. We zijn een paar keer samen uit geweest,' moest Lindsay bekennen, 'maar het is een schat en ik vind hem echt heel leuk.'
Ze juichten en brachten een toost uit en plaagden haar en toen besefte ze dat ze hem heel erg miste.
Later, thuis, probeerde ze hem mobiel te bellen, maar hij nam niet op. Het was opmerkelijk dat ze al dagen niet meer met hem had gesproken – ze wist niet eens dat hij in Parijs zat. Ze stuurde een sms-je en wachtte af.

KZAG JE OP TV. ALLES OK? BEL ALS JE KUNT. KMIS JE.

Geen antwoord en toen ze de volgende ochtend opstond dacht ze dat hij vast wel had gereageerd, maar er was nog steeds niets, wat ze raar vond. Ze kwam aan op kantoor en trof een enorm geel boeket op haar bureau aan. Gretig opende ze het kaartje en teleurgesteld las ze de boodschap: 'Laten we opnieuw beginnen. Alsjeblieft?' Ze gooide het kaartje weg en wilde hetzelfde doen met de bloemen.
Ze werkte over en probeerde zoveel mogelijk leven te blazen in een aflevering zonder kraak of smaak. Alan bleef bij haar, en gaf pas toe dat hij zich niet zo lekker voelde toen ze op weg naar huis een biertje dronken. Hij bleek al een paar weken buikpijn te hebben en had geen tijd gehad om naar zijn huisarts te gaan, wat Lindsay ontzettend stom van hem vond. Ze namen afscheid van elkaar en hij beloofde dat hij naar de dokter zou gaan. Toen ze

thuiskwam zag ze een briefje van Paul op de deur, waarin hij vroeg of ze hem wilde bellen. Ze verscheurde het.
Later liet Lindsay een bericht achter op Chris' vaste telefoon en zijn mobiel en wachtte vol verwachting af. Ze begon zich ongemakkelijk te voelen, maar wist niet waarom.
Zaterdagochtend belde hij haar, net toen ze zich naar haar werk wilde haasten.
'Hoi, met Chris.'
'Hé, hallo daar, vreemdeling. Sinds wanneer ben je terug?'
'Donderdagavond laat. Ik was in Parijs beland.'
'Dat weet ik, ik heb je op tv gezien. Hoe gaat het?'
'Goed, met jou?'
Er was iets mis met dit gesprek, maar Lindsay, die nergens van wist, stak als gewoonlijk van wal.
'Met mij gaat het goed. Drukke week, geen al te beste aflevering vanavond, dus iedereen staat onder druk.'
'Je kon uiteindelijk toch niet op dat feestje komen, laatst?'
'Nee, ik voelde me een beetje naar, om eerlijk te zijn. Stom, waarschijnlijk.'
'Wat deed je dan die avond?'
'O, niet zo veel. Ik bleef thuis, werkte wat, ging vroeg naar bed.'
'Nog bezoek gehad?'
'Eh, nee hoor.' Waarom vroeg hij dat? Wist hij soms iets?
Hou op, berispte ze zichzelf, je raakt paranoïde. 'En, was het een leuke avond?'
'Ik raakte behoorlijk dronken. Ben jij nog uitgegaan de laatste dagen?'
'Nee. Jake's verjaardagsfeestje was het hoogtepunt van mijn week. Wanneer zie ik je weer?'
'Eh, weet ik nog niet, ik heb een beetje een raar weekend. Ik zal je bellen.'
'O, goed... Chris, gaat het wel goed met je?'
'Ja hoor, waarom?'
'Je bent zo... ik weet niet, afstandelijk. Heb ik iets verkeerds gedaan?' Ze vond het vreselijk dat ze dit vroeg. Vreemd dat haar oude onzekere ik weer opdook.
'Dat weet je zelf beter.'
'Wat bedoel je daarmee?'

'Niks. Oké, ik moet gaan. Ik spreek je nog.'
'Oké, dag.'
'Dag.' Klik. Hij was vertrokken.
Ze was bang.

Alles wat er fout kon gaan, ging ook fout, het meeste tijdens de live-uitzending die avond. Ze hobbelden van mislukking naar mislukking. Tom was hels. Er waren knallende ruzies. Iedereen leed. Bij het zien van het publiek viel Tom Monica en Marissa meteen aan. 'Het lijkt wel een verzorgingstehuis. Dit kan echt niet, als jullie zo'n eenvoudige taak niet aankunnen, moet ik iemand anders zoeken.' Marissa staarde naar de grond en Monica barstte bijna in tranen uit. Lindsay was bang dat anderen het hadden gehoord, maar zei niets, bang om de situatie nog erger te maken. Het werd nog erger. Bij de opening van de uitzending met een populaire popzangeres – verreweg het beste onderdeel – was er een technisch probleem met het geluid en viel halverwege de muziek weg, waardoor ze op niets stond te playbacken. Ze kon niet verder. De floormanager liet het publiek als een gek applaudisseren, Tom verontschuldigde zich, maar de zangeres was woedend en hield vrijwel het hele interview haar mond. Toen dat Tom ging irriteren maakte hij snel een einde aan het gesprek, waardoor ze later in het programma tien minuten moesten opvullen met een handvol middelmatige gasten, van wie er een te laat kwam en moest worden geschrapt en een ander zo saai was dat zelfs Lindsay moeite had er wakker bij te blijven. Alan had een grauw gezicht, Lindsay had met hem te doen. Hij was zo'n aardige man, maar niet sterk genoeg voor hun zwaargewicht presentator.
Na een eeuwigheid klonk de eindtune, maar daarvoor had er nog een ramp plaatsgevonden: de vrouw die een vakantie naar Griekenland ter waarde van tienduizend euro had gewonnen, bleek een hekel te hebben aan alles wat Grieks was, en had liever het geld. Tom kon haar wel slaan en Alan liet meteen de aftiteling komen, waardoor Tom geen goedenavond kon wensen en dat maakte hem nog geïrriteerder, als dat nog kon.
De sfeer in de ontvangkamer was gespannen. Tom negeerde het gehele team en Alan kon duidelijk de energie niet opbrengen om er iets aan te doen. Geen van de gasten was nagebleven, wat on-

gebruikelijk was, en Lindsay nam snel een drankje voor ze ontsnapte; ze voelde zich down over het programma en maakte zich zorgen om Chris.

28

De volgende ochtend belde Lindsay Chris op, maar ze was bang voor zijn reactie. In een opwelling sprong ze op, nam een douche en trok haar favoriete spijkerjasje, witte T-shirt en lange wijde rok aan. Ze wilde er casual uitzien, dus deed ze haar haren in een staart met een blauw lintje en gebruikte hooguit een klein beetje make-up. Ze joeg Charlie in de auto. Er was maar één manier om erachter te komen of haar intuïtie klopte – hem in de ogen zien en het uitpraten, wat het ook was. Ze wilde hem verrassen met een ontbijt en ging langs een goede delicatessenzaak en sloeg glanzende croissantjes in, zachte muffins en warme broodjes met noten. Ze legde alle zondagskranten op de toonbank, al had hij die waarschijnlijk al, en kocht ook vers vruchtensap. Daarna ging ze op weg naar zijn appartement, nog niet wetend wat te doen als hij niet thuis zou zijn.
Zijn auto stond buiten, dus ze liep de trap op en wachtte. Ze wilde niet dat hij al wist dat ze voor de deur stond. Een duidelijk ongewassen, slaperig ogend, twaalfjarig jongetje met BMW-sleutels kwam aangelopen en hield de deur voor haar open. Die IT-miljonairs worden met de dag jonger, dacht ze.
Charlie rende de trappen op; hij herinnerde zich nog het vorige bezoek aan dit huis. Lindsay popelde om hem weer te zien en grijnsde terwijl ze Charlie naast de voordeur liet zitten, omringd door kranten en eten, waar hij aan bleef ruiken. Hij zag er grappig uit en ze lachte toen ze aanbelde en als een klein kind op haar hurken in een hoekje ging zitten.
'Hallo, wie ben jij?' Het verbaasde haar een vrouwenstem te horen, ze dacht dat het zijn zus was – de jongste, aan haar hese stem te horen. Ze kwam tevoorschijn, rood aangelopen, en wilde zich verontschuldigen toen ze oog in oog kwam te staan met een jon-

ge vrouw die zijn zus niet kon zijn.
Ze draagt mijn overhemd, was de eerste belachelijke gedachte die in haar opkwam, toen ze onnozel naar de blonde jonge vrouw met verfomfaaid haar keek. Zorgvuldig verfomfaaid. Ze was opgemaakt, droeg hoge hakken en zijn overhemd. Haar overhemd. Ze voelde haar hart bonzen en er ging van alles door haar heen. Ze zei niets.
'Hallo, moet je Chris hebben?' Ze leek heel aardig, wat het nog erger maakte, als dat al kon. Ze had een vriendelijke lach en grote borsten.
Wat hebben mannen toch met blonde vrouwen met grote borsten, vroeg ze zich af, terwijl ze aan het incident met Paul in het restaurant dacht.
'Sorry, ik heb bij de verkeerde aangebeld.' Het was onbegrijpelijk dat ze in haar verbijstering nog iets kon zeggen, maar het kwam er als vanzelf uit. Ze pakte Charlie bij de riem en rende de trap af, bang dat ze anders een hartaanval in zijn deuropening zou krijgen.
'Hallo, je vergeet wat...' Het meisje boog zich voorover en pakte de spullen op. Lindsay draaide zich om, zag lange benen en rode nagels, en in dezelfde seconde blauwe ogen en Chris.
Ze draaide zich om en rende weg toen ze hoorde dat hij achter haar aan kwam. Ze maakte zich snel uit de voeten. Vlak voor de buitendeur haalde hij haar in en ging hij met zijn hele gewicht voor de zware houten deur staan.
Ze kon ruiken dat hij net had gedoucht en wilde hem een klap geven.
'Waarom heb je me niets gezegd...? Dat had je beloofd, weet je nog?'
'Waarom heb jíj niks gezegd?'
Ze zei niets, ze wist niet waar hij het over had, zoveel inspanning kostte het om niet te huilen.
'Je zei dat je mij niet zou bedriegen... Waarom? Ik begrijp het niet... Ook al had je er genoeg van, dan kon je mij dat toch zeggen...'
Hij gaf haar dezelfde koude blik die ze destijds in de studio van hem had gekregen, hoewel ze hem nu beter kende en de gradaties kon zien – toen zag ze alleen een paar ijzig blauwe ogen, nu

gaf hij haar zijn grijze, afstandelijke blik.
Hij krulde zijn lip en keek haar akelig neerbuigend aan.
'Ik heb je die avond gezien. Ik wilde aanbellen om je over te halen naar het feest te gaan. Was hij wie ik dacht dat hij was?'
Ze voelde het warme karmozijnrood vanuit haar borst opstijgen naar haar hals, haar oren en tot slot naar haar gezicht. Hij lachte, maar niet op een prettige manier.
'Je kon het hem snel vergeven, of niet?' Het grijs veranderde in het kilste blauw dat ze ooit had gezien. Ze huiverde. 'Dus vertel mij niets over bedriegen.'
'Er is niets gebeurd.'
'Je liegt. Ik heb het gezien. Ik stond buiten en zag jullie in de slaapkamer. Wat ben je toch vergevingsgezind.' Hij klonk honend.
'Ik deed niets verkeerds.'
'Je durfde het me niet eens te vertellen. Ik had het je nog laten beloven. Nadrukkelijk. Twee keer.' Hij spuugde de woorden bijna uit zijn mond, waardoor ze zich goedkoop en smerig voelde.
Ze stonden elkaar aan te kijken, vol woede en haat. Het leek een eeuwigheid.
'Ik haat je.' Dat meende ze niet, het was veel eenvoudiger geweest als het wel zo was, besefte ze verdrietig. Het ontviel haar, zoals zoveel dingen haar ontvallen waren sinds ze hem had ontmoet. Wat ze wél haatte, was wat hij haar had aangedaan, wat hij haar had gegeven en zo snel weer terugnam. Ze haatte hem, omdat hij haar niet vertrouwde en vooral omdat hij haar niet de kans gaf om het uit te leggen. Ze haatte hem, omdat hij ongedeerd leek, terwijl zij in puin lag. Én omdat hij haar blijkbaar moeiteloos had vervangen.
Ze duwde hem weg, maar hij greep haar arm vast en trok haar naar zich toe. 'Je hebt me voor de gek gehouden. Dat valt me van je tegen.'
'Laat me gaan.'
Plotseling was ze buiten zinnen en viel ze schreeuwend tegen hem uit, stompte hem in zijn maag om zich van hem los te maken. Charlie blafte vervaarlijk en het meisje in het overhemd kwam de trap af gerend met haar hoge hakken.
'Chris, wat is er aan de hand?'
Lindsay duwde hem weg, ze huilde nu hardop, wilde wanhopig

ontsnappen. Ze ademde met lange uithalen, haar hart bonsde. Hij trok haar weer naar zich toe en draaide haar gezicht naar hem toe.
'Je wilt het nog steeds niet toegeven, of wel? Ik belde je een paar keer op 's avonds, om het nog te proberen. Maar je had het kennelijk te druk om op te nemen.' Hij ging dicht bij haar staan, zijn gezicht een paar centimeter van haar vandaan. 'Ik weet dat hij is blijven slapen en je had niet de moed mij dat te zeggen.'
'Dat is niet waar.'
'Je liegt.' Dat was de laatste nagel in een reeds dichtgetimmerde doodskist.
'Laat me los.' Het was een pathetisch, gefluisterd pleidooi. Hij keek naar haar alsof hij het óf ging negeren óf zou beantwoorden met een klap. Toen deed hij zwijgend een pas naar achteren en liep ze langs hem heen, in slow motion leek het wel, haar haren in de wind, de hond tegen haar opspringend. Ze keek niet om.
Ze rende voorbij haar auto, de huizen, het vroege zondagsverkeer.
Charlie genoot ervan en lachte naar haar toen ze door de stille, slapende straten rende.
Uiteindelijk stond ze stil, maar ze wilde niemand haar ontzetting laten zien, dus deed ze haar zonnebril op en ging ze weer verder, zo snel als haar vermoeide lichaam toeliet, terwijl ze haar betraande gezicht en loopneus aan haar mouw afveegde. Hoe ze was thuisgekomen wist ze later niet meer. Het was goed een uur lopen en ze kon zich er niets van herinneren.
Thuis aangekomen kon ze niet huilen. Ze zat in de stoel en probeerde alles te verklaren. Ze begreep het niet. Als hij haar had gezien, waarom had hij dan niet gewoon aangebeld? Waarom was ze niet gewoon buiten blijven staan? Wat bedoelde hij eigenlijk toen hij zei dat Paul was blijven slapen? Had hij de volgende ochtend zijn auto zien staan? Maar hij wist toch niet welke auto van Paul was? Waarom had hij haar zo hatelijk aangekeken? Waarom liet hij het haar niet uitleggen? En het ergste van alles, waarom ging hij er al met een ander vandoor voordat ze de kans had gekregen met hem te praten?
Toen ze het niet meer aankon, pakte ze de riem en liep ze weer

met Charlie door de straten. Het maakte niet uit in welke richting, als ze maar in beweging bleef. Het voelde heel anders dan toen Paul haar had verlaten – misschien omdat dat meer als een schok kwam, terwijl ze met Chris nog niet eens over een toekomst had nagedacht. Toch voelde ze zich eenzaam om wat ze hadden gehad. Leeg, alsof er iets aan haar ontbrak. Koud. Voeg hier woede, verbijstering, onzekerheid en de wens hem te vermoorden aan toe, en haar gevoelens waren in kaart gebracht. Het enige dat ze zeker wist, was dat ze er niet aan tenonder wilde gaan.
Ze liep kilometers door, totdat haar benen pijn gingen doen, en Charlie sjokte als een bejaarde achter haar aan. Ze dacht eraan om terug te lopen naar zijn huis, op zijn deur te bonzen en een verklaring te eisen, maar dat zou niets uithalen. Hij was alweer een stap verder, dat was nog het pijnlijkste. Ze was nog steeds in de war, ze begreep niet alles wat hij had gezegd, maar ze wist door schade en schande dat ze dit helemaal kapot kon analyseren zonder dat dat ook maar iets veranderde. Ze wist dat het voorbij was.
Ondertussen besefte ze dat hij vreemd genoeg binnen een paar weken meer voor haar was gaan betekenen dan wie dan ook, inclusief Paul. Hun verhouding was gebaseerd op praten en geheimen delen, op lol en vriendschap, op kwetsbaarheid. Een echte relatie. Heel anders dan de relatie met Paul, waarin zij de liefde gaf en hij ontving – dat zag ze nu wel in. Dit was gebaseerd op gelijkwaardigheid – ondanks zijn status van beroemdheid. En het trieste van alles was, dat er zoveel in zat, dat ze zoveel mogelijkheden leken te hebben. Daar rouwde ze nu om.
Nu ze erover nadacht, besefte ze dat het welbeschouwd gewoon liefde moest zijn geweest.

29

Toen ze haar huis in ging was het al bijna donker en ging de telefoon. Zonder er bij na te denken nam ze op.
'Lindsay, hoi, met Alan Morland. Sorry dat ik je nu bel.'

'Alan, hallo, hoe gaat het?' Ze probeerde opgewekt te klinken. 'Wat is er?'

'Heb je toevallig tijd – en zeg alsjeblieft nee als het niet zo is – om vanavond een borrel met me te drinken?'

'Natuurlijk.'

'Eh... vind je het erg om naar mijn huis te komen? Het ligt een beetje ingewikkeld. Ik leg het je daar wel uit. Ik moet met je praten over het programma. Ik heb maar een uurtje of zo nodig.'

'Natuurlijk, geef me je adres maar.'

'Echt waar?'

'Geen probleem, ik ben blij dat ik er even uit kan.' Hij moest eens weten.

'Geweldig, dank je wel. Ik waardeer het echt. Rond halfacht?'

'Afgesproken.'

Ze trok haar bezwete kleren uit en ging vermoeid in bad zitten. Ze had het gevoel alsof haar zenuwtoppen waren afgesneden. Charlie was niet eens de trap afgegaan en lag uitgestrekt bij de voordeur, waar hij de komende uren niet was weg te slaan, tenminste niet voordat hij hersteld was van deze marathon.

Ze weigerde eraan terug te denken, maar wel besloot ze dat ze het deze keer anders zou aanpakken.

Ik ben een echte overlevingsexpert geworden, dacht ze moedeloos, terwijl ze het warme, stomende schuim op zich liet inwerken. Nog een of twee van zulke voorvallen en ik begin een zelfhulpgroep waarmee ik mijn naam vestig.

Ze besloot er met niemand over te praten – met niemand – de komende dagen. Zelfs niet met haar vriendinnen. Ze had er de energie niet voor en ze wist nu dat ze het allemaal niet nog eens op dezelfde manier door kon maken.

Ik moet streng zijn voor mezelf, hield ze zich voor. Ik blijf niet telkens aan hem terugdenken. Ik vergeet gewoonweg dat ik hem heb ontmoet.

Was het maar zo eenvoudig, jengelde een stemmetje in haar.

Ze schakelde de voice-mail van haar mobiel uit en trok de stekker van haar huistelefoon eruit. Om zeven uur had ze een spijkerbroek en een warme, comfortabele trui aangetrokken. Met de taxi ging ze naar het huis van Alan, een paar kilometer verderop.

Ze was van plan onderweg een fles wijn te kopen, maar was daar ineens niet zo zeker van. Hij was per slot van rekening haar baas. Ze deed het toch maar niet, al kon ze wel een glas gebruiken. Het lost toch niets op, die harde les heb je al geleerd, dacht ze cynisch, toen de taxi stopte voor een modern appartementencomplex in het trendy Dublin 4.
Ze werd warm door Alan begroet. 'Fijn dat je er bent. Sorry dat ik je weekend verstoor, maar ik moet vóór dinsdag met je gesproken hebben en morgen ben ik er niet.'
Ze was nieuwsgierig. 'Ik had toch niks te doen.' Ze glimlachte flauwtjes. Behalve dan de ogen uitkrabben van een van je beste presentatoren, dacht ze.
'Glaasje wijn?'
'Ik wilde een fles meenemen, maar ik dacht dat je dat misschien niet zou waarderen, omdat het om werk ging.'
'O jee, kom ik zo streng over?' Hij was geschrokken.
'Nee.'
'Mijn vriendin zegt altijd dat ik wat meer ontspannen op mijn werk moet zijn, dus misschien kom ik wél zo over. Dat zou ik griezelig vinden.'
'Als dat zo is, laat ik je dat meteen weten, dat beloof ik je. Ik doe een moord voor een glas witte, als je die hebt.'
'Ik ook. Ga zitten.'
Het was een typisch modern appartement – licht, stijlvol, ontzettend klein, zelfs met twee slaapkamers. Waarschijnlijk had het een half miljoen euro gekost, gezien de lokatie. Heel mannelijk. Ze was nieuwsgierig naar zijn vriendin, maar wilde er niet naar vragen.
Hij kwam terug met twee bijzonder fraaie kristallen glazen, heel anders dan haar bellen, die eigenlijk wel pasten bij haar nieuwe sobere stijl.
Ze bespraken even wat ditjes en datjes en toen begon hij.
'Weet je nog dat ik me niet zo lekker voelde?'
Ze knikte, was meteen gealarmeerd.
'Midden in de nacht kreeg ik last van buikpijn en vanochtend heb ik mijn arts moeten bellen. De pijn was zo erg dat ik niet eens zelf kon rijden. Hij moest naar mij komen om me te onderzoeken. Hij wil dat ik morgenvroeg naar het ziekenhuis ga.'

Ze probeerde niet al te bezorgd over te komen.
'Wat denkt hij?'
'Hij heeft geen flauw idee. De pijn was weg toen hij aankwam, maar mijn vermoeidheid en gebrek aan energie baren hem zorgen; hij wil me laten onderzoeken. Ik moet me nergens zorgen om maken.' Hij lachte naar haar, als een boer met kiespijn. 'Waarom vertellen ze me dit allemaal?'
'Geen flauw idee, maar er wordt tenminste iets aan gedaan. Ik ben iemand die om niets al naar de dokter rent. Als er iets aan de hand is, wil ik dat meteen bestrijden. Het is de enige optie, geloof me. Ik begrijp absoluut niet waarom mensen wachten voordat ze naar een dokter gaan. Wat bereik je daarmee? De pijn blijft en je piekert je suf.'
'Dat weet ik, maar ik ben een lafaard. Mijn vriendin is arts en ze denkt er net zo over als jij. Ze werkt in Londen nu, voor zes maanden. Ik heb haar nog niets gezegd, anders neemt ze het eerste vliegtuig naar huis.'
'Ik zou willen weten wat er aan de hand is.'
Hij lachte naar haar, als een verdwaald jongetje. Ze wilde hem omarmen, maar kende hem daar nog niet goed genoeg voor.
'Ik wacht tot morgen af.'
Ze knikte veelbetekenend.
'Dus het komt erop neer dat ik jou de leiding wil geven. Ik blijf telefonisch bereikbaar en hopelijk ben ik over een paar dagen terug op kantoor. Ik heb gesproken met het Hoofd Programmering en hij is wat huiverig, eerlijk gezegd, omdat je er nog maar net bent, maar ik heb hem verzekerd dat je het zult redden, en onder ons gezegd, ik zie geen alternatief. Degenen die het zouden kunnen, zijn al verbonden aan andere programma's. Wat is je eerste reactie?'
'Nerveus, opgewonden, geschrokken, verheugd en doodsbang,' glimlachte ze. 'Maar ik doe het.'
'Mooi zo, ik wist het. Dit is je kans om op te vallen bij de directie en vergeet niet, ik ben er ook nog.'
'Ik zal je meest frequente druivenleverancier zijn,' zei ze, halfhartig naar hem grinnikend.
Ze praatten even over wat er deze week op de agenda stond, en vonden dat ze op de kijkcijfers van afgelopen zaterdag moesten wachten voordat ze iets veranderden. Lindsay wist dat hij niet te-

vreden was met de gang van zaken en vond het jammer voor hem dat hij juist nu ziek was.
'Laat je niet door Tom koeioneren. Hou je vast aan je eigen lijn.'
'Zal ik doen.'
Het gesprek kabbelde voort en ze namen nog een glaasje wijn. Toen ging Lindsay naar huis om nog wat te slapen en hem tijd te geven zich op de volgende dag voor te bereiden.
'Als er iets is wat ik kan doen, bel me op kantoor, ik ben er al vroeg.' Nu omhelsde ze hem toch toen ze wegging, en ze voelde dat hem dat zowel verwarde als ontroerde.
'Maak je geen zorgen, bel me wanneer je wilt en laat een boodschap achter, dan bel ik je terug zodra dat kan.'
'Veel succes.'
'Dank je wel.'
Ze vroeg de taxichauffeur haar af te zetten bij Chris' appartement om haar auto op te halen. Hij was nergens te bekennen en daar was ze blij om, want ze stond nog niet voor zichzelf in.
Toen ze naar huis reed, was ze dankbaar dat ze niet de problemen van Alan had en blij dat ze iets had dat haar die week zou bezighouden. Het paste bij haar nieuwe plan om niet te veel bij haar eigen problemen stil te staan. Dat plan werkte totdat ze probeerde te slapen en telkens Chris' gezicht voor zich zag.

Ze stond om zes uur op. Ze had het gevoel alsof ze nauwelijks geslapen had en na een paar koppen koffie en een dikke laag make-up durfde ze de wereld weer onder ogen te komen.
Ze kwam om halfacht op kantoor aan en zocht op haar computer meteen naar de kijkcijfers. Ze tuurde naar het scherm, ervan overtuigd dat ze het niet goed zag. Een blik op de week daarvoor vertelde haar dat dat niet zo was. Afgelopen zaterdag was de slechtste aflevering van het seizoen. De cijfers waren begonnen zoals altijd, maar de grafiek zakte gestaag in, om de vijftien minuten verloren ze duizenden kijkers. Het eindresultaat was, dat ze voor het eerst sinds jaren uit de top-tien van best bekeken programma's waren gevallen. Lindsay huiverde en was zich ineens bewust van de verantwoordelijkheid.
Na een snel bezoekje aan de kantine voor koffie en geroosterd bruin brood met honing – waar ze geen trek in had, maar het

hoorde nu eenmaal bij haar onlangs begonnen gezondheidskuur –, ging ze zitten en stelde ze een lange lijst op met mogelijke gasten en onderwerpen voor de komende vier afleveringen. Hoewel maandag officieel hun vrije dag was, was ze blij verrast om te zien dat vrijwel het hele team gaandeweg de dag was binnengedruppeld, alsof ze wisten dat deze week extra moeilijk zou worden. David en Alice zaten een paar uur aan de telefoon en Kate was het enige redactielid dat niet was verschenen. Lindsay werkte stevig door tot acht uur 's avonds en thuisgekomen viel ze uitgeput op bed neer. Ze had maar één berichtje, van Alan, die zei dat hij geen nieuws had, maar haar de volgende dag zou bellen. Hij hoopte dat alles goed met haar ging.

Dinsdagochtend was Lindsay weer om zes uur klaarwakker en nam ze Charlie mee voor een vroege wandeling, puur uit schuldgevoel. Het was nog donker en het voelde vreemd, alsof ze op het verkeerde eind van de dag uitging, maar Charlie huppelde vrolijk naast haar en merkte geen verschil. Ze nam een douche en trok haar beste zwarte pakje aan, dat haar een zekere autoriteit gaf en paste bij haar stemming. Zelfs haar nieuwste zigeunerbloesje kon haar gebrek aan slaap niet verbergen, al was haar dat nauwelijks opgevallen in haar haast om naar haar werk te gaan en bezig te blijven. Toen haar collega's binnendruppelden rond halftien was ze helemaal voorbereid. En zenuwachtig.

Om tien uur vroeg ze of het iedereen schikte om om halfelf te vergaderen.

'Moeten we niet op Alan wachten?' vroeg David nieuwsgierig.

'Die komt niet vandaag en hij heeft me gevraagd of ik de vergadering wilde voorzitten. Dus voor iedereen: haal koffie en pak je spullen erbij.'

Na halfelf stonden alle telefoons ingesteld op de voicemail en legde Lindsay uit dat Alan een paar dagen ziek thuis zat, zonder in detail te treden, zoals hij had verzocht. Ze had prints gemaakt van de kijkcijfers en deelde die uit; de confrontatie ging gepaard met een gezucht en gekreun. Op rustige toon zei ze dat er deze week een heel goede uitzending moest worden gemaakt, waarna ze een schetsmatige programma-opzet uitdeelde, gebaseerd op het beste en slechtste geval.

'Om te beginnen, Alice, hoe zit het met onze latin lover?'
'Nou, je weet hoe dat vorige week is afgelopen, maar gisteren sprak ik toevallig zijn manager en hij heeft hem nu weer bevestigd voor deze week. Ik denk dat het wel goed komt.' Ze lachte nerveus.
'Mooi, goed gedaan. Ik weet dat je hier hard aan hebt gewerkt.' Lindsay glimlachte en Alice gloeide.
'En ik heb deze week ook Colin Quinn,' zei de jonge vrouw verlegen. Ze was niet helemaal in staat haar triomfantelijkheid te onderdrukken en werd daarbij vuurrood. Deze aankondiging werd verwelkomd met opmerkingen als 'die is goed' en 'cool' – grote complimenten in deze sfeer van concurrentie.
Colin Quinn was een Ierse topacteur die het tien jaar geleden op zijn 28e helemaal had gemaakt in Amerika. Hij vroeg nu miljoenen dollars per project en werd beschouwd als een van de meest gevraagde acteurs op de filmmarkt. Ook was hij, als men de roddelrubrieken mocht geloven, een van de aardigste mannen in het vak. Hij gaf zelden een interview, behalve om een film te promoten, en gaf meestal geen commentaar op zijn privéleven. Maar wat hem werkelijk tot een interessante vangst maakte, was dat hij na bijna twee jaar stilte weer in de schijnwerpers trad, na de vroege dood van zijn vrouw, die hem twee kinderen had nagelaten. Iedereen wilde daar het fijne van weten, wilde weten wat er precies gebeurd was en hoe hij eruitzag.
'Indrukwekkend, hoe heb je dat zo vóór je kunnen houden?' vroeg Lindsay. Ze kon haar opwinding nauwelijks verbergen. Dit was precies wat het programma nodig had.
'Ik heb er weken aan gewerkt, maanden zelfs, maar ik wist niet zeker of het zou lukken, want hij is kennelijk nogal schuw en mijdt de media als de pest. Maar zijn agent mocht me wel en ik verzekerde haar dat we een serieus interview wilden doen, en geen roddelverhaal. Hijzelf vond het tijd om zijn ouders weer eens op te zoeken en thuis te zijn... dus... Ze hebben toegezegd dat hij de komende aflevering komt.'
'Maar dat is geweldig. Je bent een engel; het is precies wat we nodig hebben.' Iedereen was het daarmee eens en Alice gloeide van trots.
'Eh, en ik heb alsnog de televisiekok gestrikt,' bracht David plot-

seling in, die kennelijk een graantje van alle lof wilde meepikken. Iedereen schoot in de lach.
'En hij zegt dat hij door dat meisje is versierd en dat hij van zijn vrouw houdt en een goede vader wil zijn.'
'Te gek, mooi werk, David. Dat betekent dat we een latin lover hebben voor de tieners, een goed onderwerp voor lezers van roddelbladen en hopelijk een serieus en indringend interview voor de vaste kijkers. Is er verder nog wat? Kate, heb jij nog wat liggen?'
'Ik ben bezig met een paar grote namen.' Kate schoot meteen in de verdediging en Lindsay vroeg zich af waarom die vrouw kennelijk zo'n hekel aan haar had. 'Goed, kun je me daar later deze week over bijpraten, als Alan nog niet terug is?' Lindsay glimlachte en weigerde zich dezelfde ijzige kilte aan te meten.
'Heeft iemand anders nog iets? Eens kijken, we moeten het nog hebben over de andere, kleinere onderwerpen en ook over het publiek. En trouwens, ik wil liever geen 'tussendoortjes' in het programma deze week, geen spelletjes, demonstraties en dergelijke. De opzet ziet er nu heel sterk uit, dus laten we daar hard aan werken. Geen stoplappen. Oké?'
Ze praatten nog een halfuurtje na en de vergadering was net afgelopen toen Tom Watts belde.
'Lindsay, ik heb het net gehoord van Alan. Wat is er in godsnaam aan de hand?'
Lindsay wist op basis van zijn toon niet precies wat hij bedoelde en rekte tijd.
'Wat zei hij dan?'
'Gewoon dat hij ziek was en er de komende dagen niet zou zijn en dat jij het overnam.'
'Eh, ja, dat klopt, maar ik heb alles onder controle, maak je geen zorgen.'
'Ik maak me zorgen. In alle eerlijkheid, we hebben een producer nodig, ik wil je niet beledigen.'
'Ik ben niet beledigd. Maar goed, hij heeft met het Hoofd Programmering gepraat, er is een tekort aan mensen en...'
'Dat is flauwekul, we zijn het beste praatprogramma van Ierland.'
Niet meer... Ze hield haar mond.
'Ik wil de beste producer, die heb ik nodig. Ik bel hem wel.' Tom Watts was furieus.

'Kom je vandaag nog? Ik zou heel graag het draaiboek met je willen doornemen. We hebben echt een hele sterke aflevering op de plank liggen...'
'Ik wil eerst Jonathan Myers hebben gesproken voordat ik kom. Die ga ik nu bellen op zijn mobiel, daarna hoor je weer van me.'
'Da's goed, dag,' zei Lindsay, maar de hoorn was al neergelegd.
Ze haalde koffie uit de automaat om haar hoofd helder te maken en haar gloeiende wangen af te koelen. Het was duidelijk dat Tom Watts absoluut geen vertrouwen in haar had. Dat vond ze vervelend maar daar kon ze niets aan doen. Hij had het volste recht om zich rechtstreeks tot de directie te wenden. Hij was per slot van rekening een van de grootste tv-sterren in het land; zij had zich nog niet eens kunnen bewijzen. Ze had zelfs die beroemde Jonathan Myers nog nooit ontmoet.
Daar zou spoedig verandering in komen, want toen ze terugkwam op de redactie lag er een briefje op haar bureau, dat ze Aoife moest bellen, de secretaresse van het Hoofd Programmering.
Het bleek dat het stamhoofd haar om vijf uur die middag persoonlijk wilde spreken als ze tijd had. Dat had ze. De rest van de dag besteedde ze aan de voorbereiding van haar verdediging, totdat ze klaar was om de beul onder ogen te zien.

30

Precies vijf minuten voor vijf die middag meldde Lindsay zich in het exorbitant luxe penthouse-kantoor van Jonathan Myers, enigszins nerveus, ook al wist ze dat ze niets verkeerd had gedaan. Ze wilde dolgraag een kans om zich te bewijzen en wist dat deze man de macht had haar die kans te geven.
Hij liep op haar af en het verbaasde haar dat ze hem onmiddellijk leuk vond. Hij gaf haar vriendelijk een hand.
'Kom binnen, het spijt me dat ik nog niet eerder kennis met je heb kunnen maken. Ik heb veel goede dingen over je gehoord.'
Deze opmerking ontwapende haar natuurlijk geheel en ze voelde haar verongelijktheid wegebben, wat ze op dit moment niet kon

gebruiken. Ze wilde licht verontwaardigd blijven, strijdlustig, maar zijn lach maakte dat onmogelijk.
'Welnu, vanochtend heb ik een flinke uitbrander gekregen van de heer Watts,' zei hij met een licht Amerikaans accent, 'en ik neem aan dat jij het ook te horen hebt gekregen.'
Lindsay knikte grinnikend.
'Om eerlijk te zijn, ik begrijp zijn standpunt wel. Het programma is zonder meer heel belangrijk voor ons en we hebben een goede producer nodig. Het probleem is dat er twee, hooguit drie mensen zijn die het zouden kunnen overnemen, maar die hebben momenteel elders verplichtingen. Een van hen kon ik niet eerder dan over zes weken krijgen en zelfs deze persoon zou me heel wat nieuwe problemen bezorgen. Ik zou een goede freelancer kunnen inzetten, maar die zou op dezelfde manier ingewerkt moeten worden als jij, en zou weinig ervaring hebben met het programma, dat een eigen stijl heeft en ook een, hoe zal ik het zeggen, veeleisende presentator. Hoe dan ook, wat vind je ervan dat je gevraagd bent deze taak op je te nemen?'
Lindsay besefte dat dit haar kans was hem te overtuigen. Ze koos haar woorden zorgvuldig uit.
'Ik vind dit een geweldig programma en zie dit als een fantastische kans, maar ik wil hier alleen maar op ingaan omdat ik denk dat ik iets aan het programma kan toevoegen. En dat denk ik echt. Ik vind de opzet van het programma niet zo goed op het moment en het wordt steeds moeilijker om goede gasten te krijgen. We moeten topnamen zien te strikken, maar ook het programma een extra dimensie geven, meer Ierse onderwerpen, diepgaande interviews en interessante discussies – misschien moeten we onderwerpen aanpakken die nog nooit in een Ierse context zijn bekeken. We moeten onze kijkers aan het scherm kluisteren en dat doen we niet met middelmatige beroemdheden die toevallig in het nieuws zijn. Ook denk ik dat Ieren graag andere Ieren horen praten over moeilijke, netelige kwesties. Ik besef dat ik relatief weinig ervaring heb in de televisiewereld, maar ik weet wat een goed programma is. Ik heb er genoeg gezien – goede en slechte – in de loop der jaren. Ook is het een vak dat me echt interesseert en ik ben bereid heel hard te werken gedurende de komende weken of maanden of hoe lang dan ook. Ik heb Alan, hoop

ik, achter de hand, dat zou een grote steun zijn.' Ze haalde even adem en wist dat hij geboeid naar haar stond te kijken.
'Hoe ga je om met Tom?' Ze was op deze vraag voorbereid en het antwoord zou niet zo makkelijk zijn.
'Ik heb heel veel respect voor hem, ik vind dat hij goed werk levert. Soms vind ik ook dat hij overal te dicht op zit en daar zie ik een rol voor mij liggen. Hij kan soms door iets geobsedeerd zijn, en hij is koppig. Hij biedt weerstand tegen verandering – en volgens mij moet er op bepaalde punten echt iets veranderen in het programma – maar in het algemeen vind ik hem heel slim en zeer capabel en bij vlagen geniaal.'
Hij bleef een lang moment naar haar kijken.
'Goed dan, ik heb met een aantal mensen over jou gesproken en ze zeggen allemaal dat je heel slim en zeer capabel bent en je eindproject werd door sommigen als geniaal omschreven.' Ze werd knalrood van blijdschap. 'Dus ik wil je deze kans geven. Maar er zijn een paar dingen waar je je van bewust moet zijn en uiteraard is dit geheel vertrouwelijk. Ten eerste, ik ben het eens met je oordeel over Tom Watts en hij vormt een heel belangrijk onderdeel binnen onze programmering nu, maar ik weet dat hij soms een vreselijk arrogante tiran kan zijn. Hij krijgt vaak zijn zin omdat hij heel hard schreeuwt en het is bekend dat hij soms agressief kan zijn. Ten tweede maken we ons een beetje zorgen over de richting die het programma opgaat en de reden waarom ik dit met je kan bespreken is, dat ik daar al zowel met Alan als met Tom over heb gepraat, en dat is feitelijk een van de redenen waarom jij voor dit programma bent aangenomen. De kijkcijfers van het afgelopen weekend logen er niet om en we moeten snel maatregelen nemen en alles veranderen wat niet klopt. Ten derde zal ik fungeren als uitvoerend producer zolang Alan er niet is. Je krijgt mijn directe nummer, dat van mijn mobiel en mijn privénummer zodat je me altijd kunt bereiken en ik zal je wekelijkse vergaderingen bijwonen. Wat vind je daarvan?'
Dat klonk beter dan wat ze had gehoopt.
Ze bespraken haar plannen voor de komende aflevering en hij leek aardig onder de indruk van haar opzet.
'Als je daar niet een paar kijkers mee terugwint, dan weet ik het niet meer. Goed gedaan.'

'Ook ben ik van plan het programma meer te promoten. Vanaf morgen hebben we elk uur een promo op de radio en morgenavond zenden we ook reclame uit op de tv. Ik heb naar de kranten 'gelekt' dat we Colin Quinn hebben en een paar journalisten hebben beloofd daar zaterdag iets over te zeggen en om het programma tot 'tip van de dag' te maken.
'Geweldig. En nog iets, ik waardeer het bijzonder dat je dit wilt doen en we zullen zien hoe we onze waardering kunnen uitdrukken in de vorm van een of andere bonus.' Hij stond op en liep met haar mee tot de deur. 'Overigens spreek ik Tom vanavond thuis en dan zeg ik hem dat je onze volledige steun hebt. Dat ik uitvoerend producer ben, zal hem gedeisd houden, maar het is jouw project nu totdat we weten hoe het verder met Alan gaat, dus ga ervoor en aarzel niet om dingen met me door te nemen als je ergens nog een mening over wilt horen.'
Het was halfzeven toen Lindsay naar buiten liep en ze voelde zich beduusd, maar voor het eerst in dagen had ze iets om naar uit te kijken en ze vond dat dit precies was wat ze nodig had als afleiding voor haar problemen. Ze ging terug naar kantoor, werkte nog een uurtje door en hield het vervolgens voor gezien. Ze voelde zich eenzaam en zou maar wat graag Chris het hele verhaal vertellen. Dit was een grote kans voor haar carrière en ze had niemand om het te delen. Maar ze weigerde zich hierdoor te laten ontmoedigen, pakte haar tas in en ging naar huis. Op de parkeerplaats kwam ze Michael Russell tegen.
'Hé, da's lang geleden.' Hij deed nog steeds een beetje verlegen tegen haar wegens Tara. 'Je lijkt een beetje verdwaald. Gaat het wel goed met je?'
'Jawel, prima. Het is alleen een zware dag geweest.'
'O, ik ben net op weg om Tara op te halen en haar te trakteren op een pizza en een glas wijn. Heb je zin om mee te gaan, zodat je ons er alles over kunt vertellen?'
'O, nee, dank je wel. Ik kan niet. Ik ben een gezelschap van niks vandaag.'
'Toch lijkt het me heerlijk om eens met je te praten, en op al onze afspraakjes blijft Tara maar zeggen hoe geweldig je bent,' grinnikte hij, 'dus wat let je?'
'Ik weet niet...'

Hij voelde dat er iets niet goed was en greep zijn kans.
'Kom, laat je auto hier staan en ga met me mee. We zetten je thuis af. Kan je tenminste wat drinken. Stap in, mijn auto staat daar.'
Voor ze besefte wat ze deed, zat ze in de auto op weg naar Tara, die blij verrast was om haar vriendin te zien. 'Ik heb twee berichtjes voor je ingesproken vandaag. Is er soms iets met je mobieltje aan de hand?'
'Hij neemt geen berichten meer op of zo, ik weet het niet.'
'Wat is er? Je kijkt zo bedrukt.'
'Dat zal ik je bij een glas wijn vertellen, als je tenminste kunt luisteren naar wat ik vandaag heb meegemaakt.'
'Natuurlijk. Chauffeur, breng ons naar het restaurant.'
Achteraf bleek deze avond precies wat ze nodig had. Alweer werd ze door haar vrienden gered. Michael floot even toen hij hoorde dat ze bij het Hoofd Programmering was geweest.
'Wauw, Lindsay, dat is geweldig. Maar het gaat wel erg snel en vergeet niet dat het juist tegen je kan werken als je dit niet redt. Gebruik Jonathan dus en spreek alles met hem door waar je niet zeker over bent. Op die manier moet hij wel enige verantwoordelijkheid nemen. Laat hem niet met rust, want als alles goed gaat, kun je er zeker van zijn dat hij een deel van de eer zal opstrijken.'
'Ja, dat weet ik, dank je wel.'
'En nog iets, je kunt altijd bij me aankloppen voor een tweede mening. En ik vind dat je het tot nu toe geweldig doet. Gefeliciteerd.'
Lindsay glimlachte en veranderde van onderwerp, meer ontspannen dan ze de hele dag was geweest. Tara vertelde haar dat ze een weekend naar Praag gingen en Lindsay noemde hen plagend twee tortelduifjes, waarop ze bloosden en grinnikten. Ze kon zien dat ze gelukkig waren.
'Hoe gaat het met Chris?'
Lindsay was hierop voorbereid.
'Ik heb hem al een tijd niet meer gezien. Hij zit in Parijs. Ik heb hem wel even gesproken, het gaat goed met hem.' Dit was niet gelogen, troostte ze zichzelf. Ze was er nog niet aan toe om het hun te vertellen.
Rond middernacht zetten ze haar thuis af en ze besefte dat ze een beetje dronken was, net als Tara. Ze giechelden en Michael vond

hen heel geestig. Ze was blij dat ze met hen was meegegaan. Ze nam haar post door en viel op bed neer, in elk geval blij dat Paul het blijkbaar had opgegeven haar te bellen of te schrijven.

31

Op donderdag zaten ze zowat in een crisis. Lindsay was druk bezig met de verslagen en vragen van het redactieteam, ze wilde alles perfect voorbereiden voor Tom Watts, die aanzienlijk was gekalmeerd sinds zijn gesprek met Jonathan Myers. Hij werd zelfs nog rustiger nadat Lindsay met hem het draaiboek had doorgenomen. Hij was verrukt over de komst van Colin Quinn, de man die Lindsay nu bijna op de rand van haar eerste zenuwinzinking bracht.

Alice had Lindsay verteld dat zijn agente niet meer terugbelde – altijd een slecht teken. 'Ik wil zijn vlucht bevestigen en weten of ik een hotel voor hem moet boeken, maar ze werd heel vaag en sinds vanmiddag reageert ze niet meer op mijn berichten.'

'Wat denk je dat er aan de hand is?'

'Hij draait op dit moment een film aan de Mexicaanse grens en ze houden hem strak aan het lijntje. Ik vrees dat ze niet op tijd klaar zullen zijn en dat hij daardoor misschien zijn overstapvlucht mist en hier niet op tijd kan zijn.'

'Wil je dat ik zijn agente nog eens bel?'

'Ja, als je dat zou willen doen. Dank je wel.'

Licht trillend draaide Lindsay het nummer, want ze wist dat agenten uit New York weinig tijd hadden voor kleine Europese talkshows, vooral als die buiten Londen werden opgenomen en niet van de BBC waren. Deze agente was echter heel aardig en Lindsay mocht haar meteen.

'Hallo, Lindsay, fijn dat ik je spreek. Hoe is het weer in Ierland?'

'Heerlijk, een perfect weekend voor een Ier om thuis te komen.'

Lindsay kwam meteen terzake. 'Ik vroeg me af of we iets voor hem konden doen, of ik voor hem bepaalde mensen kan uitnodigen om bij de show aanwezig te zijn, of hij nog speciale ver-

zoeken heeft voor zijn kleedkamer, enzovoort?'
'Nee, om eerlijk te zijn maakt de filmmaatschappij het me heel moeilijk, en dat heeft nu mijn prioriteit. Mijn andere zorg zijn zijn ouders. Hij probeert ze te bereiken, maar hij werkt op een afgelegen plek en daar dreigt een storm. Ik weet dat hij heel graag zo lang mogelijk bij hen wil zijn, maar ik krijg ze niet te pakken dus ik weet niet eens of ze wel weten dat hij komt.'
'Kan ik iets voor je doen? Ik zou ze kunnen bellen en ze hoe dan ook als onze gasten kunnen uitnodigen, ik kan een auto voor ze regelen die ze ophaalt, wat dan ook.'
Shirley, de agente, trapte er niet in.
'Lindsay, ik weet dat je hem heel graag te gast wilt hebben en ik zal doen wat ik kan, maar ik ben bang dat ik je zijn Ierse privénummer niet mag geven.'
Leuk geprobeerd, Lindsay, dacht ze bij zichzelf; ergens had ze gehoopt dat ze met zijn vader of moeder kon spreken om vanaf die kant de druk wat op te voeren.
'Weet je wat, ik zal ze vanavond waarschijnlijk wel spreken en dan geef ik hun jouw nummer, als dat mag, voor het geval ze kaartjes of iets dergelijks willen, want het zal hoe dan ook niet makkelijk zijn om Colin daar op tijd te krijgen.'
'Als je dat zou willen doen, graag; en laat het me weten als ik ergens mee kan helpen. Geef ze ook het nummer van mijn mobiel, en zeg dat ze me altijd kunnen bellen als ze iets nodig hebben.'

Alice en Lindsay gingen theedrinken in de keuken en trakteerden zichzelf op lasagne en chips. Lindsay kon maar de helft naar binnen krijgen, maar ze waren tenminste even bij elkaar om een plan te maken.
Ze werkten tot negen uur en gingen onderweg naar huis nog wat drinken. Lindsay kwam uitgeput om halfelf thuis en vond twee berichtjes van Alan. Ze trok haar badjas aan, kalmeerde een dolle Charlie en ging toen zitten om terug te bellen. Ze praatten ongeveer een halfuur. Hij lag nog in het ziekenhuis, maar hoopte de volgende ochtend naar huis te kunnen. Ze hadden niets gevonden, maar pas over tien dagen zouden ze de uitslagen binnenkrijgen. Hij moest rust houden. Ze verzekerde hem dat alles goed was, vertelde over haar gesprek met Jonathan Myers en sprak met

hem af dat ze de volgende dag weer even met hem zou praten. Daarna belde ze Debbie.

'Hé, babe, wat is er aan de hand? Waarom mijd je me?'

'Dat doe ik helemaal niet, het is gewoon razend druk.' Lindsay vertelde over het programma en Debbie was echt onder de indruk.

'Jij in een leidinggevende functie, jeetje zeg, wat goed. Wat staat er op de aftiteling? Producer?'

'Daar heb ik nog niet over nagedacht, ik ben geen producer dus zo mag ik mezelf niet noemen. Bovendien zou ik me er onder producers niet geliefd mee maken. Eerlijk gezegd maakt het me niets uit, ik wil gewoon bewijzen dat ik het kan.' Plotseling ging haar mobiel, dus hing ze op met de belofte om zondag met Debbie te ontbijten, als het allemaal achter de rug zou zijn.

De beller bleek de vader van Colin Quinn en Lindsay was verrukt.

'Dag mevrouw. Shirley vroeg of ik u wilde bellen. Ik vroeg me af of ik misschien vier kaartjes kon krijgen voor de show van aanstaande zaterdag.' Hij klonk zeer charmant zonder een zweempje dikdoenerij.

'Maar natuurlijk. Geef me uw namen door zodat ik ervoor kan zorgen dat u wordt afgehaald en er verder voor u wordt gezorgd.'

'Eh, ik dus en mijn vrouw en verder, we hebben er een munt voor moeten opgooien, omdat we geen besluit konden nemen wie we van onze vrienden moesten meenemen, maar we besloten mijn zus en haar man mee te nemen, Anne en Tom Tierney, want Colin is heel erg dol op hen. Is vier te veel gevraagd?'

'Nee, u mag zoveel mensen meenemen als u wilt,' zei Lindsay eenvoudig.

Hij leek er ondersteboven van. 'We mogen dus ook met zijn zessen komen?'

'Natuurlijk.'

'Maar ik weet dat die kaartjes goud waard zijn en ik wil niet hebberig zijn.'

'Het is geen probleem, echt niet.'

'En als hij het niet haalt, moeten we dan de kaartjes teruggeven? Mijn vrouw is namelijk dol op Tom Watts, ze ziet hem nog liever dan onze Colin.' Lindsay schoot in de lach. Typische moeder.

'Natuurlijk niet. We nodigen u graag uit, of uw zoon het haalt of niet. Wilt u straks opgehaald worden met de limo, zodat u zich kunt ontspannen en wat kunt drinken voor de show begint?'
Hij leek verbijsterd dat iemand zo aardig voor hem was, en zegde toe dat hij Lindsay de volgende dag zou terugbellen om alles te bevestigen. Ze wilde niet naar zijn privénummer vragen na wat Shirley had gezegd.

De volgende ochtend sleepte Lindsay zichzelf uit bed en naar de douche. Ze was om halfnegen al op kantoor. Alice had nog steeds geen vlucht kunnen boeken en begon heel nerveus te worden. Lindsay ook, vooral omdat ze alle zaterdagkranten had ingelicht over de komst van hun beroemde gast. Ze zouden een figuur slaan als hij niet kwam opdagen en als ze het verhaal wilde terugtrekken moest ze snel zijn: de deadline van de zaterdagkranten begon te naderen. Alice begon zich af te vragen of ze niet op zoek moest naar een andere gast, maar Lindsay wist dat ze Colin Quinn hard nodig hadden. Alle radio- en tv-spotjes beloofden het 'interview van het jaar' en ze moesten gewoon een grote naam brengen. Beroemdheden van het tweede garnituur volstonden nu echt niet. Bovendien zag Tom echt uit naar dit interview, en ze moest er niet aan denken hem het slechte nieuws te brengen. Dus hield Lindsay nog haar mond. Het had geen zin hem onnodig bang te maken, zei ze in zichzelf. Toch was het al vrijdag tegen lunchtijd en ze hadden nog geen bevestiging.
Net toen ze voor de zoveelste keer zijn agente wilde bellen, ging Lindsays mobieltje af. Het was meneer Quinn.
'Mevrouw Davidson, ik dacht, ik bel nog even. We nemen graag uw aanbod aan voor een lift. Mijn vrouw heeft er echt zin in.'
'Geweldig, ik vind het leuk u te ontmoeten en vertel uw vrouw dat Tom haar na de show graag wil spreken.'
'Ik ben bang dat dat te veel opwinding voor haar is op dit moment. Ik moet ook nog met haar leven, begrijpt u.' Meneer Quinn lachte.
'O ja, Colin liet een boodschap achter toen we in de kerk zaten om te zeggen dat we ons geen zorgen hoefden te maken en dat hij echt naar huis kwam. Hij wilde dat mam voor de lunch van

zondag zijn favoriete gerecht, rosbief, maakte, en een appeltaart. Dus morgenavond wordt voor ons heel bijzonder en ik weet zeker dat uw kijkers van hem zullen genieten. Het is een schat van een jongen.'
'Dat denk ik ook en bedankt voor uw telefoontje. Ik zie ernaar uit u morgenavond te ontvangen.'
Lindsay hing op en stompte in de lucht. 'Yes!' lachte ze naar Alice, 'we hebben hem.'

Jonathan Myers kwam onverwacht die middag laat op bezoek en op de redactie zinderde het van de activiteiten. Lindsay had een hele stapel administratieve zaken af te handelen, de redactieleden controleerden nog een keer hun verhaal en Tom Watts zat met zijn voeten op zijn bureau alles over Colin Quinn te lezen.
'Ik kom alleen maar even kijken of alles goed gaat voor morgenavond.' Hij stapte op Lindsay af, maar werd onmiddellijk door Tom Watts onderschept.
'Geweldig. We hebben alles onder controle. Het wordt een fantastische aflevering. Zin in koffie?'
'Ik heb een redactievergadering over tien minuten, dus dank je wel, maar misschien wip ik morgenavond na de uitzending even binnen, dus dan kun je me een biertje aanbieden.'
'Natuurlijk, leuk.'
'Lindsay, alles goed daar?'
'Ja, dank je wel, we zijn hard aan het werk. Ik zie ernaar uit om zondagochtend wakker te worden om het allemaal nog eens in mijn pyjama te zien.'
'Wat ben je toch een masochiste. Bel me gerust thuis als er problemen zijn. Succes.'
Lindsay dacht niet dat ze zijn hulp nodig zou hebben. Shirley had net de vlucht bevestigd voor Colin Quinn en als er geen aardbeving tussenkwam, zou het wel goed komen.

32

Meteen nadat ze zaterdagochtend wakker werd, sprong ze uit bed, trok haar gemakkelijke kleren aan en ging de kranten halen, blij dat ze weer wat om handen had en daardoor haar zorgen kon verdringen. Het programma werd inderdaad hier en daar genoemd, en in de twee belangrijkste kranten werd het de 'tip van de dag', wat de kijkcijfers zeker zou opkrikken.
Ze liet Charlie uit en dacht daarbij aan Chris. Ze wist dat ze half en half op een bericht van hem zat te wachten. Hij kon toch zeker niet alles laten zoals het was? Ze miste hem zo. Plotseling begon ze te denken aan hoe het zou kunnen zijn en liep ze met een droef kijkende hond nog geen halfuurtje later weer haar tuin in.
Zonder te ontbijten nam ze een douche en trok haar zachte donkergrijze broek van DKNY aan, haar hippe witte T-shirt en bleekgrijze kasjmier wikkelvestje. Het had haar een fortuin gekost, maar het was zacht, zat mooi strak en deed haar taille en boezem goed uitkomen.
Ze maakte zich zorgvuldig op, ze wilde er jong uitzien, maar ook als een leidinggevende, en op het laatst besloot ze toch haar haren te laten föhnen door de kapper op weg naar haar werk.
Ze kocht een paar gezonde snacks en wat vruchtensap voor het geval ze niet kon lunchen en kwam als eerste op kantoor aan, ruim twee uur voor de repetities, voor het geval er op het laatste moment paniek uitbrak.
De dag ging vrijwel rimpelloos voorbij, waarbij de latino hartenbreker iedereen amuseerde tijdens de geluidscheck – vooral de vrouwen. Hij zag er bijna te goed uit met zijn gitzwarte ogen en eindeloos lange benen die gehuld waren in een met verf bewerkte leren broek die niets aan de verbeelding overliet. Hij glimlachte en plaagde en liet er bij Lindsay geen twijfel over bestaan dat zijn optreden die avond een succes zou worden. Ze hadden het publiek aangevuld met tienermeisjes, allemaal zorgvuldig geselecteerde fans, dus hij zou vast een uitbundig Iers welkom krijgen, hoopte Lindsay.
De dag vloog om. Alan belde en wenste haar succes en zei het maar raar te vinden om op zaterdagavond thuis voor de buis te

zitten. Hij had het eindelijk aan zijn vriendin verteld, dus die was gelukkig bij hem.
'Nou, ik hoop dat je trots op ons bent terwijl je kijkt.' Lindsay wist dat hij het draaiboek al geweldig vond. 'Ik moet gaan, Tom komt eraan.'

'En, welke rampen zijn ons overkomen?' vroeg Tom Watts toen hij de studio binnen liep.
'Tot nog toe geen.' Lindsay zocht naar hout om het af te kloppen.
'Is Colin Quinn inmiddels in het land?'
'Nog niets over gehoord, al hun mobieltjes staan uit. Maar geen nieuws is goed nieuws.'
'Wat doen we als zijn vlucht vertraging heeft?'
'Ik heb een discussie-item bij de hand, de notities liggen op je bureau naast het aangepaste draaiboek, voor het geval dat. Maar ik denk niet dat je het nodig zult hebben. We zouden het inmiddels wel gehoord hebben als hij zijn vlucht niet had gehaald vanuit de States, en alle vluchten vanuit Londen zijn op tijd, dus hij moet hier rond halfacht zijn.'
'Ik hoop maar dat je gelijk hebt.' Hij liep weg naar de kleedkamer, terwijl Lindsay een schietgebedje deed.
Meneer en mevrouw Quinn kwamen vlak voor acht uur met hun vrienden aan en Lindsay begroette hen warm en bracht hen naar de ontvangkamer.
'Is onze zoon al gearriveerd?' vroeg meneer Quinn.
'Nog niet,' zei Lindsay iets te luchtig.
'Is Tom Watts hier?' wilde mevrouw Quinn weten.
'Ja, hij repeteert in de studio, maar hij wil u graag na de uitzending ontmoeten.' Lindsay wist dat Tom nu niet gestoord wilde worden. Na de uitzending kon hij, mits alles goed was gegaan, uiterst charmant zijn.
De uitzending begon, al was Colin Quinn nog niet gearriveerd, wat niet vreemd was, omdat hij het laatste onderdeel was van het programma en pas rond halfelf moest verschijnen. Maar toch: Alice was in paniek en Lindsay bijna ook, al probeerde ze uiterlijk kalm te blijven.
'Geef hem nog vijftien minuten, dan bellen we de gast voor nood-

gevallen. Verdomme, waarom zetten ze hun gsm niet aan?' vroeg Lindsay zich gefrustreerd af. 'Probeer jij nog eens te bellen, dan zwerf ik ondertussen rond tussen de studio en de receptiebalie.'

Ze openden met de latino Don Juan en hij sloeg in als een bom. Het publiek, vrouwen van alle leeftijden, was laaiend enthousiast over zijn optreden en bestormde hem zo ongeveer na afloop, waardoor het bijna mis ging bij de beveiliging, om over de cameraploeg maar te zwijgen, die met moeite opnamen konden maken. Gelukkig wist Tom iedereen te kalmeren en toen niet iedereen naar zijn plaats terugging, dreigde hij het onderwerp van hun verlangen niet te interviewen.

Hij was uitermate charmant en sprak Engels met een zwaar accent, wat hem nog schattiger maakte, hoewel Alice haar vertelde dat zijn accent lang niet zo sterk was toen ze hem voor het eerst sprak.

'Waarschijnlijk komt hij oorspronkelijk gewoon uit Blackpool,' lachte Lindsay gelukzalig.

Het interview verliep fantastisch, werd telkens als hij sprak begeleid door het gegil van fans. Hij gaf steeds dubbelzinniger antwoorden en maakte het publiek gek.

'Ze zijn binnen.' Alice stond ineens naast haar. 'Ze komen net uit de limousine gestapt. Ik moet hier blijven om ervoor te zorgen dat Romeo zonder kleerscheuren de studio kan verlaten. Wil jij ze oppikken?'

'Natuurlijk, laat het me weten als er problemen zijn. Ik verlaat niet graag de studio, maar ik moet deze man met eigen ogen zien voordat ik rust heb.'

Lindsay stormde naar de receptie waar de hostess inmiddels de jassen aannam. De filmster was nergens te bekennen, wat haar verontrustte. Een lange blonde dame leek de leiding te hebben en ze waren met zeven of acht mensen druk bezig met iets vaags dat haar ontging.

'Hallo, ik ben Lindsay Davidson. Ik heb vandaag de leiding over het programma.' Ze gaf de lange blonde vrouw een hand.

'Hallo, Lindsay, leuk je te ontmoeten. Ik ben Shirley. Ik waarschuwde je dat het niet gemakkelijk zou zijn, maar we zijn er.'

'Fantastisch.' Waar was hij in godsnaam? Lindsay keek glimlachend om zich heen, maar zag hem nog steeds niet.
'We gaan meteen door naar de kleedkamer, zodat Colin zich even kan ontspannen.'
'Natuurlijk.' Ze wist niet wat ze moest zeggen en bracht hen zwijgend naar de kleedkamer. Toen ze de beveiligde ingang openhield om iedereen door te laten, zag ze iemand die vaag op hem leek, ongemakkelijk achter het gezelschap aan drentelend.
Nee, dat kon hem niet zijn, besloot ze toen hij haar met een gebaar voor liet gaan.
Maar het moest hem wel zijn. Er was niemand anders.
Lindsay kon het niet geloven. Op het doek leek hij veel groter en breder en was hij een indrukwekkende verschijning. In het echt was hij kleiner, hooguit een paar centimeter langer dan zij, en hij was dunner. Zijn blonde haar was heel kort geknipt, alleen zijn ogen herinnerden aan zijn look op het witte doek.
Nee, dit was hem niet, besloot ze.
Hij lachte verlegen naar haar toen ze naast het gezelschap stond te wachten tot hij door de beveiliging was gekomen. 'Dank je wel,' zei hij terwijl ze de deur openhield.
'Graag gedaan.' Ze wist het nog niet zeker.
'Weet je wat, Shirley, ik ga meteen naar de make-up, dan kan ik me omkleden en ontspannen.' Zelfs zijn stem klonk anders, rustiger. Maar hij moest het wel zijn, dat kon niet anders.
'Ik breng je er wel heen.' Lindsay was er nog steeds niet van overtuigd of hij wel de juiste man was, totdat ze in de make-upkamer kwam.
'Colin, hallo. Wat leuk om je weer te zien.' Sara, hoofd van de afdeling make-up, was meteen opgestaan, een groepje jonge assistenten nieuwsgierig achter haar aan.
'Hoe gaat het, Sara, je ziet er goed uit.' Hij onthoudt dus ook namen. Lindsay was onder de indruk. Hij lachte en omhelsde Sara, en Lindsay keek verbijsterd toe hoe zes volwassen vrouwen bezig waren het gezicht van één man op te maken. Zijn twee bodyguards keken hulpeloos toe. Lindsay vloog terug naar de studio en botste bijna tegen Alice op.
'Alles goed?'
'Ja, we zitten nu in een reclamebreak en Romeo zit in de arties-

tenfoyer bier te zuipen en zoekt een 'hete Ierse stoeipoes'. Ze lagen dubbel.
'Nou, dat is nog niet alles. Ik heb net Colin Quinn bij de make-up achtergelaten en je herkent hem alleen maar aan de vele vrouwen die zich om hem verdringen. Hij ziet er totaal anders uit, helemaal niet de hartenbreker die hij op het scherm lijkt. Hij is miezerig en mager. Nee, dat is niet eerlijk, hij is klein en slank.'
Alice gierde van de lach. 'Nou, als hij maar kan praten, dan maakt het mij niet uit hoe hij eruitziet. Misschien is hij aan het verpieteren, kwijnt hij weg vanwege de dood van zijn vrouw.' Ze keek er sentimenteel bij. 'Kom, jij moet gaan. Tom zit op je te wachten. Ik neem het over.'
Lindsay rende terug naar de studio. Tom had bevestiging nodig. 'Hoe gaat het?'
'Goed. Fijn dat je die menigte in bedwang wist te houden aan het begin van de uitzending. Dat had fout kunnen gaan. Geweldig interview. Colin Quinn wordt geschminkt. Hij lijkt in vorm, maar doe het rustig aan, zou ik zeggen. O ja, zijn ouders zitten in het publiek. Ik weet niet of hij dat weet, maar misschien maakt hem dat wat rustiger.'
'Nog dertig seconden voor de uitzending,' riep de floormanager om, en na een kort gesprek over het volgende item ging Lindsay stilletjes uit beeld staan terwijl de muziek in haar oren tetterde.

De televisiekok had een ego ter grootte van een meloen en het publiek was gefascineerd. Alles was nep aan hem, zijn geverfde haar, zijn oranjebruine huidskleur. Nadat hij reclame had gemaakt voor zijn nieuwe reeks programma's bracht Tom het gesprek behendig op het zestienjarige meisje dat zich volgens de kok 'op hem had gestort'. Hij was zó dom dat hij niet eens doorhad hoe ontzet het publiek reageerde op zijn gebrek aan respect voor vrouwen, en toen er boegeroep klonk, keek hij verbaasd op. Tom kon hem tegelijkertijd prikkelen en vleien en voerde de spanning op. Dat leverde goede televisie op.
Het programma vloog hierna voorbij en plotseling waren ze aangekomen bij het muziekonderwerp voordat Colin Quinn moest opkomen. Lindsay zag de filmster achter de coulissen alleen staan

wachten. Ze wist niet of ze op hem af moest stappen, maar hij zag er wat verloren uit.
'Kan ik iets voor je doen?'
Hij schudde van nee en ze wilde al wegschuifelen toen ze hem zacht hoorde zeggen: 'Ik kan niet zeggen dat ik er naar uitzie, maar als het voorbij is, zal het wel weer gaan.' Die verlegen glimlach was terug. 'Je gelooft het misschien niet, maar ik heb een hekel aan al die persoonlijke publiciteit.'
'Waarom ging je er dan mee akkoord?'
'Het is contractueel vastgelegd met de filmmaatschappij. Ze willen publiciteit voor hun product. Helaas willen de mensen die hun die publiciteit geven, alles weten over je privéleven. Normaal gesproken heb ik niet zoveel over mezelf te melden, maar nu, omdat ik uit de publiciteit ben geweest, weten ze dat er een verhaal achter zit.'
'Dat moet zwaar voor je zijn.'
'Ja, maar als ik dan toch een groot interview moet geven, doe ik dat liever in mijn eigen land, waar de mensen tenminste echt om me geven. Ik kreeg duizenden kaarten en brieven uit Ierland toen...' Plotseling zweeg hij.
Ze stonden stil bij elkaar toen het applaus wegstierf en de stem van Tom Watts door de speakers klonk. 'Over mijn volgende gast hoef ik niet veel te zeggen, want hij is zonder meer het meest succesrijke exportproduct van ons land en breekt door als internationale filmster. Maar na een ingrijpend persoonlijk drama vermoed ik dat hij het zou waarderen als we lieten merken hoezeer we hem hebben gemist. Dames en heren, geef hem een hartelijk applaus, Colin Quinn.'
'Succes.'
'Dank je wel.' Hij gaf haar een melancholische glimlach en liep snel naar de lampen; op de monitor zag ze hem breed glimlachen toen hij naar Tom liep en zijn hand schudde.
Het publiek was razend enthousiast toen hij opkwam en gaf hem een staande ovatie. Hij leek er beduusd van, ontroerd en een beetje gegeneerd. Lindsay keek naar zijn ouders en zag dat zijn moeder bijna moest huilen, terwijl ze luid applaudisserend haar gevoelens verborg. Ze moest zelf ook bijna huilen. Het was een emotioneel moment.

Het interview was meeslepend. Het was duidelijk dat de mannen elkaar kenden en mochten; eerst maakten ze lachend wat grappen, totdat Tom de vraag stelde waar iedereen op zat te wachten.
'Bijna twee jaar geleden nu heb je je vrouw verloren en sindsdien ben je al die tijd uit het land geweest wegens je werk en ik weet dat je nu voor het eerst thuis bent sinds het gebeurde. Hoe gaat het nu en hoe gaat het met je kinderen?'
Colin Quinn pauzeerde even. 'Eh, momenteel wel goed, het gaat zelfs prima, maar ik moet zeggen dat ik de moeilijkste vier jaar van mijn leven achter de rug heb.'
'Kort na de geboorte van je dochters bleek je vrouw kanker te hebben.'
'Dat klopt.' Hij slaakte een diepe zucht en iedereen kon zien dat hij er nog onder leed. 'Vier jaar geleden kregen we een tweeling en Megan herstelde niet zo goed als we hadden verwacht. We weten het aan de moeilijke bevalling en aan de vermoeidheid en stress die een tweeling oplevert, maar na een maand of zes werd de diagnose leukemie gesteld. Het was het ergste moment in ons leven. Ze vocht zolang ze kon, zodat ze haar kinderen kon zien lopen en horen praten, en kleine meisjes zien worden.' Hij fluisterde nu bijna. 'Ze stierf op hun tweede verjaardag.'
Hij keek zeer gespannen terwijl hij sprak. Hier en daar werd in het publiek een traantje weggepinkt. Tom en Lindsay hadden besproken wat ze zouden doen als het interview in dit stadium was aanbeland; ze wilden graag de spanning vasthouden, maar niet te ver gaan.
'Hoe gaat het nu met de kinderen?'
'Ik kan niet anders zeggen dan: fantastisch.' Hij glimlachte aarzelend en leek zich te ontspannen. 'Ze zijn het beste wat me in mijn leven is overkomen. Dankzij hen heb ik de kracht gevonden verder te gaan, hoe afgezaagd dat ook klinkt. Ze zijn vrolijk en kletsen de hele dag en inmiddels zijn het echt kleine vrouwtjes geworden. Ze hebben die twee kostbare jaren met hun moeder gehad, en nog steeds praten ze de hele tijd over haar. Ze wensen haar elke avond goedenacht en zeggen dat ze haar erg missen.'
Heel even leek zijn stem over te slaan, het publiek daarentegen kon de tranen niet tegenhouden. Hij zag er zo eenzaam en alleen

uit dat Lindsay hem wilde knuffelen, net als alle andere vrouwen die keken, vermoedde ze.
'Over moeders gesproken, heb je je ouders al in het publiek zien zitten?'
'Ga weg, waar?' Hij zocht de gezichten af totdat hij zijn ouders zag. 'Jezus, mam, jij komt ook overal binnen,' riep hij met zijn beste Dublin-accent, waarop de stemming veranderde en het publiek begon te lachen. Plotseling stond hij op en rende hij naar het publiek, waar hij zijn moeder omarmde en haar een zoen gaf. Het was een bijzonder moment, vastgelegd door zeven camera's die het beste shot wilden maken van moeder en zoon.

33

Toen de eindtune had geklonken ging Lindsays mobiel af, die ze net had aangezet.
Het was Alan Morland.
'Een ontzettend goede aflevering. Colin Quinn was geweldig, het beste interview dat ik hem ooit heb zien geven.'
'Ja, Tom deed het heel goed met hem.' Lindsay was verrukt.
'Ja, maar hij hield zich in en je kon zien dat hij een plan had. Ik vermoed daar jouw invloed achter.'
'Hooguit een beetje.'
'Trouwens, ik stond op de aftiteling, hoezo dat? Ik heb aan het hele programma niet meegewerkt.'
'Je bent nog steeds de uitvoerend producer, ik heb Jonathan Myers ook op de aftiteling gezet. Voor de rest is er niets aan veranderd.'
'Lindsay, jíj hebt deze aflevering geproduceerd.'
'Technisch gesproken wel. Maar ik ben nog steeds assistent-producer en ik ben daar heel tevreden mee.'
'Dank je wel. Je hebt nog wat van me tegoed.'
'Graag gedaan. We spreken elkaar maandag. Ga nu maar weer naar bed.'

De sfeer in de artiestenfoyer was geweldig; iedereen wist dat het fantastisch was gegaan. Lindsay sprak kort met Tom, die haar voorstelde aan zijn nieuwste vangst, Danielle – een negentienjarige danseres met knalrood haar, die nu in een van die kolossale Ierse dansmusicals stond die op dat moment de wereld veroverden.

'Zij heeft zo te zien wel met meer mannen gedanst. Traditionele Ierse dans, mijn reet,' knipoogde Geoff naar Lindsay toen hij 'goed gedaan' kwam zeggen.

Jonathan Myers verscheen en gaf Lindsay een stevige hand.

'Geweldige show, goed gedaan. Colin Quinn was subliem.'

'Dank je wel. Kom mee, dan stel ik je aan hem voor.'

Colin Quinn werd omringd door fans en probeerde nog steeds de artiestenfoyer binnen te komen, op de huid gezeten door het halve publiek. De beveiliging moest die avond duidelijk hard werken voor hun geld. Lindsay stelde de twee mannen aan elkaar voor en liet hen verder alleen.

'Komen vader en moeder ook hier naartoe?' wilde Colin nog weten toen ze wegliep.

'Jazeker, en je tante Annie en oom Tom ook, en nog meer familieleden, die nu overal handtekeningen staan uit te delen.' Lindsay lachte en ging hen redden.

'Wat een prachtavond. Nog hartstikke bedankt, meisje.' Mevrouw Quinn omhelsde haar terwijl ze de artiestenfoyer doorzocht. 'O kijk eens, die heerlijke kok. Ik moet hem eens vragen naar zijn recept voor geroosterd lamsvlees met ansjovis.' De anderen keken verbijsterd toe terwijl ze een glas wijn van een voorbijkomende kelner aanpakte en recht op haar doel afliep.

'Ik waarschuw je, je moet haar bij Tom Watts wegsleuren als ze die eenmaal heeft gezien,' lachte meneer Quinn.

Mevrouw Quinn wist echter precies hoever ze kon gaan en ze ging met Lindsay en meneer Quinn in een hoekje zitten, nadat ze iedereen, inclusief haar held, gedag had gezegd. 'Er is zelfs een foto van ons gemaakt door jullie huisfotograaf.'

'Geef me uw adres, dan stuur ik u een exemplaar toe.' Lindsay glimlachte om haar enthousiasme toen Colin bij hen kwam staan. Ze stond meteen op, wilde geen indringer zijn en liet hen alleen. Later op de avond zag ze hen weer. Ze stonden er wat verloren

bij, dus ging ze op hen af. Ze vormden een geweldig paar, bruisend van energie. Colin kwam er ook weer bij staan en alweer excuseerde ze zich en vertrok. Ze stond aan de bar een broodnodig glas wijn te bestellen, toen hij naast haar kwam staan.
'Ik denk dat je mij probeert te mijden. Ik wilde je bedanken.'
'Waarvoor?' vroeg ze verbaasd.
'Omdat je op het juiste moment het juiste zei. Ik besefte niet dat ik zo nerveus was.'
'Het verbaasde me dat je daar zo alleen stond. Normaal gesproken...'
'Nee, ik wilde juist alleen zijn. Geef niemand de schuld. Maar ik was uiteindelijk toch blij met je gezelschap.'
'Het moet niet makkelijk voor je zijn geweest.'
'Nee, maar ach, het viel wel mee en weet je, ik voel me een stuk beter nu ik weer thuis ben. Dat werd tijd.'
'Blij om te horen. En bedankt dat je naar ons programma kwam. Je was voor ons een grote vangst.'
'Ik mag Tom Watts, altijd gedaan. Luister, we gaan nu ergens eten in een heel chic restaurant. Heb je zin om mee te gaan?'
'Nee, dat kan ik niet doen. Ik wil geen indringer zijn.'
'Ik zou het op prijs stellen.'
'Maar ik ken niemand.'
'Je kent mijn ouders en die raken maar niet over je uitgepraat sinds ik ze vanavond heb gesproken. Alsjeblieft?'
Ze wist niet wat ze moest zeggen. 'Goed dan.'
'Te gek, laten we gaan.'

Een halfuur later zat Lindsay naast Colin Quinn in een van Dublins meest exclusieve restaurants, samen met zijn familie, Shirley en de rest van zijn gevolg. Ze kregen ontzettend veel aandacht. Overal om hen heen liepen kelners en de eigenaar hield alles nauwgezet in de gaten. Dwars door een ruimte stampvol met mensen die maar al te graag een glimp van de ster wilden opvangen, werden ze rustig naar een speciaal gereserveerd gedeelte geloodst. De champagne vloeide rijkelijk, maar Lindsay zag dat Colin stil was en maar weinig dronk.
Daarna wilde iedereen per se naar een nachtclub. Colin liet zijn chauffeur de ouderen in het gezelschap naar huis toe brengen,

waarbij hij zijn moeder verzekerde dat hij de volgende dag om drie uur thuis zou zijn voor haar fameuze maaltijd.
Ook in de nachtclub werden ze met ontzag begroet en naar een VIP-ruimte gebracht. Lindsay was een beetje verlegen en kletste met Shirley, die veel ontspannener leek.
'Het heeft veel werk gekost om hem hier te krijgen, maar het verschil is verbazingwekkend. Hij moest erover praten en het was vooral nodig dat hij naar huis ging, naar zijn moeder.'
'Hij lijkt nog steeds heel stil.'
'Nee, hij is oké, geloof me. Ik denk dat deze avond hem goed heeft gedaan.'
Colin kwam erbij staan, terwijl Shirley de dansvloer op werd gesleurd door een ontzettend nichterige kapper, die bij het gevolg hoorde.
Lindsay wist niet wat ze moest zeggen en vroeg hem naar zijn kinderen, en meteen dacht ze dat ze het verkeerde onderwerp had aangesneden omdat hij wat bedenkelijk keek. Maar hij bleek zich goed genoeg te voelen om over hen te praten.
'Die zijn nu in New York. Ik heb een fantastische *nanny* en de afgelopen maanden is ze met de meisjes op lokatie geweest, dus ik ben zo vaak als dat maar kon bij hen geweest. Ik blijf een week in Ierland, dan heb ik drie weken vrij en gaat zij weer naar Australië, en zorg ik voltijds voor de kleintjes. Ze gaan dit jaar naar school, dus ik kan ze niet meer zo vaak meenemen. Dat betekent dat ik absoluut minder ga werken.'
'Heb je foto's?'
'Natuurlijk.' Uit zijn portefeuille haalde hij een foto van twee schattige meisjes. Ze lagen met zijn drieën in bed tv te kijken en de drie gezichten leken ongelooflijk veel op elkaar.
'Ze zijn jouw evenbeeld.'
'Dat zegt iedereen, maar ze lijken ook veel op hun moeder, vooral op deze foto.' Ze waren schattig in hun rode winterjasjes en met hun hoedjes op, een en al krulletjes en strikjes, spelend in de sneeuw.'
'Je moet wel trots op ze zijn.'
'Dat ben ik zeker.'
'Je hebt geluk dat je ze hebt.'
'Absoluut. Soms vergeet ik dat, als ik te veel zelfmedelijden heb.'

Hij lachte en voor het eerst begreep ze dat hij filmster was. Hij had iets, met die verlegen glimlach en dat kort geknipte blonde haar, die blauwe ogen en die ruwe huid.
Ze kletsten een tijdje en plotseling was het vier uur en verlieten zij als laatsten de club.
'Ik denk dat ik maar naar huis ga,' zei Lindsay tegen niemand in het bijzonder toen ze de heldere, koude nacht in stapten.
'We zetten je wel af,' zei Colin. 'De auto staat te wachten.'
'Nee, echt niet, ik moet de andere kant op, ik neem wel een taxi.'
'Doe niet zo gek.'
'Heus, kijk, daar is een taxistandplaats.' Ze wees naar de overkant van de straat en stak over, zwaaiend naar het gezelschap dat ondertussen in een klaarstaande limousine stapte. Colin rende achter haar aan. Hij nam haar handen vast.
'Dank je wel.'
'Waarvoor?'
'Ik heb het leuk gevonden.'
'Ik ook.'
Hij boog zich voorover en trok haar naar zich toe en hield haar in zijn armen vast. Het was een vriendschappelijke knuffel en zij knuffelde hem stevig terug. Vaag zag ze ergens iets flitsen, maar er ging geen alarm bij haar af.
'Pas goed op jezelf.'
'Jij ook.' Ze sprong in een taxi en toen ze omkeek zag ze hoe hij zich bij zijn vrienden en bodyguards voegde, die oplettend op de achtergrond bleven.
Wat een leuke man, dacht ze terwijl de taxi door de lege, donkere straten reed. De nabijheid van een ander deed haar intens verlangen naar Chris en ze vroeg zich voor de zoveelste keer af waar hij kon zijn.

Het was bijna drie uur toen Lindsay haar bed inkroop, en om elf uur werd ze wakker van de deurbel. Debbie en Tara stonden klaar met hun armen vol kranten en ontbijtspullen, dacht ze door haar vermoeide ogen te kunnen zien.
'Fantastische uitzending. We willen er alles over horen.' Ze liepen langs haar heen naar de warmte van de keuken. Debbie hapte al in een warm croissantje.

'En hoe is hij in het echt? Hij zag er vrij normaal uit eigenlijk, niet zo knap als in de films,' babbelde Debbie met volle mond.
'We hebben de kranten voor je meegenomen.' Tara liet ze op de keukentafel vallen, terwijl Lindsay in haar ochtendjas verscheen en een elastiekje in haar haren wilde doen.
'O mijn god!' Tara nam een krant van de stapel.
'Wat is er?' Debbie deed snel een stap naar haar toe. 'O mijn god!'
'Wat is er?' vroeg Lindsay. Ze keken haar allebei verbijsterd aan. Ze sliep nog half toen ze de voorpagina bekeek van een van de populairste kranten. Ze staarde ernaar en het duurde even voor ze het kon bevatten. Zelfs toen ze het goed zag, kon ze haar ogen niet geloven.
Onder het kopje 'Weer verliefd?' stonden twee foto's van haar en Colin Quinn, een waarop hij haar twee handen vasthield en een waarop ze elkaar omhelsden. Het fotobijschrift luidde: '*Acteur Colin Quinn en tv-producer Lindsay Davidson verlaten diep in de nacht een club in Dublin.*'
'O mijn god.'

34

'Het wordt steeds ingewikkelder.' Twintig minuten later staarde Debbie haar vriendin verbijsterd aan, nadat deze hen alles had verteld toen haar vriendinnen zich zenuwachtig giechelend hadden afgevraagd 'wat Chris daarvan zou vinden'.
Lindsay zette sterke zwarte koffie en vertelde hen het hele verhaal. Ze konden het nauwelijks geloven.
'Chris zag jou met Paul? Jij probeerde het uit te leggen en trof hem aan met een andere vrouw? En er is niets tussen jou en Colin Quinn? Begin maar eens bij het begin.'
De rest van de ochtend probeerden ze alles op een rijtje te zetten, terwijl Lindsay onophoudelijk werd gebeld. Het leek alsof iedereen die ze kende de foto had gezien, ook haar moeder, die drie berichten had ingesproken en een verklaring eiste, en haar zus, die vroeg om het ware verhaal. Op een gegeven moment verdroeg

ze het telefoongerinkel niet meer, pakte ze de hoorn op en snauwde 'Hallo?'. Het was Paul.
'Waarom heb je me niet verteld dat je iets had met een ander?'
'Eh... Ik...'
'Denk maar niet dat het lang zal duren. Zulke mannen kunnen iedereen krijgen. Hoe lang speelt dit al?'
'Eh, nou eigenlijk...'
'Denk maar niet dat ik op je wacht. Je hebt al te veel van mijn tijd verspild.' Hij gooide de hoorn neer en liet Lindsay sprakeloos achter. Ze besloot haar vriendinnen niet nog meer in verwarring te brengen door weer een uitleg.
Ze zaten te genieten van croissantjes, bagels en muffins en dronken liters vruchtensap en koffie, terwijl ze alles nog eens doornamen.
'Waarom heb je ons niks verteld?' bleef Tara vragen, duidelijk bezorgd om Chris.
'Kon ik niet. Het spijt me. Ik was van plan het jullie te vertellen, maar ik had tijd nodig. Ik moest er eerst zelf vrede mee kunnen hebben.'
'Ik wist dat er iets was toen we gisteravond zaten te eten.' Tara vond het erg dat ze het niet eerder had beseft.
'Het spijt me dat ik je niet vaker heb gesproken de laatste tijd,' jammerde Debbie. 'Arm kind, je had al zoveel meegemaakt, en nu dit.' Lindsay kon het bijna niet meer aan.
'Moet je horen, ik heb jullie hard nodig om verder te kunnen gaan met mijn leven. Maar toen het misging met Chris, en vooral toen ik hem met die andere vrouw had gezien, besefte ik dat hij echt de enige was. Is dat niet vreemd, na al het gedoe met Paul? Maar Chris was anders. We hadden iets speciaals, we waren wat je noemt *soulmates*. Ik weet dat dit ontzettend stom klinkt, want ik ken hem nog maar pas. Maar die zondag nadat ik hem had betrapt, was ik vastbesloten om er mijn leven niet door te laten ruïneren, en dat vind ik nog steeds. Dat is de meest waardevolle les die ik van Paul heb geleerd.'
'Je moet weer contact met hem zoeken, het opnieuw proberen,' zei Tara opgetogen.
'Ach, het beetje hoop dat er misschien nog was, is na dit voorval waarschijnlijk wel vervlogen. Jezus, ik ben benieuwd wat Paul er-

van vindt. Ik hoop dat hij er kapot van is.' Debbie lachte halfhartig.
'Dat wás Paul zojuist aan de telefoon en hij was woedend.' De uitdrukking op hun gezichten was onbetaalbaar.
'Luister, het is uit met Chris. Ik wil het niet meer over hem hebben, oké? Hij zei een paar vreselijke dingen tegen me en heeft sindsdien geen contact meer opgenomen om zelfs maar antwoord op zijn vragen te krijgen. En hij heeft duidelijk een ander. Ik moet ondertussen verder met mijn leven. Dus, hebben jullie zin om met mij het programma van gisteravond nog eens te bekijken? Ik wil er fris naar kijken, misschien is er iets dat ik beter had moeten doen.'
Zo zaten ze bij elkaar en aten ze nog wat, Lindsay nog steeds in haar pyjama om drie uur 's middags op een mooie zondag. Uiteindelijk pakten ze hun vertrouwde routine op, kleedde Lindsay zich aan en gingen ze met Charlie naar Howth om langs de kliffen te wandelen. Onderweg naar huis dronken ze warme chocolademelk en om halfnegen zetten ze haar thuis af. Ze waste zich en ging meteen naar bed, uitgeput.

De volgende ochtend trok Lindsay na een trage start haar zwarte jeans aan, een wit T-shirt en haar geliefde zwarte jasje, waarna ze naar kantoor vertrok om op te ruimen en weer opnieuw te beginnen. Er hadden enkele journalisten voor haar gebeld die met haar wilden praten. Ze negeerde hen en vroeg de receptie om alle telefoontjes die ze kreeg af te wimpelen. Ze stelde haar telefoon in op voice-mail en ging aan de slag. Toen ze de kijkcijfers zag, ontspande ze een beetje. De beste cijfers van het seizoen tot nog toe. Ze waren goed begonnen en hadden het langzaam opgebouwd, zodat tegen het einde van de uitzending, bij het interview met Colin Quinn, zeventig procent van alle kijkende volwassenen naar hun programma keken en ze stonden weer in de top tien.
Bij haar e-mail zat een berichtje van Jonathan Myers, die haar feliciteerde met de kijkcijfers.
Ze belde Alan en hij was blij verrast. 'Gaat het met je? Ik, eh... zag de foto's gisteren.'
'Ja, maar het was niet wat het leek.' Ze lachte om de ironie. 'Maar

dat zeggen ze natuurlijk allemaal. Hij vroeg of ik met hem en zijn gevolg naar een restaurant wilde. We praatten. Ik nam een taxi naar huis. Hij bedankte me alleen maar omdat ik zo goed voor zijn ouders had gezorgd.'

'Ik hoop maar dat je het niet al te erg vindt, dat is alles.'

'O nee, niks aan de hand, ik spreek je morgen.'

Rond halftwee belde de receptie en riep iemand opgewonden: 'Colin Quinn is hier en wil je spreken.'

Lindsay wist niet wat ze hoorde. Wat wilde hij toch? Beroemde acteurs belden niet eens na een uitzending. Meestal kon er geen bedankje af, ze vonden altijd dat zij degenen waren die de gunst verleenden, wat meestal waar was.

Terwijl ze zichzelf vervloekte omdat ze er nog slechter uitzag dan Charlie na een regenbui, liep ze kalm naar de receptie.

'Hallo.' Vanachter de grootste bos bloemen die ze ooit had gezien keek hij haar verlegen lachend aan, terwijl de receptioniste op de achtergrond opgewonden kreetjes slaakte, in een poging haar mond dicht te houden.

'Hallo.'

'Ik wilde je alleen bedanken en mijn excuses aanbieden voor de foto's en vragen of je met me wilt lunchen.' Hij overhandigde haar de bloemen terwijl de deur openging en Chris binnenliep.

Lindsay bleef naar hem staren. Hij zag er geweldig uit in een donkergrijs wollen jasje, licht overhemd en vale zwarte jeans, een zacht leren weekendtas om zijn schouder. De receptioniste riep zijn naam, lachte en flirtte met hem en gebaarde naar een postpakketje. Hij moest nu wel de kant op waar zij stonden om het op te halen. Hij knikte afstandelijk ergens in haar richting en ze ving de frisse, schone, nog steeds vertrouwde geur van hem op, waarna ze weer vlinders in haar buik voelde.

'Gaat het?' vroeg Colin.

'O ja, en wat een prachtige bloemen, dank je wel.' Ze sprak op zachte toon, ook al was Chris meteen weer vertrokken, ver van haar vandaan, zonder haar ook maar even echt te hebben aangekeken.

'Lunch?'

'Dat hoef je echt niet te doen.'

'Ik doe het graag.'

'Goed dan, dan haal ik mijn tasje.'
'Ik wacht buiten in de auto.'
Lindsays hart voelde loodzwaar toen ze naast hem ging zitten, ook al vond ze het echt heel leuk om hem weer te zien. Hij nam haar mee naar een schattig Indiaas restaurantje en ze kletsten als twee oude vrienden.
'Ik had kunnen weten dat er een fotograaf in de buurt was. Stom van me. Ik hoop niet dat je erdoor in de problemen bent gekomen.'
Ze schudde haar hoofd.
'Geen kerel van twee meter lang die me in elkaar komt slaan?'
'Nee.'
'Dan heeft hij veel vertrouwen in je.'
'Nee, ik bedoel, er is niemand.' Plotseling vertelde ze hem alles, over Paul en Chris, en hij luisterde waardoor ze zich weer beter voelde. Ze praatten over relaties en hij probeerde de dingen te bekijken vanuit Chris' perspectief, en vond dat ze moest proberen met hem te praten en het uit te leggen. 'Mannen denken vaak zwart-wit, we analyseren de dingen niet zo uitgebreid als vrouwen dat doen, en soms zijn we een beetje dom. We moeten het een paar keer uitgelegd krijgen.'
Hij vertelde haar meer over zijn vrouw en hun relatie, dat hij wist dat ze de enige was toen ze elkaar ontmoetten, en ze benijdde hem. Ze bleven tot vijf uur praten en raakten bevriend. Ze had het gevoel alsof ze hem al jaren kende, voor een deel door alle research die ze had gepleegd, maar vooral omdat hij zo open, eerlijk en prettig in de omgang was.
Hij bracht haar naar kantoor en ze ging ermee akkoord om donderdagavond met hem te gaan eten, want zaterdagochtend vloog hij terug en vrijdag wilde hij zijn ouders mee uiteten nemen. Ze wou dat ze hem onder andere omstandigheden had ontmoet, maar misschien was het feit dat zij niet op hem uit was, de reden waarom hij zo ontspannen was bij haar. Hoe dan ook, na haar ontboezemingen dacht hij ongetwijfeld dat ze op mannengebied een ramp was en hij was duidelijk niet op zoek naar een nieuwe relatie, niet nadat hij zo over zijn vrouw had gesproken. Het maakte haar leven er tenminste niet ingewikkelder op, en dat vond ze al heel wat. Schandalige roddelpers, dat wel, dacht ze toen ze naar huis reed.

Op dinsdag werd ze op een vreemde manier aangekeken en Alice vroeg lachend of ze het dossier van Colin Quinn wilde houden als herinnering. Tom Watts was minder subtiel.
'Zo, Lindsay, vertel eens. Hoe is hij onder de lakens?' vroeg hij op de drukbezochte dinsdagochtendvergadering, net toen Jonathan Myers binnenkwam. Iedereen keek naar haar; ze was woedend op hem en vervloekte het schaamrood op haar kaken.
'Fantastisch, hou jij je vriendinnetjes maar stevig aan het lijntje, want één nacht met hem en jij bent niet meer in beeld.'
Iedereen moest lachen en Jonathan keek haar vriendelijk aan.
Er werd inmiddels aan een nieuwe aflevering gewerkt, met de ex-vrouw van een beroemde popster die haar eerste tv-interview gaf en misschien uitgebreid uit de school zou klappen. De rest van het team wilde graag indruk maken op Jonathan en er werden een paar goede ideeën gelanceerd, waaronder een van David, die een discussie wilde op het gebied van minnaressen. Hij had inmiddels drie vrouwen gevonden die bereid waren te praten, onder wie de voormalige minnares van een bekende politicus, een vrouw die vijftien jaar lang in het geheim een relatie had met een topzakenman en onlangs was gedumpt voor een 'jonger model', en iemand die beweerde dat alle lasten op de schouders van de echtgenotes rustten, en dat de minnaressen de lusten kregen, inclusief de duurste kerstcadeaus. Tom vond het idee niet goed, en Lindsay kreeg de indruk dat hij zich bedreigd voelde door zulke sterke vrouwen. Zelf vond Lindsay het een fantastisch onderwerp, dus ze maakte er een notitie van voor later in het seizoen, waarbij ze beloofde dat ze het eerst met Tom zou bespreken zodra ze met David het onderwerp meer had uitgediept.

Op dinsdag ging ze met de taxi de stad in en ontmoette ze Colin in zijn hotel. Ze bleven daar eten, zodat ze door niemand lastig werden gevallen en alweer bracht ze een ontspannen, genoeglijke avond met hem door. Er werd veel gelachen. Hij vroeg haar telefoonnummer en beloofde contact te houden, waar ze zo haar twijfels over had, gezien zijn status en levensstijl. Tot haar verrassing gaf hij haar zijn telefoonnummer en vroeg of ze dat geheim wilde houden. Hij liet haar beloven te bellen als ze wilde praten. Ze werd zelfs uitgenodigd om een paar dagen bij hem in New York te logeren, een uitnodiging waarvan ze wist dat ze die nooit zou aannemen. Ze gingen beiden weer verder, wist ze, maar hij was verrassend prettig gezelschap en kon haar laten lachen. Ze had het gevoel dat ze een nieuwe vriendschap had gesloten, maar dat werd overschaduwd door de herinnering aan een andere vriendschap die zoveel meer had kunnen zijn.

De uitzending verliep weer uitstekend die week. Jonathan belde haar onmiddellijk daarna op om te zeggen dat hij ervan had genoten. Zondagochtend zat Lindsay de roddelrubrieken in de kranten door te nemen, waarin ze vernam dat ze 'een paar avonden' had doorgebracht in het gezelschap van 'Ierlands meest begeerde vrijgezel' nadat hij haar 'onder rozen had bedolven' en haar had 'weggelokt' van haar drukke baan als producer van een van Ierlands best bekeken praatprogramma's. Volgens het bericht waren ze gesignaleerd in verschillende trendy gelegenheden in Dublin, 'terwijl ze elkaar verliefd in de ogen keken'. Lindsay verscheurde de pagina's en trok weer de telefoonkabel eruit om haar moeder te mijden, al kon ze dat bij haar vriendinnen niet maken, die haar die dag goedaardig, maar onophoudelijk plaagden.

De volgende ochtend ging meteen nadat ze uit de douche stapte de telefoon. Ze nam op, bang dat er iets aan de hand was, omdat er zo vroeg werd gebeld.

'Ik lees dat we verliefd zijn.' Een warme stem begroette haar. Tot haar verbazing herkende ze Colin. Ze kon niet geloven dat hij de moeite nam om haar te bellen en alweer maakte hij haar aan het lachen, wat haar goed deed.

35

De loodzware, lage lucht en korte grauwe winterdagen lieten ineens een waterig, maar veelbelovend lentezonnetje door, en Lindsays leven volgde nu een vast patroon.

Ze werkte twaalf uur per dag, zes dagen in de week, at slecht en sliep matig. Ter ontspanning wandelde ze met Charlie of ging ze

met haar vriendinnen wat drinken. Ze was voortdurend moe en zag er grauw en betrokken uit: zelfs haar moeder begon zich zorgen te maken, maar ze vermeed ieders pogingen om tot een gesprek te komen.
Uiteindelijk zetten haar vriendinnen haar op een avond voor het blok, toen ze onverwacht aanbelden met een maaltijd van de afhaalchinees en een paar flessen wijn.
'Je mijdt ons.' Debbie gaf haar het eten en liep doelbewust langs haar heen.
'Dat is niet waar, ik heb jullie zondag nog gezien.'
'Ja, maar we hebben al maanden niet meer een goed gesprek gehad en we maken ons zorgen over je. En trouwens, waarom zit je om halfnegen al in je badjas op zo'n mooie avond als deze?' wilde Tara weten.
'Ik kom net uit bad en ik was vanochtend al om halfacht op kantoor. Ik voel me trouwens niet zo lekker.'
'Geen wonder. Je werkt te hard en hebt te weinig lol. Je ziet er overigens verschrikkelijk uit.'
'Dank je wel.' Ze schepten op en Debbie schonk drie glazen in terwijl de andere twee op de bank gingen zitten, en gaf Charlie een paar lekkere stukjes.
'Gut, dit smaakt afschuwelijk.' Lindsay haalde haar neus op en staarde naar de grauwe hoop.
'Het komt van je favoriete chinees, alsjeblieft zeg. Wat heb je? Je lijkt wel zwanger of zo.' Debbie en Tara moesten bij het idee alleen al lachen, en binnen een fractie van een seconde zag het leven van Lindsay er voorgoed anders uit.

'Heel grappig, ik haal er even wat hapjes bij.' Lijkbleek liep ze naar de keuken, ze had tijd nodig om bij te komen.
Ze was druk bezig met niets en probeerde zich te concentreren en zich te herinneren wanneer ze voor het laatst ongesteld was geweest. Dat wist ze niet meer. Ze dacht alleen maar aan haar vermoeidheid, haar buikje, haar ietwat gezwollen, zachte borsten – al die symptomen waarover ze andere vrouwen had horen klagen.
Hou op, zei ze tegen zichzelf, ga nou niet hysterisch doen, je bent verdomme aan de pil. Het kan niet. Ze slaakte een zucht van ver-

lichting in het besef dat er een andere, logische verklaring moest zijn.
'Schiet op, *Sex and the City* is net begonnen,' riep Debbie ongeduldig.
Lindsay ging er weer bij zitten en hoorde geen woord. Ze at en dronk helemaal niets.
'Lindsay, wat is er toch? Alsjeblieft, zeg eens wat, we maken ons echt zorgen,' smeekte Tara later, in een poging haar aan de praat te krijgen.
'Eerlijk gezegd gaat het wel goed, echt waar. Ik werk alleen te hard en probeer over dingen heen te komen en waarschijnlijk zorg ik niet goed genoeg voor mezelf, maar Alan komt volgende week terug en dan neem ik een paar dagen vrij. Dan ga ik weer gezond leven en zal ik weer naar de sportschool gaan. Hou het nog even met me uit. Oké?'
Het moest een overtuigende voordracht zijn geweest, want ze leken erin te trappen en vertrokken rond elf uur met de belofte dat ze haar zouden helpen in vorm te komen.
Toen ze weg waren, bleef Lindsay in het donker zitten en probeerde ze helder na te denken, hoewel haar hart sneller begon te kloppen en ze zich misselijk voelde wanneer ze weer aan het onvoorstelbare moest denken.
Ze wist niet meer wanneer ze voor het laatst ongesteld was geweest, maar wel dat dat heel lang geleden was, want ze had al maanden geen tampons meer gekocht. Normaal gesproken was ze zo regelmatig als haar Visa-afschriften. Ze wist dat stress invloed kon hebben op de cyclus en daar had ze inderdaad genoeg van gehad. Ze had last van vermoeidheid en was prikkelbaar, maar 's ochtends niet misselijk, en bovendien nam ze de pil, die vrijwel honderd procent zekerheid bood, en die vergat ze nooit. Nooit. Ze wist nog dat ze ermee wilde stoppen na Paul, maar omdat ze altijd menstruatiepijnen had gehad, had ze besloten daar nog een paar maanden mee te wachten, omdat ze destijds nergens tegen kon, zelfs niet tegen een beetje pijn.
Rond twaalf uur erkende ze dat ze spoken zag, maar ze sliep slecht en om halfacht in de ochtend zat ze in haar auto, op zoek naar een apotheek.
In de hoop dat ze niet door de roddelpers werd achtervolgd, en

terwijl ze haar best deed de ironie van dit alles in te zien, kocht ze een test en ging naar huis, waar ze twintig minuten zat te staren naar het gesloten doosje.
Waar was ze mee bezig? Ze kon niet zwanger zijn. Dat was onmogelijk. O god, alstublieft, nee, laat het niet waar zijn, smeekte ze zwijgend. Lieve Heer, alstublieft, ik onderga alles wat op mijn pad komt, maar dit niet. Toen kalmeerde ze. Dit kon haar niet overkomen. Weer die paniek. Wat zouden ze zeggen? Ze zou zich doodschamen. Zo maalde ze verder totdat haar hoofd tolde als een centrifuge en het angstzweet haar uitbrak. Haar hart begon zo hevig te kloppen dat ze een hartaanval vreesde. Stel dat ze het was? En áls ze er zo zeker van was dat ze het niet was, waarom wilde ze het dan niet weten?
Ze gooide in een opwelling het doosje in een lade, en kwam tot de conclusie dat ze irrationeel en stom was. Ze kon gewoon niet zwanger zijn, dus ze besloot er niet meer aan te denken en ging naar haar werk.

Een uur later hield ze het niet meer uit en ging ze met een smoes terug naar huis, waar ze weer twintig minuten naar hetzelfde doosje zat te staren.
Het waren de langste, kortste twee minuten van haar leven en een van de zwaarste wachttijden die ze ooit had moeten doorstaan, en toen ze het resultaat zag, huilde ze niet, maar nam ze ferm de enige optie die voor haar openstond. Complete ontkenning.

Vonden haar vriendinnen haar gedrag de laatste tijd wat vreemd, dat was nog niets vergeleken bij hoe ze zich de week daarna gedroeg. Als een manische patiënte. Wanneer ze haar aan de lijn kregen, zat ze op kantoor en op de gekste tijden stond ze de keuken te schilderen of de tuin om te spitten, of liet ze Charlie uit tot er niets meer van hem over was. Of meed ze hen. Alweer.
Alan Morland was weer terug, flink afgevallen, maar zonder diagnose van zijn ziekte. De tests hadden niets aan het licht gebracht en hij had geen pijn meer, dus negeerde hij het advies en ging hij weer aan de slag, want hij voelde zich goed. Lindsay was blij hem weer te zien, maar vreesde toch zijn terugkeer. Hij had koffie voor haar gehaald en leek bezorgder om haar dan om zichzelf.

'Je ziet er vreselijk uit, je bent afgevallen en je ziet grauw. Ik maak me zorgen. Wat is er aan de hand?'
'Niets, echt niet, met mij gaat het goed.' Ze had er genoeg van om te horen dat ze er zo slecht uitzag.
'Waarom neem je niet een paar dagen vrij, en ga je er even lekker uit? Je hebt er nu weer tijd voor.'
'Ik zal erover nadenken. Dank je wel.'

Die avond haalde ze haar deegpers uit elkaar en zat ze op de vloer met een kom warm, troebel water, en met bloem, rijst en kruiden om haar heen toen de telefoon ging.
'Hallo daar. Wat ben je aan het doen?' Colin Quinn was aan de lijn. Ze hadden elkaar wat e-mailtjes gestuurd en ze dacht dat hij met een nieuwe film bezig was, dus ze was blij verrast om iets van hem te horen.
'Ik zit op de keukenvloer, zie eruit als een heks en ben manisch aan het poetsen.' Het had geen zin om te liegen. 'Hoe gaat het met jou? Hoe gaat het met de film?'
'Mijn tegenspeelster heeft de waterpokken, ongelooflijk. Het hele filmschema wordt omgegooid zodat we kunnen blijven filmen. Ik ben blij dat ik vrij heb, maar de kinderen logeren in Chicago bij mijn zus, dus het is eenzaam hier. Heb je zin om een paar dagen langs te komen?'
'Ik kom, haha.'
'Je klinkt een beetje down, gaat het wel goed met je?'
'Niet echt.'
'Wil je erover praten?'
'Kan ik niet, denk ik.'
'Oké, goed, ik hang nu op en laat je over een paar uur terugbellen door Shirley met de vluchtgegevens. Ik laat je overkomen naar New York en als je niet komt, vertel ik de kranten dat we gaan trouwen en denk eens aan wat dát doet met je toch al zo gecompliceerde leven.'
'Doe niet zo gek.'
'Ik hang nu op. Tot gauw.' En toen hing hij op. Alsof het niets was. Lindsay liet alles voor gezien, nam een bad en ging naar bed, en voor het eerst sinds tijden kon ze het niet aan. Ze had trek in een borrel, maar durfde niet, voor het geval dat. Ze stapte in bed en

sprong er vijf minuten later weer uit en maakte een glas warme port, gewoon om te bewijzen dat ze niet echt geloofde waaraan ze net dacht.
Om zes uur 's ochtends werd ze wakker van de telefoon.
'Hallo, Lindsay, met Shirley. Hoe gaat het?' Ze wachtte niet op een antwoord. 'Het spijt me dat ik je zo vroeg bel, maar Colin wilde graag dat ik met je praatte voordat ik naar bed zou gaan. Ik hoorde dat je op bezoek komt, dus heb ik een vlucht voor je geboekt voor morgen, twaalf uur 's middags. Kan ik je de gegevens mailen?'
'Shirley, hallo.' Ze zat rechtop en trok haar ochtendjas aan. 'Wacht, ik weet het nog niet zeker...'
'Ik mocht met nee geen genoegen nemen. De vlucht is al geboekt.'
'Het spijt me, ik kan het echt niet aannemen. Maar er is over te onderhandelen. Ik kom,' zei ze, tot haar eigen verrassing, 'maar dan boek ik zelf de vlucht. Geef me je nummer, dan bel ik je later terug.'
'Lindsay, ik krijg hier moeilijkheden mee.'
'Zeg hem dat ik een taaie ouwe Ierse ben en me niet laat omkopen.'
Zo bekvechtten ze nog een tijdje door en Lindsay hing op en sprong onder de douche, zich een stuk beter voelend.
Op kantoor vroeg ze Alan of ze op zijn aanbod mocht ingaan, wat hem verheugde. De aflevering van deze week was een special die maanden geleden al was ingepland en het was toch Alans kindje. Ze hoefde volgende week woensdag pas terug te zijn, zodat ze vier nachten en vijf volle dagen in New York kon blijven. Daarna belde ze meteen Debbie.
'Kun je voor mij een stoel regelen op een vlucht naar New York morgen, een die niet zoveel kost als een nieuwe auto?'
'Heeft deze reis soms iets te maken met een bekende Ierse acteur?'
'Iets.'
'Ja of nee.'
'Ja.'
'Geef me een halfuurtje. Dag.'
Vijf minuten later ging haar telefoon.
'Jij vliegt naar New York voor Colin Quinn?' Tara klonk geschokt.

'Niet echt. Eh, ja toch wel, maar ik moet er even uit en hij stelde het voor. Wij zijn gewoon vrienden, dus...'
'Ik ben blij voor je. Wil je mijn nieuwe Gucci-tas lenen?'
'Graag. Dank je wel.'
'Ik kom vanavond bij je langs. Ik neem waarschijnlijk Debbie mee. Dag.'

36

Ze kwam aan op zo'n typische dag in New York – helderblauwe lucht, niet te koud, veel te druk. Toen ze het vliegtuig instapte, voelde ze zich al beter. Het leek alsof ze gevangen had gezeten in het kleine wereldje van haar werk en haar huis, met dezelfde gezichten, dezelfde routine, dezelfde problemen. Het gaf haar echt een goed gevoel om het allemaal achter haar te laten – en eersteklas reizen, met dank aan Debbie, droeg zeker bij aan dat gevoel. Net als Tara's Gucci-tas en Debbies spiksplinternieuwe lange, zwarte leren jas. Ze was naar de kapper geweest en had zich de avond daarvoor op een bezoek aan de schoonheidsspecialiste getrakteerd, en voor het eerst sinds weken voelde ze zich weer mens. Met haar nieuwe Prada-zonnebril, haar golvende haar en haar leren jas zag ze eruit als een filmster, maar toch stond ze er wat verlegen en onbeholpen bij toen ze de aankomsthal binnenkwam en Colin nergens zag. Wat doe ik hier in godsnaam, vroeg ze zich voor de zoveelste keer af. Meisjes als ik krijgen geen reisjes aangeboden naar New York, zeker niet van een filmster. Ze vroeg zich af of hij zijn chauffeur had laten komen en las nerveus de naambordjes. Daar stonden namen op die veel exotischer waren dan de hare, waarschijnlijk van mensen met een veel opwindender leven.
Plotseling zag ze hem staan. In zijn jeans en spijkerjasje, met baseballpet en donkere bril op, leek hij meer op een bouwvakker dan op een filmster. Hij lachte verlegen en omhelsde haar.
'Jij bent een koppige ouwe Ierse.'
'En jij bent een enorme draaikont, om te denken dat je mij kunt

omkopen.' Ze lachten en gingen meteen op een gemoedelijke manier met elkaar om. Ze was blij dat ze gekomen was.
Zijn auto leek op een luxe pick-up, maar bleek de meest trendy gezinsauto in de stad.
'Hoort allemaal bij de status van alleenstaande vader van twee meisjes die gek zijn op Barbie,' legde hij uit. 'Voor alle kleren, auto's, huizen en paarden – van hen, niet van mij – heb ik eigenlijk een trailer nodig.'
Zijn appartement was een van de meest indrukwekkende woningen die ze ooit had bezocht, een hemelsbreed verschil met haar eigen kleine huisje. Het appartement had twee verdiepingen, de bovenste was het woongedeelte en had een spectaculair uitzicht – de skyline van New York, zo perfect als een achtergronddecor – en een terras ter grootte van een voetbalstadion. Buiten heerste een mediterrane sfeer met enorme varens, oude, geglazuurde potten, comfortabele stoelen, gietijzer en luiken. Op het bovenste terras lag een indrukwekkende daktuin met een grote verscheidenheid aan tropische planten, geurende kruiden en zelfs groenten en een oude, veelgebruikte Victoriaanse plantenkas. Er stond een eethoek op het terras, onder een fris groen bladerdak dat zelfs in deze tijd van het jaar nog heerlijk rook. In antieke kandelaars stonden dikke kaarsen; ze kon zich het tafereel hier bij zonsondergang wel voorstellen. De woonkamer binnen was licht, met lambriseringen van blank hout en met grote, zachte banken, verbleekte vloerkleden en prachtige schilderijen. De keuken was van alle gemakken voorzien, strak en glanzend, met veel roestvrij staal en koud, zwart graniet.
Lindsay was niet eens zeker of ze wel bij hém zou logeren, maar hij bracht haar naar een warm oranje kamer met een eigen terras en sierlijke tuindeuren, minstens drie grote ramen en een sofa. Er stond een enorm hemelbed met ruim vallende, zware, ouderwetse en sneeuwwitte linnen gordijnen en beddengoed.
'Wauw,' was het enige wat ze kon uitbrengen.
'Kan het niet op mijn conto schrijven, helaas. Dit heeft Megan allemaal uitgekozen.'
'Had ik je verteld dat ik oorspronkelijk binnenhuisarchitecte ben?'
Hij schudde zijn hoofd. 'Ik heb in die hoedanigheid veel huizen vanbinnen gezien, maar dit is de mooiste mix van stijlen die ik

ooit heb gezien. Het heeft een authentieke sfeer, maar ook iets moderns – zeg maar Europees met een Amerikaanse tintje.'
'Haar grootmoeder was een Française, dus ze hield van het mediterrane en ze probeerde dat hier een beetje in te brengen. Ze was een verwoed verzamelaar en struinde alle antiekzaken af. En zoals je ziet, besteedde ze veel tijd aan tuinieren.'
'Je moet het hier heerlijk vinden.'
'Dat klopt. Ik zie er altijd naar uit om thuis te komen.'
Het was een vreemde gewaarwording om in zijn huis te zijn, hij was per slot van rekening beroemd, en doorgaans nodigen beroemdheden geen mensen in hun huis uit die ze in tv-studio's hadden ontmoet. Maar hij leek ontspannen toen ze later samen waren, nadat ze haar koffers had uitgepakt en een eenvoudige, lange zwarte jurk van Ghost had aangetrokken en zich wat had opgemaakt. 'Je zult wel moe zijn na de vlucht, dus ik bak lekker thuis een biefstuk en maak een salade. Oké? Of ga je liever uit?'
'O nee. Klinkt perfect. En nog bedankt voor je uitnodiging, dat je me liet komen. Pas toen ik in het vliegtuig stapte, besefte ik hoe erg ik eraan toe was om weg te gaan.'
'Glaasje wijn?'
'Mineraalwater alsjeblieft. Vind je het goed als ik je foto's bekijk?'
'Ga je gang.' Hij gaf haar een glas en ze liep door de kamer. Overal hingen foto's, kiekjes van een volmaakt leven. Ze zagen eruit als een heel gelukkig stel, en Megan was zichtbaar dol op haar twee meisjes. Er waren tientallen foto's van hun drieën, en ze leken altijd lol te hebben.
Ze zaten op de bank te eten. Daarna ruimde zij de tafel af, terwijl hij de kaarsen aanstak op het dakterras, waar ze koffie dronken. Het was feeëriek.
'Hier zit ik het liefst. Dit houdt me aan de gang als ik ver weg ben en onder druk sta. Het geeft me een gevoel van geluk, ook op de moeilijkste momenten.'
'Je bent een gelukkig mens, je hebt zo veel, al heb je ook veel verloren. Het spijt me dat ik je dochters niet zal ontmoeten.'
'Dat komt wel. Maar vertel, wat is er aan de hand, dat je zo nodig weg moest?'
'Ik ben zwanger.' Het was er eindelijk uit en het bleef daar tussen hen in hangen, in de avondlucht, en ze besefte dat ze het nu

pas aan zichzelf kon toegeven, al bleef ze het schokkend vinden, maar nu alleen maar even.
Hij keek haar lang aan. 'Weet je het zeker?'
'Ja,' zei ze kalmpjes. Toen, luider: 'Nee!' Daarna, op nauwelijks hoorbare fluistertoon: 'Ja, ik denk van wel. Ik heb tenminste zo'n thuistest gedaan, nadat mijn vriendinnen me hadden laten weten dat ik er zo moe en ziek uitzag. Kun je nagaan, ik had het zelf niet eens door. Wat ben ik toch stom.'
'Hoe lang?'
Ze keek hem ongemakkelijk aan. 'Weet je, daar heb ik nog niet eens bij stilgestaan. Zo druk was ik bezig om het te verdringen.' Ze dacht even na. 'Het moet rond kerst zijn gebeurd. Jezus, dat is al tweeënhalve maand!'
'Wat ga je doen?'
'Wat bedoel je?'
'Hou je het?'
'Ik weet het niet.' Ze was nauwelijks te verstaan. 'Ik wil niet zwanger zijn. Ik wil geen baby. Ik heb geen moederinstinct. Ik vind het vreselijk om dik te worden. Het zal mijn leven kapot maken, ik zal niets meer hebben, geen sociaal leven en ik zal mijn werk niet fatsoenlijk kunnen doen. Bovendien ben ik te jong om het allemaal op te geven voor... iets... waarvan ik niet zeker weet of ik het wel wil.' Ze schrok van haar eigen botheid. 'Ik weet dat dit afschuwelijk klinkt en ik vind het vreselijk dat ik me zo voel, maar ik kan er niets aan doen.' Ze huilde nu, om Chris, om zichzelf, maar vooral om de baby waar ze niets mee te maken wilde hebben.
Hij ging naar haar toe en legde een arm om haar heen, en het feit dat hij niets zei, maakte het nog erger.
Na een eeuwigheid trok hij haar omhoog en bracht hij haar naar bed; hij wachtte tot ze haar grote T-shirt had aangetrokken en haar gezicht had gewassen. Hij stopte haar onder als een kind en veegde haar haren uit haar gezicht. Zij viel als een blok in slaap, uitgeput, maar opgelucht dat ze het eindelijk had uitgesproken.
De volgende ochtend werd ze om elf uur wakker en even wist ze niet meer waar ze was. Het was zo onwerkelijk. Ze lag te denken aan die keer dat ze met Paul in New York was geweest, en besefte met een steek in haar hart dat ze zich niet meer alle details

kon herinneren. Ze raakte in paniek, probeerde zijn gezicht voor de geest te halen, maar daar kwam nu een ander gezicht overheen en ze sprong het bed uit om daaraan te ontsnappen. Colin zat in de keuken een script te lezen toen ze op blote voeten binnenwandelde, haar haren in de war, op zoek naar water of vruchtensap.
'Kijk eens aan. Ik dacht dat je nooit wakker zou worden. Ik heb trek. Heb je zin in ontbijt?'
'Kunnen we nu uit gaan? Naar een echte New Yorkse cafetaria? Dat vind ik hier altijd zo leuk. Dat, en Chinees eten uit een doos.'
Hij lachte naar haar. 'Oké, kleed je aan en blijf niet lang weg.'
'Mag ik eerst een glaasje sap?'
'Ga je gang.'

Hij nam haar mee naar zijn favoriete ontbijtstek en hongerig als ze was at ze een enorme schaal pannenkoeken met bacon en stroop en dronk daarbij wel een hele liter van hun fameuze vruchtensap, een sensatie van yoghurt met verschillende soorten bessen. Daarna gingen ze wandelen in Central Park en praatten ze nog wat.
'Je moet om te beginnen naar de dokter gaan, laten kijken of alles goed is.'
Ze knikte, in het besef dat hij gelijk had, maar helemaal niet zeker of ze daar wel klaar voor was. Hij had haar door.
'Een vriendin van mij is huisarts. Ze woont aan het andere eind van de stad. Ze wil je vast wel onderzoeken. Vandaag. Wat denk je?'
'Oké.'
'Brave meid. Ik bel haar meteen.' Hij pakte zijn mobieltje en ze begreep dat hij al over haar had gesproken. Hij maakte een afspraak voor vijf uur die middag. Ondertussen leek hij haar bezig te willen houden en toen het zover was, zette hij haar bij de dokter af, en zei dat hij zou wachten.
'Dat hoeft niet. Ik kan een taxi nemen.'
'Ik wil het zelf. Ik moet toch nog een script lezen. Ik ga ergens koffie drinken en kom je hier ophalen.'
'Het spijt me dat ik je hiermee belast.'
'Daar zijn vrienden voor.'
'Dank je wel.'

'Hup, vooruit.' De dokter was jong en mooi en voortdurend aan het woord. Ze liet haar een urinetest doen voordat ze aan haar buik voelde, en stelde allerlei vragen, op zachte, aangename toon, alsof ze een zestienjarige was.
'Gebruikte je voorbehoedsmiddelen?'
'Ja, ik was aan de pil en voor zover ik weet was ik die niet vergeten.'
'Gebruikte je nog andere medicijnen in die tijd?'
'Nee, ik geloof het niet... o ja, toch, een antibioticakuur tegen de griep.'
'Dat zou er de oorzaak van kunnen zijn, Lindsay. Je bent zwanger, ongeveer elf weken, ik kan het niet precies vaststellen in dit stadium.'
Ze knikte er onnozel bij, alsof ze dat wel had kunnen weten.
'Je kunt het beste naar je eigen dokter gaan als je thuis bent.'
'Wat zijn de opties?'
'Nou kijk, je moet de gebruikelijke onderzoeken laten doen, een echo laten maken, als je de baby wilt houden. Je bent gezond en nog jong genoeg.'
'En als ik het niet wil houden?' Ze had nooit gedacht dat ze zoiets ook maar kon denken, maar ze wist niet zeker of ze er wel mee kon doorgaan.
'Je eigen dokter kan je daar meer over vertellen. Het is een relatief eenvoudige ingreep, maar als je een abortus overweegt, moet je dat wel zo snel mogelijk laten doen.'
Lindsay knikte.
'Het is nu vast een schok voor je, maar denk er nog een paar dagen over na. Rook je?'
Ze schudde haar hoofd, nauwelijks gelovend dat ze dit gesprek voerde.
'Mooi zo. Nou, eet gezond, geen schelpdieren, zachte kaas, paté, rauwe eieren en alcohol wordt ontraden. Hier heb je wat om in bed te lezen.' Ze reikte haar glimlachend enkele folders aan. 'Colin heeft mijn thuisnummer; als je er nog eens over wilt praten, kun je me altijd bellen.'
'Dank je wel.'
'Veel succes, Lindsay.'

37

'Alles goed?'
'Jawel.'
'Hoe ging het?'
'Ze was heel aardig, je had gelijk.'
'En...?'
Ze schudde haar hoofd. 'Elf weken, en ik had het niet eens door.'
'Waarschijnlijk wel, maar je negeerde het gewoon.'
'Nee, echt niet, ik heb er geen seconde bij stilgestaan. Ik had het zo druk dat ik maar weinig aandacht voor mezelf had. Ik heb het gevoel alsof het nog geen maand geleden Kerstmis was, en omdat ik aan de pil was, is de gedachte geen moment in me opgekomen. Ik zweer het je.'
Zwijgend reed hij verder en ze voelde zich afschuwelijk, ervan overtuigd dat ze zou veranderen in een meelijwekkend saai geval vol zelfbeklag. Hier zat ze dan, tijdens een droomverblijf in New York, en ze kon alleen maar mokken dat haar leven voorbij was.
'Goed, je neemt straks lekker een bad en trekt iets leuks aan. Ik neem je mee naar een chic restaurant.'
'Welk?'
'Dat zie je wel, zorg dat je om halfacht klaar bent.'

Ze had haar uiterste best voor hem gedaan en met de taxi gingen ze een paar straten verderop naar restaurant Dino's, een Italiaans restaurantje, een van de meeste gewilde eetgelegenheden in New York – het was onmogelijk een tafel te reserveren als je geen beroemdheid was. Het was klein, maar uiterst authentiek, gerund door drie generaties van dezelfde familie. De eigenaar begroette Colin als een zoon en bracht hen naar een afgezonderd hoekje. Ze werden aangekeken toen ze door de ruimte liepen. Ze zagen er ontspannen, gelukkig en succesrijk uit, en ze werd benijd, vooral door degenen die hem hadden herkend.
Giorgio weigerde hen het menu te laten zien.
'Ik bestel voor u, ja?'
'Als Lindsay dat goed vindt.'
Ze knikte en nipte van een goddelijke Chianti – ondanks de ver-

maningen van de dokter en Colins vraag 'of ze een glaasje mineraalwater wilde'. Ze praatten wat. Toen werden er ineens van alle kanten schalen geserveerd – pasta, vlees, salade en vis en allerlei gerechten die ze niet kende, totdat ze Giorgio smeekten ermee op te houden omdat ze niet eens de helft zouden kunnen opeten.
'Ik had je moeten waarschuwen, maar is het niet heerlijk?' vroeg hij, terwijl hij lamsvlees met porcini-paddestoelen opschepte.
'Verrukkelijk, maar ook al heb ik niet meer gegeten sinds het ontbijt, ik krijg niets meer naar binnen en ik heb maar de helft van alle gerechten geproefd.'
'Maak je niet druk, ik vraag straks om een *doggy bag*, krijg je morgen een tweede kans.'
Lindsay lachte bij het idee om te vertrekken met de lunch van de volgende dag.
'Ze hebben met me te doen omdat ik nu voor mezelf moet koken, dus ze willen altijd dat ik wat mee naar huis neem.'
'Ze mogen je.'
'Ik ken hier maar een paar restaurantjes. Ik ga niet veel uit, om eerlijk te zijn. Als ik op lokatie ben, moet ik al zo vaak uiteten, dus als ik uit eigen wil een restaurant bezoek, ga ik altijd ergens heen waar ze me kennen. Geeft minder gedoe.'
Na het eten gingen ze naar huis omdat ze haar gegaap niet meer kon onderdrukken. Hij vroeg of ze al wist wat ze ging doen. Ze schudde haar hoofd.
'Hoe meer ik erover denk, hoe meer ik in paniek raak. Het idee dat ik iedereen moet inlichten, wat ik moet doen met mijn baan, het geld – het beangstigt me. Waar heb ik dit aan verdiend?' Ze keek er hopeloos bij toen ze dit zei.
'Ik denk dat je met Chris moet praten.'
'Uitgesloten.'
'Hij heeft er recht op het te weten.'
'Misschien wel, dat is nog het ergste. In het gunstigste geval denkt hij dat ik het met opzet deed. In het ergste geval gelooft hij niet dat het van hem is.' Ze lachte maar klonk niet echt vrolijk. 'Hij denkt dat ik met iedereen het bed in duik. Ik denk dat hij er niets mee te maken wil hebben.'
'Volgens mij is hij niet zo. Waarom denk je dat?'

'Ik denk dat ik me hem zo in mijn hoofd voorstel. Ik dacht dat we samen echt iets hadden. Toen wilde hij, omdat hij dacht iets te hebben gezien, ermee kappen, zonder mij de kans te geven het uit te leggen. Dus hoe staan mijn kansen ervoor volgens jou na dit laatste nieuws?'
'Hij heeft er recht op het te weten.'
'Ja, maar laten we bij het begin beginnen. Eerst moet ik beslissen wat ik ga doen. Kunnen we het nu over iets anders hebben? Ik heb genoeg van mezelf.'

De volgende dag had Colin een paar afspraken dus Lindsay ging winkelen. Ze ging met de bus naar Woodbury Common en bracht de dag door met slenteren door *retail-outlets* van merkkleding, kocht twee sexy bloesjes van DNKY voor Tara en Debbie en een paar schoenen voor haar zus. Ook kocht ze veel nieuwe dingen voor zichzelf, strakke stretch topjes, een nauwsluitende jurk en sexy ondergoed, ondanks haar toestand, allemaal voor een fractie van de oorspronkelijke prijs. Ze had zelfs twee grappige Barbie-hoeden bemachtigd voor Colins dochtertjes. Ze betrapte zich erop dat ze naar babykleren stond te kijken, kleine Gucci-pakjes voor meisjes en merkspijkerbroeken voor jongetjes. Ze durfde ze niet aan te raken, ze wilde nog niet al te betrokken raken.
Toen ze aankwam, was hij al thuis en ze moesten lachen toen hij al haar felgekleurde plastic tassen zag.
'Ik kan zien dat je krap bij kas zit,' plaagde hij, en ze schrok ervan dat ze geen moment had stilgestaan bij haar creditcardafrekening. Toen ze ging zitten, werd ze door vermoeidheid overvallen, en ze besefte dat ze minstens acht uur lang op pad was geweest. Hij hield haar even stevig in zijn armen vast, en dat voelde goed. Ze gingen die avond eten bij vrienden van Colin en ze voelde dat die zich van alles afvroegen over haar, maar te beleefd waren iets te vragen. Hij was filmproducent en zij een succesrijk scenarioschrijfster. Ze hadden pas een baby. Lindsay vroeg zich af of Colin haar daarom naar hen had meegenomen. Als dat zo was, dan werkte dat niet. Starend in het wiegje kon ze zich niet voorstellen zelf een kind te hebben, laat staan er blij mee te zijn. Het kostte haar de hele avond moeite om prettig gezelschap te zijn.

Plotseling was het al de laatste avond en ze wilde per se Chinees bestellen zodat ze uit de bijbehorende kartonnen dozen konden eten. Hij moest om haar lachen toen hij haar het menu liet zien.
'Dat is een heel boek. Jij kiest, ik betaal, ik kom daar niet doorheen. Vind je het trouwens echt niet erg om thuis te blijven? Volgens mij ben ik de saaiste bezoeker die deze stad ooit heeft gezien.'
Dat vond hij niet en even later kwam de berg Chinees voedsel eraan. Ze keken naar een film, hij dronk een biertje en zag dat zij niets dronk. Ze aten met stokjes en even voelde ze zich een 'coole' Amerikaanse tiener. Heel even.
'Wanneer komen de meisjes terug?' vroeg ze even later.
'Overmorgen.' Hij keek haar lang aan. 'Ik mis ze echt.' Hij bleef haar aankijken. 'Weet je, ze zijn het beste wat mij ooit is overkomen, ondanks alles.'
'Ik vraag me af of ik dat ooit kan zeggen. Op dit moment is het het ergste wat mij ooit is overkomen.'
'Dat zal veranderen, dat weet ik zeker.'
'Ik voel me zo alleen.' Ze keek hem verdrietig aan en hij begreep haar. Hij kuste haar haren, toen haar voorhoofd, toen haar ogen, en zonder te weten waarom keerde ze haar mond naar hem en kusten ze elkaar. Dit was precies wat ze nodig had en het leek eeuwig te duren. Langzaam kleedde hij haar uit en kuste hij haar overal, en zij betastte en streelde hem. Ze bedreven de liefde en het was anders dan alle andere keren dat ze het had gedaan. Hij was zacht, onderzoekend en onzeker van zichzelf, wat haar verbaasde. Op het hoogtepunt leek alle spanning van haar af te vallen. Pas later hoorde ze dat dit voor hem de eerste keer was na de dood van zijn vrouw.
'Jij bent een heel bijzondere man, meneer Quinn.'
'Ik ben blij dat het met jou was.'
'Ik ook.' Ze grinnikte naar hem. 'Ik had het nodig. Volgens mij ben ik verlost van een hoop spanningen en stress.'
Hij lachte terug. 'Ik had het ook nodig.'
'En je kunt er tenminste zeker van zijn dat ik niet zwanger zal raken.'
Ze zaten met hun armen om elkaar geslagen voor het haardvuur. Ze soesde wat na toen hij vroeg: 'Wil je vanavond bij mij slapen?'

Ze knikte. Ze deden de lichten uit en ze sliep in zijn armen, veilig. Ze besefte dat ze een heel bijzondere persoon had leren kennen – en voor het eerst wenste ze dat ze Chris nooit had ontmoet, want ze vermoedde dat die altijd op de achtergrond zou blijven en bij elke mogelijke nieuwe relatie weer zou opduiken.

Hij nam haar mee naar Greenwich Village voor een lunch en ze wandelden samen hand in hand. Hij kocht veel cadeautjes voor haar, en zij zag een grote, zachte prachtige trui die ze kocht terwijl hij in een boekenzaak stond te neuzen. Voor haar vertrek legde ze die trui op zijn hoofdkussen, met aan elke kant een van de hoedjes voor zijn dochters. Ze schreef er een briefje bij waarin ze probeerde uit te leggen hoeveel hij voor haar was gaan betekenen.
Met een omhelzing namen ze afscheid van elkaar op het vliegveld, en ze moest hem beloven dat ze hem bij thuiskomst zou bellen. Ze mocht zich geen zorgen maken en hij zei dat ze met Chris moest praten.
Ze voelde zich een schoolkind dat van huis ging toen ze het vliegtuig instapte en ze wist dat ze onderweg naar huis een moeilijke beslissing moest nemen.
Bijna de hele reis lag ze echter te slapen en droomde ze dat Chris haar uitlachte en haar moeder huilde.
Lindsay kwam vroeg in de ochtend in Dublin aan en ging naar huis, nam een douche, kleedde zich om en liet een berichtje achter voor haar vriendinnen voordat ze naar haar werk ging. De dag was amper begonnen, maar ze voelde zich al uitgeput. Ze parkeerde haar auto en kwam oog in oog met Chris te staan, toen ze beiden op precies hetzelfde moment de auto uitstapten. Hier was ze geestelijk nog niet op voorbereid, maar lichamelijk merkte ze dat haar armen een nauwelijks zichtbaar buikje probeerden te beschermen. Ze bloosde en struikelde, terwijl het beetje moed dat ze had, wegzonk.
'Hallo.'
'Hallo.'
Hij zag er heel goed uit – fris, gezond, even verrukkelijk als onbereikbaar. Ze voelde zich oud en gewoontjes naast hem. En heel bang.

'Chris, ik moet met je praten.'
'Het spijt me, ik ben al te laat voor een vergadering.'
'Later dan?' Hij zei niet meteen nee en ze nam haar kans waar, met de moed der wanhoop, voor het geval ze het later niet meer zou durven. 'Het is... belangrijk. Er is iets waar ik het met je over moet hebben. Alsjeblieft?'
Hij keek haar lang aan en ze wist zeker dat hij zou toestemmen, maar toen gleed dat masker van hem af en schudde hij zijn hoofd. 'Er is werkelijk niks dat je me kunt zeggen om de zaak te veranderen. Daar is het te laat voor. Ik denk dat we ieder onze eigen weg moeten gaan.'
Hij draaide zich om en liep weg, een lange schaduw achter hem aan. Ze deed alsof ze haar sleutels zocht omdat ze zich klein en vernederd voelde, en toen ze eindelijk op veilige afstand achter hem liep, starend naar zijn donkere, onbuigzame gestalte, wist ze dat ze hem nooit meer de kans zou geven om haar dat nog eens te flikken. Ze was op zichzelf teruggeworpen en zijn kilheid sterkte haar voornemen om orde te scheppen in de chaos van haar leven.

38

Ze nam snel een ontbijt en ging naar de redactie, waar Alan haar met een verlegen glimlach begroette.
'Ik wist niet dat je reisje zoveel glamour had.'
'Hoezo?'
Hij wees naar een van de zondagskranten op zijn bureau. Hij lag open op de sterrenpagina en Alan keek een beetje beschaamd nu hij werd betrapt bij het lezen ervan, terwijl ze over zijn schouder keek en de kop zag: 'Lindsay vertrekt naar liefdesnestje'. De bekende foto van haar met Colin die haar handen vasthoudt, stond erbij. Ze werd knalrood en vroeg zich meteen af of Chris dit ook gezien had. Zou dat de reden kunnen zijn dat hij zo kil reageerde? Ze verwierp deze gedachte, hij had haar immers ooit verteld dat hij nooit roddelrubrieken las.

Het artikel vertelde hoe 'sexy filmster' Colin Quinn 'tv-producer' Lindsay 'met de Concorde' had laten overvliegen naar zijn 'stekje' in New York om haar 'voor te stellen aan de twee belangrijkste vrouwen in zijn leven'. Ze kon niet meer verder lezen.
'Nou, het had niet half zoveel glamour als zij zeggen, ben ik bang. Ik nam de goedkoopste vlucht naar New York en zijn kinderen waren een weekje weg.'
'Zit het zo, het spijt me. Ik wilde niet nieuwsgierig zijn.'
'Geeft niet. Ik vraag me alleen af wie de bron van deze onzin is.'
'Eén tip dat je naar New York ging, was genoeg. Daarna tellen ze één plus één bij elkaar op en klaar is Kees. Maak je geen zorgen, hoe was het trouwens?'
'Het was heerlijk, heel ontspannend. Ik heb een fortuin uitgegeven.'
'Mooi zo, welverdiend. Zullen we het over de komende uitzending hebben?'
'Ja, graag, maar ik waarschuw je, als Tom Watts me vandaag kleineert, krijgt hij van mij een blauw oog, dus haal ons tijdig uit elkaar.'
Hij lachte nerveus, want ze meende het.

Debbie en Tara en Charlie kwamen 's avonds aan en Lindsay kon haar ogen nauwelijks openhouden. Ze had niet zoveel te zeggen, maar de cadeautjes maakten veel goed, net als Colins telefoontje.
'Nog iets gehoord van Paul?' wilde Debbie weten.
'Nee. Hij gaf het wel snel op hè, uiteindelijk?'
'Dus het begint serieus te worden tussen jou en Colin?'
Ze schudde haar hoofd. 'Nee, was dat maar waar. Ik heb een heerlijke tijd gehad in New York, in het huis van een filmster die toevallig ook nog ontzettend aardig is, maar mijn hart lag toch bij een ander. Mijn vorige verblijf in New York was met de man met wie ik dacht te trouwen en weet je, ik kon me er niet veel meer van herinneren. De reden: een man die ik nog maar pas ken, die mij een slet vindt en niets meer met me te maken wil hebben en die me in geen honderd jaar mee zal nemen naar New York. Zielig hè? Nee, eigenlijk is het tragisch.'

De dagen daarna bedacht Lindsay een vaag plan en broedde dat

uit voordat ze het met anderen besprak. Op zondag belde Alan haar thuis op om te vertellen dat hij weer naar het ziekenhuis moest.
'Nog meer tests. Ik ben al dat gedoe zat, maar ik heb geen keus. Denk je dat je het aankunt?'
'Ja, natuurlijk, pas jij maar op jezelf. Met mij gaat het goed.'
'Oké, dan ga ik nu Jonathan Myers bellen. Ik verwacht dat hij contact met je zal opnemen.'
'Prima, we houden contact en maak je geen zorgen.'
Lindsay verscheen de volgende dag vroeg op haar werk. Er was bericht van Jonathan, of ze om elf uur langs kon komen. Ze haalde koffie en nam nog een besluit.
Nadat ze de resterende uitzendingen van het seizoen hadden doorgenomen – dat waren er nog maar vier, en Lindsay had hem verzekerd dat ze het aankon –, haalde ze diep adem en vroeg ze of ze hem in vertrouwen kon spreken.
'Natuurlijk.' Hij keek haar vriendelijk aan. 'Zeg het maar.'
Ze moest bij het meest urgente beginnen. Ze besloot het kort te houden.
'Aan het eind van het seizoen wil ik een paar maanden vrij nemen.' Hij knikte bemoedigend, voelde dat er iets niet goed zat.
'Ik ben zwanger en dat was niet echt gepland, en eh, ik wil er een tijdje uit zijn, tot na de geboorte. Ik weet dat ik hier pas werk en ik wilde het liever niet vragen, maar ik heb geen keuze. Ik wil het zo stil mogelijk houden. Ik vrees dat mijn privéleven niet zo privé is geweest de laatste tijd en meer publiciteit kan ik op dit moment niet aan. Als je me hiermee zou kunnen helpen, beloof ik je dat ik het meteen goed met je zal maken als ik terug ben.' Haar stem trilde een beetje en ze moest op haar lip bijten. Ze keek hem smekend om begrip aan.
'Ik snap het. Laat me dit zeggen, je bent uitzonderlijk loyaal naar ons geweest tot nog toe en ik denk dat wij je wat verschuldigd zijn. Ik zal kijken wat ik voor je kan doen. Ondertussen vind ik dat je langs Melanie Ingles moet, onze vertrouwensarts. Je kunt met haar praten, daar is zij voor. Laat haar je zeggen wat voor hulp zij je kan bieden. Ook ik zal alles doen om je te steunen. Ik wil je niet kwijt, ik denk dat je ooit een fantastische producer wordt.'

‘Bedankt.’ Ze moest even slikken. ‘Dat hoop ik maar, het is iets wat ik graag wil, ik hoop alleen dat ik het niet verknald heb.’
‘Maak je daar maar niet druk om. Weet je zeker dat je het tot het eind van het seizoen zal redden?’
‘Ja, absoluut. Ik zal ervoor zorgen dat ik alles onder controle heb als Alan niet terugkomt.’
‘Oké, stuur me maar meteen een e-mail met je plannen, dan hoeven we niet door de ambtelijke molen. Wanneer verwacht je het kind, trouwens?’ vroeg hij vriendelijk.
‘In september, en een paar weken later wil ik weer aan het werk. Ik heb vooral nu wat tijd nodig. Ik ga een paar maanden weg in de hoop dat niemand me vindt.’ Ze grijnsde. ‘Figureren in de roddelrubrieken is geen pretje.’
‘Ik wil niet impertinent zijn, maar weet de vader ervan?’ Ze keek hem aan en schudde haar hoofd.
‘Nee.’ Plotseling kwam een gedachte in haar op. ‘En het heeft niets te maken met al die roddels in de bladen.’ Ineens was ze bang dat hij zou denken dat Colin de vader was.
God, dacht ze vol afschuw, dat moest er nog bijkomen.
‘Goed, ik zal het er met niemand over hebben, dat beloof ik je. Ik zal zeggen dat we je verlof hebben gegeven in ruil voor de extra inzet die je hebt getoond.’
‘Dank je wel, dit is niet wat ik had gepland, maar je maakt het voor mij mogelijk om ermee om te gaan. Ik zal het goed met je maken.’
‘Dat heb je al gedaan, zonder jou konden we niet verder, en het programma is dankzij jou veel beter geworden. De komende weken worden zwaar. Op het eind van het seizoen staan we quitte. Oké?’
‘Dank je wel.’ Ze schudden elkaar de hand en hij bracht haar naar de deur.
‘Ik zie je op de weekvergadering en ik wandel nu en dan binnen zoals voorheen. Zorg ondertussen goed voor jezelf en bel me als je iets nodig hebt.’
Na dit gesprek voelde ze zich helemaal opgelucht. Nog maar dertien rondjes te gaan.

Ze stortte zich op haar werk, net als voorheen. Tom Watts liep

binnen, geïrriteerd door Alans afwezigheid en zelf ook niet helemaal in vorm. Ze moest met hem samenwerken dus ze deed poeslief. Ze stelde voor dat hij naar huis ging om wat te rusten en beloofde dat ze die avond het draaiboek naar hem zou mailen.
Voordat ze naar huis ging, stuurde ze Tara en Debbie een sms-je om hen uit te nodigen voor een glaasje wijn en pasta de volgende avond. Ik kan het maar beter zo snel mogelijk achter de rug hebben, dacht ze, terwijl ze opzag tegen de confrontatie met haar moeder, die ook op korte termijn moest plaatsvinden.
'Ik heb nieuws!' riep Tara, net toen Lindsay naar de woorden zocht om haar nieuwtje te vertellen.
De volgende avond zaten ze met z'n drieën rond haar keukentafel te lachen en te praten, zoals ze al zo vaak hadden gedaan.
'En?' zeiden ze in koor, met een vragende blik. Dit was niet de Tara die ze kenden, ze leek plotseling verlegen.
'Michael heeft gevraagd of ik met hem wil trouwen.' Ze was knalrood en Lindsay en Debbie keken haar verbijsterd aan.
'Hoe? Wanneer? Waar?' kon Lindsay nog uitbrengen.
'Het afgelopen weekend. Zomaar ineens.'
'Wat heb je gezegd?' Debbie nam een flinke slok in een poging nonchalant te lijken.
'Ja.'
'O mijn god, maar dat is geweldig. Ik ben zo blij voor je.'
Lindsay omhelsde haar vriendin en brak bijna in tranen uit.
Debbie danste zingend door de keuken. 'Morgen ben ik de bruid,' zong ze met valse stem, ze schreeuwde bijna. 'Champagne, dat hoort erbij. Heb je wat in huis?'
'Natuurlijk, die staat altijd klaar als jullie er zijn. Als jij de fles openmaakt, haal ik de glazen erbij.'
Ze kletsten uren verder, dit was het beste nieuws dat ze in tijden hadden gehoord. Ze waren zo opgewonden dat ze niet eens merkten dat Lindsay nauwelijks van haar champagne dronk. Er bleken nog geen vaste plannen te bestaan. Michael moest zijn scheiding nog regelen, dus ze zouden het nog een tijdje stilhouden.
'Ik moest het jullie gewoon vertellen, dat mocht van Michael, maar jullie houden je mond erover.'
'Mogen wij bruidsmeisje zijn?'

'Natuurlijk, wie anders?'
Debbie zong dat de tijd voorbijgaat en een vogel uitvliegt.
Terwijl ze aten en dronken en het nieuws analyseerden, wist Lindsay niet meer of ze het wel moest vertellen. Ze wilde het niet voor Tara bederven. Ze twijfelde, en Debbie zag dat.
'Wat ben je stil vanavond. Wanneer vertel je ons eindelijk wat er aan de hand is?'
Ze haalde eens diep adem en stak van wal.
'Ik moet jullie iets vertellen, maar het lijkt in de verste verte niet op Tara's nieuws.'
'Kom op, alsjeblieft, je bent al wekenlang jezelf niet meer. Het gaat om Chris, of niet?'
'Nee. Ja. Eh, niet echt.' Een stilte, waarin twee paar bezorgde ogen haar woordeloos probeerden aan te moedigen.
'Ik ben zwanger.'
De bom was gevallen. Niemand zei iets. In één seconde zag ze verwarring, blijheid en angst over hun gezichten gaan terwijl ze haar aanstaarden.
'Hoorde ik dat goed...'
Ze knikte.
Tara stond op en legde haar armen om haar heen en het leek alsof ze elk moment ging huilen. Lindsay was ontzet.
'Het spijt me, ik had het nu niet moeten zeggen, maar ik heb het al zo lang voor me moeten houden.'
'Chris?' vroeg Debbie, al wist ze het antwoord al.
'Ja.'
'Weet hij het?'
'Ik wilde het hem vertellen maar hij zei dat hij niet meer in me geïnteresseerd was. Over een paar weken neem ik enkele maanden vrij, als het seizoen is afgelopen. Dan ben ik daar weg voordat het te zien is. Ik kom na de bevalling terug.'
'Doe niet zo gek, je kunt niet weggaan. Dan lijkt het alsof je je schaamt, of dat je iets te verbergen hebt. Zoiets deden ze vroeger in Ierland. Dat moet je niet doen.' Debbie was boos.
'Ik wil het, echt waar. Ik heb er weken over nagedacht.'
'Lindsay, je moet het hem vertellen.'
'Nee. Hij heeft duidelijk gemaakt dat hij niets meer met me te maken wil hebben, dus ik doe het op mijn eigen manier. Ik wil

hem niet tegen het lijf lopen, met excuses voor de beeldspraak. Ik moet nadenken over de toekomst, dus ik ga een kookcursus volgen van drie maanden, waarmee ik een erkend diploma haal, voor het geval ik straks niet meer voor de tv kan werken. Dat was altijd al een droom van me, iets wat ik leuk vind, en straks kan ik er misschien vanuit mijn eigen huis nog wat mee doen. En dan, als het... allemaal voorbij is, zie ik wel hoe het ervoor staat. Ik heb het mijn baas vandaag verteld, en hij geeft me verlof zonder anderen de reden daarvan te vertellen. Ik denk dat mijn zwangerschapsverlof erbij inschiet, maar ik vind het nu belangrijker dat niemand het weet. Ik vertel het alleen aan mijn familie en aan jullie.'
Ze bleven bij haar totdat ze bijna omviel van vermoeidheid, en ze probeerden haar op andere gedachten te brengen, zoals Debbie zei, maar ze was niet te vermurwen.
'Ik wil geen medelijden, zeker niet van hem. Maar zonder jullie red ik het niet. Het spijt me ontzettend dat ik deze avond heb verknald.'
'Kom op, wij worden tante, hoe erg is dat?' grinnikte Debbie, terwijl ze haar omarmde. Maar ze danste of zong er niet bij.

39

Het was minder makkelijk om het aan haar moeder te vertellen. Eerst kon ze het niet geloven en toen vond ze dat ze er Chris 'mee moest confronteren'. Lindsay was bang dat haar moeder contact met hem zou opnemen, wat echt iets voor haar zou zijn, dus moest ze met drastische maatregelen dreigen om haar te beletten zich ermee te bemoeien. Ze had gevraagd of haar zus later langskwam en die bleek een geweldige bondgenote te zijn, wat Lindsay ook wel had verwacht.
Het is bijzonder dat familieleden elkaar uiteindelijk toch weten te vinden, dacht Lindsay, toen ze haar zus huilend omhelsde.
'Dit gun ik mijn kleine zusje niet, maar als je het zo wilt, steunen wij je zoveel we kunnen, ja toch, mam?'

'Ja natuurlijk, al ben ik het er niet mee eens. Alleen maar omdat hij beroemd is...'
'Daar heeft het niets mee te maken. De relatie was allang voorbij voor ik het had ontdekt, en ik wil hem er niet bij betrekken. Alsjeblieft mam, je moet het mij op mijn manier laten doen.'
'Maar hij heeft het recht om het te weten...' Ze deed nog één poging om een beroemde schoonzoon in de familie te krijgen, maar zag dat Lindsay vastbesloten was.
Ze dronken liters thee, wat Ierse gezinnen in tijden van crises altijd doen, en huilden vele tranen, maar moesten er op het laatst ook wel wat om lachen. Lindsay wist dat het goed zou komen en ging opgelucht naar huis.
Colin belde. 'En?'
'Hoezo, meneer?'
'Hoe staat het met mijn meisje?'
'Gegroeid.' Wat niet zo was. Nog niet, in ieder geval. 'Ik heb het vanavond aan mijn moeder en zus verteld.'
'Dat was vast geen pretje.'
'Nee, maar uiteindelijk viel het wel mee.'
'Gaat het?'
'Jawel. Hoe gaat het met je film?'
'Moeizaam, maar ik hoop over een paar weken enkele dagen thuis te kunnen zijn, dus hou wat tijd voor me vrij.'
'Goed, maar mijn sociale agenda zit vrij vol momenteel, en bovendien ben ik te dik om in de kranten als een "model" omschreven te worden en dat doet pas echt pijn.'
'Laat ze oprotten, wij gaan de stad in al moet ik je bij je haren meeslepen.'
'Ik geef me over.'
'Lindsay, ik ben blij dat je deze beslissing hebt genomen. Het komt goed, echt waar.'
'Dat moet wel, anders wijs ik jou aan als de vader en dwing ik bij de rechter een gedeeld ouderschap af.'
Hij schoot in de lach. Erover praten bracht hen dichter tot elkaar. Ze was blij dat hij in haar leven was en het ergste was voorbij, maakte ze zichzelf wijs.

De week daarna was hectisch. Tom Watts zag er bleek en inge-

vallen uit en was niet in vorm. Lindsay was doodop en verloor soms haar geduld, maar uiteindelijk ging de uitzending goed en de kijkcijfers waren voortreffelijk.
Het team telde de dagen af, nog drie zware weken, drie hemeltergende zaterdagen en daarna alle vrijheid, tenminste, zo voelde het. Maanden van hard werken in de weekends, tot laat in de avond, het gevecht om de gasten – het begon zijn tol te eisen. Alan lag nog in het ziekenhuis en men leek vastbesloten hem daar nog een tijdje te houden, wat Lindsay eigenlijk wel uitkwam, al hoopte ze dat alles goed zou komen en ging ze ondanks zijn protesten om de paar dagen op bezoek. Ze waren vrienden geworden. Hij kon goed luisteren en zij klaagde over iedereen, vooral over Kate, die zich geen moment voor het programma wilde inzetten, maar hij liet haar de grappige kanten ervan inzien en ze vermoedde dat hij het prettig vond erbij betrokken te blijven.
Lindsay besloot haar zwangerschap – die ze niet als zodanig benoemde – te behandelen als een nieuw project dat ze had aangepakt, en ze deed haar best om gezond te leven, meteen nadat ze had besloten ermee door te gaan. Ze sliep goed, maakte elke dag een lange wandeling, at kilo's groenten en fruit, dronk liters water en heel soms een glas wijn om niet gek te worden. Langzaam kreeg ze daar profijt van en ze voelde zich beter dan ooit; ze had veel energie, al was ze iedere avond doodop. Haar vriendinnen leken wel twee hennen en bekommerden zich voortdurend om haar.
'Jezus, je ziet er goed uit. Ik zou haast zelf het risico nemen als ik er die glans voor terugkreeg,' plaagde Debbie haar op een avond toen ze onverwacht op bezoek kwam, wat een van beiden bijna dagelijks deed.
Lindsays leven volgde een saai patroon dat wel paste bij haar stemming. Ze stond zichzelf geen negatieve emoties toe en nam elke dag zoals die kwam, stond elke frisse lenteochtend vroeg op, werkte hard, deed oefeningen, at gezond en ging de meeste avonden om negen uur met een boek naar bed. Ze weigerde een seconde na te denken over wat de toekomst haar zou brengen.
De aflevering van deze week zag er goed uit en alles ging volgens plan, totdat ze het verzoek kreeg of ze onmiddellijk bij Jonathan wilde verschijnen voor een spoedvergadering.
'Natuurlijk, geef me tien minuten,' antwoordde ze zijn secreta-

resse en ze maakte zich snel een beetje op en kamde haar haren, zich ervan bewust dat Jonathan de enige was die het wist. Ze wilde hem niet de indruk geven dat ze zich verwaarloosde. Gelukkig had ze een van haar nieuwe pakjes aan uit New York. Ze droeg een losvallend jasje van zachte stof dat haar buikje verborg. Daaronder een vaalgrijs zijden bloesje met strookjes. Sinds eeuwen voelde ze zich weer sexy en weelderig toen ze naar zijn kamer liep.
Goddank heb ik vandaag een goedc dag, dacht ze, terwijl ze aan haar vorige bezoek dacht.
'Loop meteen door, ze zitten op je te wachten,' zei zijn secretaresse vriendelijk. Voordat ze aanklopte en naar binnenging, controleerde ze of haar jasje wel gesloten was. Ze was benieuwd wie 'ze' waren. Ze trof hem aan midden in een gesprek met iemand wiens gestalte ze meteen herkende, al voordat Chris opstond en zich naar haar toe keerde. Ze stond paf en wachtte tot Jonathan, die op haar zat te wachten, iets zei.
'Lindsay, het spijt me voor de haast, maar ik ben bang dat we de noodtoestand moeten afkondigen.'
Hij weet van ons, was het eerste wat ze dacht. Ze moet op een zwakzinnige hebben geleken terwijl ze haar ogen niet van hem kon afhouden. O mijn god, hij probeert me te dwingen het hem te vertellen.
Ze voelde een druk op haar borst en haar longen leken uit elkaar te klappen, maar er zat een belachelijke grijns op haar gezicht, die niet wilde verdwijnen.
'Tom Watts heeft een hartaanval gekregen.'
'Wat zeg je?' Ze wist dat ze nog steeds glimlachte want haar wangen begonnen pijn te doen.
'Het is vanochtend gebeurd. Hij is opgenomen in een privékliniek en we moeten besluiten wat we met de show doen en hoe we het de media vertellen.'
'Ik begrijp het niet, hoe gaat het met hem?' Ze bracht haar hand naar haar mond om letterlijk die grijns van haar gezicht te vegen en keek naar Chris, wachtend tot die iets ging zeggen. Ze had geen idee wat er aan de hand was en wachtte nog steeds op de bomontploffing die het begin van iets nieuws, of het einde van alles zou betekenen.

'Het spijt me, ga zitten, dan leg ik het je uit. Dit is Chris Keating.'
Ze keek niet naar hem. 'Ja, we hebben elkaar weleens ontmoet.'
Jonathan leek haar verwarring niet op te merken.
'Tom kreeg in zijn huis tijdens de lunch een hartaanval. Hij ligt op de intensive care maar het gaat goed met hem. We hoorden het meteen, dus we belegden een vergadering met de directie om te besluiten wat we moesten doen, vooral met de uitzending van deze week. We dachten aan stoppen, maar de kijkcijfers zijn nu zo goed en deze zender heeft zonder meer een paar sterke programma's nodig aan het einde van het seizoen. Dus hebben we Chris gevraagd of hij de show de komende weken wil presenteren. Hij moest er even over nadenken maar hij heeft zojuist besloten dat hij het wil doen, dus ik moest jou er snel bij halen.'
'Dat begrijp ik.' Dat deed ze niet, maar alles was goed zolang het niet ging om waar ze bang voor was.
'Ik wil weten wat jij ervan denkt. Het is nu donderdag. Wat komt er deze week bij kijken? Wat moet er gebeuren? Moeten we het programma stoppen of kunnen we ermee doorgaan?'
Stoppen, wilde ze roepen, alles om haar tijd te geven. Maar zo gemakkelijk wilde ze het Chris niet maken.
'Het is geen gecompliceerde aflevering, al het werk is al gedaan. Ik ben het met je eens dat we tot het einde van het seizoen een paar sterke programma's nodig hebben. Als Chris het wil overnemen, denk ik dat we het moeten proberen.'
Die zit, dat had je vast niet verwacht. Ze keek niet eens zijn kant op.
'Ik hoopte dat je dat zou zeggen. Ik heb Chris al uitgelegd dat jij het op dit moment overneemt van Alan en dat ik fungeer als uitvoerend producer. Hij wil het op die basis wel doen.'
Knap van hem, wilde ze zeggen. 'Mooi zo,' kwam eruit.
'Goed, zullen we nu met zijn drieën ergens een hapje gaan eten en het draaiboek doornemen?' Jonathan keek hen vrolijk aan, hij was opgelucht. Dit belachelijke, afschuwelijke scenario was voor Lindsay op dat moment te veel van het goede.
'Eh, ik moet nog wat werk doen vanavond,' loog ze, met die onnozele grijns weer op haar gezicht. 'Ik zal kopietjes maken van het draaiboek en van de redacteursverslagen, en alles snel met jullie doornemen, zodat jullie er samen bij het eten verder over kun-

nen babbelen. Ondertussen zorg ik dat morgenvroeg alles up-to-date is voor Chris.' Paul had haar eens verteld dat ze op honderd manieren kon glimlachen, en die had ze nu allemaal gebruikt.
'Dat lijkt me prima.' Het was voor het eerst dat Chris iets zei.
'Goed, ik ben zo terug.' Ze vluchtte naar buiten en moest oppassen niet uit te glijden voorbij de deur, zo blij was ze dat ze de kamer uit was.
Toen ze vijftien minuten later terugkwam met een dossiermap onder haar arm was ze stukken rustiger, althans aan de buitenkant. Ze namen snel de komende uitzending door en Chris leek meteen vat te krijgen op het materiaal.
'Dit ziet er heel grondig uit, ik wil er graag een avondje naar kijken en er daarna misschien nog wat over praten.' Hij sprak alsof hij haar nooit eerder had ontmoet, maar als het ging om de Oscar voor de beste rol met een stalen gezicht, wist ze dat ze die glansrijk had gewonnen, en dat gaf haar veel stomme genoegdoening.
'Ja, natuurlijk. Dit zijn mijn telefoonnummers. Bel me als er onduidelijkheden zijn, anders stel ik voor dat we elkaar morgen even spreken.'
'Hoe laat komt jou het beste uit?'
'Zo vroeg als je wilt.'
'Negen uur, is dat goed?'
'Ik wilde acht uur voorstellen. Is dat te vroeg voor je?'
'Nee. Geen probleem.'
'Oké, weet je waar ons kantoor is?'
'Daar kom ik wel achter.'
'Fantastisch, tot morgen dan. Ik zie ernaar uit met je samen te werken.'
'Ik ook.'
Dat was niet sarcastisch of boosaardig bedoeld, het was gewoon niets, en tot niets was ze op dat moment in staat.
In een recordtijd was ze het gebouw uit, en bijna het terrein af. Twintig minuten later opende ze haar voordeur en schonk ze voor zichzelf een glas rode wijn in, baby of geen baby.

40

Om kwart over zeven de volgende ochtend was ze al op de redactie, in een zakelijk, grijs pakje met krijtstreep, haren opgestoken, nauwelijks make-up. Ze had zelfs haar bril op, die ze zelden droeg, zodat ze zich ergens achter kon verschuilen. Even na achten kwam Chris binnen in een zwarte spijkerbroek en dikke donkergrijze trui, net onder de douche vandaan. Hij zag er altijd gezond uit, leek altijd iets gebruind en deze ochtend irriteerde haar dat mateloos.
'Hallo.' Een ongemakkelijke begroeting.
'Hallo, Irene van de afdeling Voorlichting is net geweest. Om elf uur is er een persconferentie. Ik zei dat ik zou nagaan of je dat kon halen, ik wilde hun niet zonder jouw toestemming je mobiele nummer geven.'
'Fijn, dank je wel, ik geef mijn mobiele nummer liever niet aan iedereen, als dat goed is. Als jij het maar hebt, dat is het belangrijkste.'
Het was heel belangrijk toen je het mij voor het eerst gaf. Dat zei ze niet, maar ze voelde weer de pijn en vroeg zich weer af hoe hij haar zo makkelijk was ontglipt.
'Jezus, ik besef nu pas dat ik niets heb om aan te trekken. Ik heb dit aangetrokken omdat ik dacht dat ik de hele dag op kantoor zou zitten.'
'Maak je geen zorgen, ik heb de kleedsters al aan het werk gezet. Ze hebben je maten en over een uur of twee wordt hier een stapel kleren voor je afgeleverd. Ze zijn hier om tien uur om te bepalen wat je morgenavond aan moet. Je kunt vast wel iets lenen voor de persconferentie.'
'Geweldig, dank je wel.'
'Er moeten foto's van je worden gemaakt voor de zondagskranten, dus misschien kun je hen bellen en ervoor zorgen dat ze meteen na de persconferentie komen.' Ze schreef het nummer op een velletje papier en gaf het aan hem.
'Wil je nu het programma doornemen?'
'Da's goed, heb je al ontbeten?'
'Ja, dank je wel.' Ze haalde een van haar kant-en-klare glimlachjes

voor de dag, een kille glimlach die zei: 'ik sterf nog liever van de honger'.
'O, oké. Zelf wil ik wel koffie voor we beginnen. Kan ik iets voor je meenemen?'
'Nee, ik heb niets nodig. Ik bel Voorlichting wel terwijl je weg bent.'
Ze keek hem na en nam zich voor de beste producer te zijn met wie hij ooit had gewerkt, de aller-, allerbeste.
Maar ik geef je geen splinter van mezelf, dacht ze woest, je hebt je kans gehad.
Toen hij terugkwam, begonnen de telefoons te rinkelen. Het nieuws dat er een nieuwe presentator kwam, was uitgelekt en iedereen wilde weten wat er aan de hand was. Lindsay had de vorige avond vanuit haar huis het hele team ingelicht, had een vergadering gepland om halftien die ochtend, en gevraagd of iedereen op tijd wilde zijn. Iedereen was dus gewaarschuwd en om kwart voor negen was het een drukte van belang. Lindsay en Chris zaten rustig te werken aan Toms bureau en zodra iedereen binnen was, riep ze een spoedvergadering bijeen om uit te leggen wat er aan de hand was en Chris voor te stellen. De meesten van hen hadden hem nog nooit ontmoet, aangezien de belangrijke mensen van Actualiteiten, waar hij tot dan toe doorgaans voor had gewerkt, zelden in contact kwamen met de frivole wereld van Amusement-tv.
Iedereen was geschokt en verbaasd over het nieuws van Tom en wilde meteen alle zeilen bijzetten, overwerken, extra vroeg beginnen, wat maar nodig was. Sommige teamleden waren stiekem blij dat Chris Keating het overnam. Hij was jonger, had een andere benadering en leek minder arrogant, tot nu toe. Hij had iets aardigs, lachte veel en had nauwelijks een ego, gezien het feit dat hij zichzelf soms relativeerde. En hij had heel snel greep op het programma, vond Lindsay, te oordelen naar het soort vragen dat hij stelde.
De uitzending van zaterdag bevatte verschillende onderwerpen. De drie aantrekkelijke minnaressen stonden uiteindelijk in het draaiboek, en Lindsay was blij dat Chris het zou doen in plaats van Tom, die om een of andere reden duidelijk een hekel aan het item had. Verder hadden ze het nieuwste Amerikaanse tienersterretje, een zestienjarig meisje dat tien miljoen cd's had verkocht

over de hele wereld en over hete seks zong maar beweerde nog nooit een jongen te hebben gekust. Een ex-minister die verwikkeld was geweest in een gecompliceerd geldschandaal had er eindelijk in toegestemd de stilte te doorbreken en zou voor het eerst zijn verhaal vertellen, en er was nog een interview met een jonge Ierse actrice aan wie onlangs voor twintig miljoen dollar een rol in een Hollywood-film was aangeboden. Op papier zag de show er goed uit.

Chris vertelde dat hij zich op vertrouwd terrein voelde met de ex-minister, blij was met die actrice en heel weinig wist over het tieneridool, maar de hele avond op internet honderden aan haar gewijde websites had bestudeerd. Hij voelde zich onzeker bij het onderwerp over de minnaressen, simpelweg omdat hij dacht dat vrouwen ervan zouden smullen en de meeste mannen zich er ongemakkelijk bij zouden voelen.

'Ik denk dat het bedreigend voor ze is, maar ook opwindend.'

Lindsay was hierop voorbereid. 'Statistisch gezien hebben mannen vaker een affaire dan vrouwen. Anderzijds, veel vrouwen beschouwen minnaressen als een bedreiging en vinden ze dat ze het vrouwelijk geslacht vernederen. Maar minstens een van onze vrouwen zal beweren dat een minnares een huwelijk instandhoudt en iemand anders gaat zeggen dat je beter minnares dan echtgenote kunt zijn. Ook hebben we een interessante mix van mensen in het publiek gezet, een paar vrouwen die zijn gescheiden toen ze ontdekten dat hun mannen een vriendin hadden, een vrouw die alles heeft verloren aan een minnares, en een man wiens vrouw hem uiteindelijk had verlaten en die, toen hij vrij was, door zijn vriendin in de steek werd gelaten. Alles bij elkaar denk ik dat het boeiende tv oplevert, gezien het feit dat Ierse vrouwen hier openlijk over praten en voor zover wij weten is het onderwerp nog niet eerder op tv gedaan in dit land.'

'Daar heb je volgens mij gelijk in. Ik moet er alleen nog greep op krijgen – mijn rol is belangrijk en ik wil het niet verknallen. Kunnen we er later nog over praten?' Hij gaf haar een vage glimlach, voor het eerst sinds lange tijd.

'Natuurlijk, maar waarom neem je niet eerst met David de achtergronden door, het is zijn onderwerp, misschien kunnen we dan later onze benadering bepalen.'

Ze namen nog de laatste dingen door, waaronder het publiek, en Lindsay vroeg Kate om Monica te helpen en ervoor te zorgen dat de 'oudjes' op hun plek kwamen en de jongere bezoekers dicht bij hun idool werden gezet. Ze voelde dat zij daar helemaal geen zin in had, maar had het te druk met andere zaken om zich daar nu zorgen over te maken.

De persconferentie werd heel goed bezocht en Chris zag er indrukwekkend uit in een oversized donkergrijs Italiaans pak, een hagelwit overhemd en een dure das. Zijn haar was lang vergeleken bij dat van de andere mannen aan tafel en hij zag er fris, fit, gebruind en gezond uit toen hij naast Jonathan Myers ging zitten. De nieuwsgierigheid was voelbaar. De fotografen verdrongen zich om hem heen en Lindsay zag dat hij zich wat ongemakkelijk voelde. Er werd vaak gevraagd of hij het permanent zou overnemen, maar Chris verzekerde iedereen dat hij inviel voor Tom, wat duidelijk het enige mogelijke antwoord was, maar niet wat men wilde horen. Ze bleef op de achtergrond totdat Jonathan erop stond dat ze erbij kwam staan toen iemand vroeg: 'Wie produceert het programma?'

Daarmee kreeg ze het volle vertrouwen en was het haar beurt om de hitte van de spotlights te voelen, en zij vond dat mogelijk nog onaangenamer.

Daarna wilden alle kranten een foto van haar met Chris, voornamelijk wegens haar vermeende relatie met Colin Quinn, vermoedde ze, en ze werden gedwongen dicht bij elkaar te gaan staan en blij te kijken, waardoor ze ineens moest lachen.

De rest van de dag verliep chaotisch en om acht uur zat het kantoor nog vol met mensen die graag hun bijdrage wilden leveren aan wat een bijzondere aflevering zou worden. Lindsay besefte dat ze de hele dag nog niets gegeten had en besloot met tegenzin om als eerste al rond halfnegen te vertrekken, een beetje moe en emotioneel.

'Ik ben mobiel bereikbaar als iemand me nodig heeft.' Ze pakte haar tas en wenste iedereen in het algemeen goedenavond.

Chris stond meteen op. 'Kunnen we even praten, bijvoorbeeld over mijn aanpak aan het begin, hoe ik het verhaal van Tom moet brengen? Jonathan vindt dat we ons daar met zijn drieën over moeten buigen.'

'Ja, natuurlijk, sorry dat ik dat nog niet gezegd had, zijn secretaresse belde en stelde een bespreking voor, morgen om twaalf uur op zijn kamer. Ik ging ervan uit dat ze jou ook zou hebben gebeld. Is dat goed, of haal je dat niet?'
'Jawel, ik was eigenlijk van plan om morgenvroeg thuis te werken, maar ik zal er zijn, geen probleem.'
'Mooi zo, nou, bel me als je voor die tijd nog wat wilt weten. Goedenavond.' Ze deed de deur open en rende bijna naar haar auto; ze had eten, frisse lucht en een knuffel nodig. De frisse lenteavond was een weldaad en ze was te moe om meer te eten dan een broodje onderweg naar huis, en de enige knuffel die ze kreeg, kwam van een uitbundige, krankzinnige donzige bol.
Om halfelf ging haar mobieltje af, net toen ze in slaap viel. Ze zag dat het Chris was en negeerde het. Ze wilde bij hem niet de indruk wekken dat ze geen plezier in haar leven had, en vond het vervolgens jammer dat hij geen berichtje had achtergelaten.

41

De volgende dag verliep vlekkeloos, wat altijd licht verontrustend was. Na het avondeten werd de hele uitzending van begin tot eind gerepeteerd, alleen met Chris. Ze namen zijn opening voor de camera's door, testten zijn positie uit voor de make-up en het licht en lazen alle aankondigingen door. Hij wilde niet werken met een autocue. Ze hadden hier lang over gesproken, maar Chris wilde dat zijn presentatie spontaan overkwam en Lindsay was het daarmee eens. Er werden spiekkaartjes geschreven waar hij op kon terugvallen, met alle gegevens die hij nodig had, en ze hadden allebei het gevoel dat zijn ontspannen houding op het scherm goed overkwam. Na de repetities zag ze dat hij nerveus was, en ineens speet het haar dat ze niet als vrienden uit elkaar waren gegaan, zodat ze hem meer op zijn gemak had kunnen stellen en zich niet zo stijf en formeel tegen hem hoefde te gedragen, zoals ze de hele dag had gedaan.
Ze stond erop dat hij rust nam voor de uitzending en hij trok zich

terug in de kleedkamer om op adem te komen, terwijl Lindsay ervoor zorgde dat hij niet gestoord werd. Ze ging kijken hoe het publiek ervoor stond en ontdekte dat Kate tot nog toe Monica helemaal niet had geholpen. Lindsay, die zelden door zoiets kleins overstuur raakte, was woedend. Ze zag Kate ronddolen in de ontvangruimte en vroeg of ze wilde komen.
'Kate, ik had gevraagd of je Monica wilde helpen met het publiek en nu zie ik dat ze er helemaal alleen voor staat. Is er iets?'
'Ik moest wat dingen doen voor Chris.'
'Welke dingen?'
'Gewoon dingen die hij nodig heeft voor de uitzending.'
'Ik vroeg welke dingen?'
'Het is al geregeld.'
'Kate, ik ga nu geen ruzie met je maken, maar ik wil dat je nu meteen de verantwoordelijkheid neemt voor het publiek en als er vanavond iets niet goed blijkt te zijn, ben jij vanaf maandag geen lid meer van ons team. Begrepen?'
'Jij bent niet de baas, je kunt me niet zo commanderen.'
'Je doet wat ik zeg of je werkt niet meer voor ons programma.'
Kate droop af en Lindsay wist dat ze gewonnen had, maar was te kwaad om daar nog iets van te vinden. Er waren meer urgente problemen die haar aandacht opeisten.
Het engelachtige tienersterretje met haar babygezicht en haar hele entourage werden steeds veeleisender en weigerden hun kleedkamers te verlaten. Er zou een sterke hasjlucht in de gang hangen, een alarmerend gerucht. Ook bleek een van de minnaressen te veel gedronken te hebben 'om haar zenuwen te kalmeren' en de ex-minister wilde per se vooraf inzage krijgen in de vragen die Chris ging stellen.
Lindsay stuurde een aantrekkelijke stagemanager op het tienersterretje af om zijn charmes op haar uit te proberen, liet een pot sterke koffie aanrukken voor de drie dames en ging onderweg langs de kleedkamer van Chris om daarna met de minister te spreken. Ze wilde hem eigenlijk niet storen, maar wist dat deze paar minuten voor de uitzending cruciaal waren voor de kwaliteit van de presentatie.
Ze klopte zacht.
'Binnen.' Hij klonk een beetje gespannen en oogde wat nerveus,

maar voor de rest vond ze dat hij er beter dan ooit uitzag. Ze hadden de vorige dag zijn kleding uitgekozen – een nogal intiem gebeuren, want ze moest hem vragen verschillende pakken te passen. Maar het resultaat mocht er zijn. Hij droeg een zwart pak van fijne wol, een heel donkergrijs overhemd, opengeknoopt bij de hals. Het jasje was prachtig gesneden en zat zodanig om zijn schouders dat hij breder en langer leek. Hij had haar gevraagd wat hij met zijn haar moest doen, of hij het moest laten knippen, maar het leek haar zo wel effectief. De make-up maakte zijn huid gladder en zijn ogen witter. Hij leek te groot voor het kleine kamertje met zijn lange benen en krachtige gestalte, en het effect was vrij indrukwekkend.
Hij keek haar licht gekweld aan. 'Jezus, waar ben ik aan begonnen? Hoe is de sfeer in de studio, trouwens? Zijn er problemen?'
'Nee, alles verloopt vlekkeloos,' loog ze. 'Het publiek heeft er zin in en de artiest die hen moest opwarmen heeft iedereen de afgelopen tien minuten goed beziggehouden.' Ze zei er niet bij dat de floormanager vijf minuten lang met het publiek geoefend had op het warme welkom van de nieuwe presentator. Hopelijk zou dat een aangename verrassing voor hem zijn die hem erdoorheen zou slepen.
'Is de minister aangekomen?'
'Ja, ik wilde net naar hem toe gaan. De minnaressen zijn leuk en ons tieneridool lijkt in topvorm. Alles goed met jou?'
'Oké. En de spiekbriefjes?'
'Ik praat je bij tijdens de reclame of tijdens een muzikaal nummer of een vooraf opgenomen fragment, mocht dat nodig zijn.'
Hij knikte, net toen de floormanager op de deur klopte.
'Over drie minuten begint de uitzending.'
'Ik kom eraan.'
'Ik loop met je mee,' zei ze toen hij de deur openhield. 'Het wordt een fantastische uitzending, dat weet ik zeker. Je hebt alle onderwerpen in je vingers en het belangrijkste is nu dat je op je gevoel afgaat in de omgang met de gasten. En vooral hoop ik dat je ervan geniet, het is heel enerverend. Ik vind het heerlijk.' Ze keek hem lachend aan en hij lachte terug.
Ze stonden achter de coulissen te wachten tot hij op moest en hij bleef naar haar kijken. Even was alle vijandigheid vergeten. Ze

wilde alleen maar dat hij het goed deed, gewoon omdat hij zo'n leuke vent was en ineens wist ze weer waarom ze voor hem gevallen was.
'Het is zo anders dan wat ik tot nog toe heb gedaan. En het is live. Jezus, wat ben ik nerveus.' Ergens in het grote zwarte gat dat de studio buiten de set was, keken ze elkaar glimlachend aan en dat voelde ze in haar buik.
Plotseling klonk de openingstune door de speakers en de floormanager gaf aan dat hij nog vijftien seconden had.
'Veel succes, maar dat hoef ik niet te zeggen. Je zult het fantastisch doen.' Het was het beste dat ze hem kon zeggen zonder hem te kussen of over zijn dure kleren te huilen, en hij keek even naar haar om toen hij door de boog liep en ontvangen werd met een overweldigend applaus dat hem compleet verraste.
'Heel veel dank. Goedenavond allemaal, welkom bij deze show...' Hij moest stoppen omdat het applaus oorverdovend was. De regisseur liet inzoomen op het juichende publiek en ging weer terug naar een breed lachende Chris en na twintig seconden wist ze dat hij het geweldig zou doen en ondanks alles was ze blij voor hem.
De minister dreigde weg te lopen als hij niet eerst zijn vragen te zien kreeg en Lindsay liet hem beleefd weten dat de kranten wisten van zijn komst en dat ze gedwongen zou zijn een verklaring af te leggen voor zijn vertrek. Hij kalmeerde daardoor en ze verzekerde hem dat het gesprek ongeveer dezelfde lijn volgde als besproken was met de redacteur, waarop hij wilde dat het gesprek nogmaals gerepeteerd zou worden.
Het zestienjarige zangeresje had ongekende sterallures en Chris ging uitstekend met haar om. Hij behandelde haar als een volwassene en zij reageerde als een peuter, giechelend over haar populariteit op internet bij de jongens. Ze zat ongegeneerd met Chris te flirten, wat ze waarschijnlijk met alle mannen deed, vermoedde Lindsay.
Zodra ze bij de eerste reclame-break waren aangekomen ging ze naar hem toe met een brede lach om haar mond. 'Nooit eerder heb ik van zo dichtbij zo'n staaltje kinderlokkerij gezien, maar je kwam ermee weg en de uitzending verloopt fantastisch.' Ze was blij voor hem.

'Die bestonden in mijn tijd nog niet, zulke zestienjarige meisjes. Oef, kittig ding,' grinnikte hij naar haar.
'Volgens mij heeft het hele land door dat je haar wel mag. De telefoons rinkelen, iedereen zegt hoe geweldig je bent.'
'Dat geloof ik geen seconde, maar bedankt voor de leugen. Ik voel me stukken beter nu het eenmaal aan de gang is.'
'De rest is gesneden koek, maar let op bij de drie dames, ik geloof dat Lola een of twee glaasjes heeft gedronken.'
'Bedankt voor de waarschuwing.'
'Nog twintig seconden,' kondigde de floormanager aan.
'Stand-by, studio, voor muziek en applaus. Chris komt binnen op camera twee.'
Lindsay deed stil een stap terug in de duisternis en keek toe. De Ierse actrice met het miljoenencontract flirtte openlijk met Chris en hij kreeg haar zover om te praten over de seksscènes met een knappe, al wat oudere acteur, die erop had gestaan dat zijn billen werden opgemaakt en goed werden uitgelicht voordat zij ook maar in de buurt van het bed kwamen. Haar verhalen waren om te gieren en ze verzekerde hem dat ze elke cent zelf had verdiend. Het publiek lag helemaal dubbel. Ze had helemaal geen kapsones en Chris leek net zo van haar te genieten als het publiek.
De minnaressen deden hun verhaal tot ontzetting van de vrouwen in het publiek en uiteindelijk brak er een grote rel uit, toen een vrouw in het gangpad stond te schelden. Chris stapte onmiddellijk op haar af en ging naast haar staan, wat niet gepland was tijdens de repetities, maar wat verrassend goed uitpakte waardoor hij nog meer ontspannen en toegankelijk leek. Hij ging doortastend te werk, maar leek beide kanten van het verhaal te begrijpen en in het algemeen maakte het heel veel los en was dit item met geen van de andere in deze uitzending te vergelijken. Het interview met de minister was een van de zwaarste die Lindsay ooit had gezien. Chris had duidelijk zijn huiswerk gedaan en stelde alle moeilijke vragen, maar bleef beleefd en neutraal en het publiek, dat de hele avond had gejuicht en gejoeld, was muisstil. Geboeid keken ze toe hoe Chris de politicus in een hoek dreef vanwaar hij niet kon ontsnappen.
Plotseling was het voorbij. De aftiteling rolde over het scherm, de eindtune knalde uit de speakers, alle mensen uit het publiek vroe-

gen om zijn handtekening of wilden met hem op de foto. Hij bleef nog wat napraten, terwijl Tom zich onmiddellijk uit de voeten zou hebben gemaakt.
Zodra ze haar spullen had opgeruimd, stapte ze op hem af. Zijn ogen straalden.
'Jezus, ik doe een moord voor een biertje. Dat was enerverend zeg, je had gelijk.' Ze wist dat hij bijna door het dolle was, want hij trok haar naar zich toe en omhelsde haar, wat ze toeliet.
'Bedankt voor alles, je was ontzettend goed.' Ze wilde hem niet aankijken en plotseling geneerde ze zich een beetje.
'Graag gedaan. Ik zal zorgen dat Jan een lekker koud glas bier voor je klaarzet.' Ze liep weg zonder om te kijken en voelde zijn ogen in haar rug. In de ontvangruimte werd ze weer omhelsd, door Jonathan.
'Goed werk, gefeliciteerd, het was een geweldige uitzending. Chris overtrof mijn verwachtingen. Ben jij tevreden?'
'Zonder meer en je hebt gelijk, hij deed het voortreffelijk, ik ben razend nieuwsgierig naar de kijkcijfers.' Plotseling werd ze overvallen door een golf van vermoeidheid, anders dan anders. Ze zou zo in een hoekje in coma kunnen raken.
Chris kwam binnen en iedereen wilde zijn aandacht. Hij zag er ontspannen en opgetogen uit toen hij met Jonathan stond te praten en zijn biertje dronk. Ze zag dat hij een paar keer in haar richting keek, maar ze was te moe om er aandacht aan te schenken en toen ze een van de gasten naar de limousine bracht, maakte ze van de gelegenheid gebruik er stiekem tussenuit te knijpen, moe en geëmotioneerd.

Natuurlijk kon ze niet slapen met zoveel adrenaline in haar lijf, dus zat ze rechtop in bed en bekeek ze een videoband van het programma. Een uurtje later ontving ze een sms-je.

WAAR BEN JE? ZAG GEEN KANS OM MET JE TE PRATEN. HAD HET ZONDER JOU NIET GERED.

Het gaf haar weer dat eenzame gevoel en ze wenste dat er geen baby was, want dan zou ze naar hem terug kunnen gaan en opnieuw beginnen. Maar dat kon nu niet, dat wist ze zeker.

De volgende ochtend werd Lindsay wakker met een branderig gevoel dat zich van haar navel tot aan haar keel uitstrekte, alsof ze Spaanse pepers had gegeten. Ze dacht dat ze moest overgeven, maar er kwam niets. Ze wilde naar de wc gaan, maar moest terug naar bed kruipen en gaan liggen totdat de duizeligheid voorbij was. Angstig belde ze haar zus op.

'Maagzuur,' zei Anne. 'Heb je braakneigingen?'

'Ja.'

'Goed, zorg ervoor dat je niet uitdroogt.'

'Ik heb gisteren nauwelijks gegeten of gedronken.'

'Lindsay, dit gaat niet goed. Ik kom zo bij je. Blijf in bed.'

Alsof ik ergens naartoe zal gaan, dacht ze toen ze ophing.

Anne kwam en bemoederde haar en zorgde ervoor dat ze veel dronk en gaf haar later een kom soep, toen ze wat was opgeknapt. Ze had alle zondagskranten voor haar gekocht. In twee ervan stond een foto van haar en Chris, met een kort bericht over Toms hartaanval. Het was de enige foto van hen samen. Ze scheurde hem uit, stopte hem in haar portemonnee en voelde zich nog zieker.

De meisjes kwamen en Anne vertrok nadat ze er bij Lindsay op had aangedrongen de volgende dag naar de dokter te gaan. Dat beloofde ze. Ze stond op en probeerde haar tanden te poetsen, maar ze moest bijna overgeven van de tandpastageur en terwijl ze weer naar haar bed kroop, ving ze in de spiegel een blik op van haar gezwollen, grauwe gezicht. Daar ging haar gezondheidskuur.

42

Maandag ging Lindsay naar haar eigen dokter. Als Alison Crowley, die haar al jaren kende, al werd verrast door haar mededeling, was ze ervaren genoeg dat te verbergen.

'Hoe gaat het?'

'Het ging goed, te goed misschien, tot nu toe, maar zaterdag kreeg ik vreselijk veel last van maagzuur, tenminste, dat moet het vol-

gens mij zijn geweest en de hele dag dacht ik dat ik moest overgeven, maar er kwam niets. Ook heb ik last van duizelingen als ik ineens opsta, dus alles bij elkaar voel ik me behoorlijk akelig.'
'Klinkt heel normaal, ben ik bang. Hoe staat het met je gewicht?'
'Het verbaast me dat ik niet méér ben aangekomen, behalve mijn borsten, die gezwollen zijn en pijn doen. Maar ik heb amper een buikje terwijl ik toch meer dan drie maanden zwanger ben.'
'Oké, laat me eens kijken.' Ze voelde zachtjes aan haar buik en bevestigde dat alles goed was. 'Maar ik zou graag willen dat je een echo liet maken, zo snel mogelijk, voor alle zekerheid. Heb je al over een gynaecoloog nagedacht?'
'Nee.'
'Ik kan je doorverwijzen naar Paul Boran, een vriend van mij. Hij is geweldig, echt relaxt en je kunt goed met hem praten. Wil je een afspraak met hem?'
'O ja, graag.'
'Dan regel ik dat en hij zal ervoor zorgen dat je een echo kunt laten maken.' Ze zweeg even.
'Hoe vind je dit nou allemaal? Je maakt de indruk dat het als een verrassing kwam.'
'Dat is zacht uitgedrukt, maar ja, het gaat nu wel, denk ik.'
'Kun je terugvallen op je omgeving?'
Waarom vroeg ze dat toch allemaal?
'Nee, eh, ja, mijn familie natuurlijk en... ik heb een paar heel goede vriendinnen.'
'Nou, maak daar gebruik van, want het wordt een heel emotionele tijd en je hebt iemand nodig op wie je kunt steunen. En vergeet niet dat je ook altijd met mij kunt praten.' Ze omhelsden elkaar en Lindsay voelde zich eenzaam.
Ze ging direct naar het kantoor. Er lag een briefje op haar bureau van Chris, die informeerde naar de kijkcijfers, waar ze helemaal niet meer aan had gedacht. Ze was blij dat hij er niet was, want ze voelde zich kwetsbaar.
Het praten over echo's en specialisten gaf haar het gevoel dat de baby er echt was en ze wist niet zeker of ze het al helemaal had geaccepteerd, maar dat was bespottelijk, wist ze.
De kijkcijfers waren ongelooflijk. Ze stonden verreweg op nummer één. Heel veel mensen hadden ingeschakeld om te kijken hoe

Chris het zou doen, en wonderlijk genoeg waren ze allemaal blijven kijken. Tijdens het item over de minnaressen steeg het aantal kijkers zelf, wat Lindsay een gevoel van triomf gaf. Ze belde Chris op zijn mobiel en dat leek hij te waarderen. Ze moest hem vertellen dat het item over de minnaressen het best bekeken was. Hij lachte en gaf toe dat hij het bij het verkeerde eind had.
'Waarom ging je zo vroeg naar huis?'
'Ik had een afspraak met wat vrienden na de uitzending.' Het leugentje kostte haar geen moeite.
'Ik heb niet de kans gekregen om nog met je te praten.'
'Nou, ik heb wat aantekeningen gemaakt toen ik het programma weer bekeek en misschien kunnen we daar morgen na de vergadering over praten.'
'Oké, prima.' Hij vatte de hint op en zei niet veel meer. Ze bespraken de volgende aflevering en zij ging vroeg naar huis, enigszins uitgeput.
De rest van de week bleef Lindsay zich de hele tijd moe voelen, moest ze vaak naar de wc om zich te verbergen als haar maagzuur opspeelde. Ze dronk veel water om niet uit te drogen, maar de vreemdste geuren maakten haar misselijk waardoor ze naar de wc moest rennen, al had ze weinig in haar maag om over te geven.
Ze ging op bezoek bij Paul Boran, de gynaecoloog die haar arts had aanbevolen. Hij was ontspannen, aardig en glimlachte veel. Hij bevestigde dat alles goed was en maakte meteen een afspraak voor een echo, iets waar ze niet naar uitkeek.
De kranten waren zeer te spreken over Chris en het programma. Iemand schreef zelfs dat dit het beste was wat het programma in jaren was overkomen. Een andere krant plaatste dezelfde foto van haar en Chris en noemde hen een 'dynamisch duo'. Lindsay voelde zich allesbehalve dynamisch. Jonathan vroeg of alles goed ging toen hij halverwege de week poolshoogte kwam nemen, en ze besloot om nog meer crèmes op haar gezicht te smeren en ging weg om haar haren te laten wassen en föhnen in een uiterste poging er wat model in te brengen. Ze droeg deze dagen meestal wijde, zwarte kleren, waardoor haar stemming niet verbeterde.
En dan was er nog een incident met Kate. Lindsay had haar gevraagd om een verhaal uit te diepen dat de week ervoor in een

van de zondagskranten had gestaan en tien dagen later had ze het nog steeds niet gedaan. Lindsay had er genoeg van en ze liet de stuurs kijkende vrouw op haar kamer komen.
'Ik moet zeggen dat ik niet tevreden ben over je inzet sinds ik het heb overgenomen. Dat incident met het publiek had niet mogen gebeuren en nu ontdek ik dat je nog niet begonnen bent met dat item. Ik wil dat mensen zich volledig inzetten en ik ben bang dat je niet veel betrokkenheid bij het programma hebt getoond de laatste tijd. Is er iets dat ik moet weten?'
'Ik zie niet in waarom ik aan jou verantwoording moet afleggen, jij bent geen producer.'
'Kate, ik ben door het Hoofd Programmering gevraagd om als producer op te treden zolang Alan er niet is. Als je daar een probleem mee hebt, moet je dat met hem bespreken. Ik doe mijn uiterste best en eerlijk gezegd heb ik genoeg van je verschrikkelijke houding. Als we niet op het eind van het seizoen waren zou ik vragen of ze je uit het team wilden zetten, en ik zal zeker niet graag met jou in de toekomst willen werken. Maar goed, er zijn een paar dingen die deze week gedaan moeten worden en die wil ik snel op mijn bureau zien. Begrepen?'
Ze kreeg niet meer dan een nors knikje in haar richting, en Lindsay voelde zich na dit gesprek nog meer gefrustreerd. Ze had het erover met Alice bij de koffie, en kreeg daar meteen spijt van.
'Het spijt me, dat had ik niet mogen zeggen, normaal gesproken roddel ik nooit met medewerkers over medewerkers. Ik heb niks gezegd.'
'Eigenlijk had ik er zelf al over willen beginnen. Weet je, Kate had graag productieassistente willen worden en kwam tot de laatste ronde, maar haalde het niet tot de opleiding. Daar baalt ze stevig van, maar ik denk dat ze sowieso niet gelukkig is, ze is altijd moeilijk geweest.' Lindsay zuchtte, ze wist niet wat ze moest doen.
'En nog iets, hoewel ik geen bewijzen heb, dus hou me er buiten, maar ik denk dat je het moet weten.'
Lindsay wachtte, bang voor wat er komen zou.
'Ik denk dat ik haar over jou heb horen praten met een journalist, dus misschien is daardoor dat verhaal in de krant gekomen. Vorige week ging ik een keer 's avonds terug naar kantoor om een map op te halen. Ze zat midden in een gesprek en ik hoorde

je naam. Ze beëindigde het gesprek zodra ze me zag en leek heel nerveus.'

Lindsay dacht dat ze in tranen zou uitbarsten. 'Bedankt dat je me dit vertelt.'

Het meisje knikte.

Lindsay wachtte het juiste moment af, totdat ze een avond alleen op kantoor was met Kate. Ze liep recht op het bureau van de jonge vrouw af, leunde voorover en keek strak in haar ogen.

'Ik ben laatst nog iets vergeten te zeggen. Als ik erachter kom dat jij met journalisten over mijn privéleven hebt gesproken, zorg ik ervoor dat je nooit meer in dit vak kunt werken. Begrepen?'

Aan het rood in haar gezicht kon ze zien dat Alice gelijk had.

'Ik waarschuw je, Kate, praat met niemand over mij, anders krijg je daar spijt van.' Ze trilde toen ze haar tas pakte en het kantoor verliet, helemaal uitgeput.

De nieuwe uitzending ging zelfs nog beter dan de vorige, dacht Lindsay trots toen ze zaterdagavond vanuit de coulissen stond te kijken. Ze wist dat Chris haar deze keer niet zo nodig had, en ze miste de wat ongemakkelijke intimiteit van vorige week. Hij was meer ontspannen en zekerder van zichzelf en ze vond hem echt een aanwinst voor het programma toen ze zag hoe hij een vijftienjarig meisje door een pijnlijk interview loodste. Zij vertelde over haar ervaringen in een bus in Kenia die door een bomaanslag werd getroffen, waarbij drie van haar familieleden omkwamen, onder wie haar moeder. Het was haar gelukt alarm te slaan toen ze gewond langs de kant van de verlaten weg lag. Toen ze zich herinnerde hoe ze hulpeloos naast haar zusje had gelegen, begon ze te huilen.

Chris liet haar huilen en nam haar hand in de zijne. Toen ze geen woord kon uitbrengen vertelde hij het publiek over zijn eigen afschuwelijke ervaringen als journalist in dat land. Het was een gedenkwaardig interview en Geoff, de regisseur, liet inzoomen op huilende moeders in het publiek en toen Chris het meisje naar haar vader bracht omdat zij niet met dit interview kon doorgaan, liet hij een onbekende, kwetsbare kant van zichzelf zien die hem waarschijnlijk nog meer fans zou opleveren.

Daarna was hij wat somber en gaf hij aan Lindsay toe dat het een

heel zwaar interview was. Het was hun meest intieme moment van die rare week waarin Lindsay met opzet afstand had gehouden, vooral omdat ze zich misselijk en afschuwelijk voelde en ook omdat ze haar echo had gehad. Het was moeilijk geweest.
Ze had er met niemand over gesproken, ervan overtuigd dat ze het alleen wel aankon, maar ze was niet voorbereid op haar reactie bij het zien van het kikkervisje dat door haar buik zwom. Zwijgend schudde ze haar hoofd toen de aardige vrouw vroeg of ze het geslacht van het kind wilde weten, en ze vertrok met een aandoenlijke foto in haar hand, die ze aan niemand kon laten zien. De eenzaamheid kwam nu pas echt hard aan.
Weer ging ze in alle vroegte naar huis en op maandag hoorde ze pas hoe goed Chris in vorm was geweest en dat sommigen van het team later naar een club waren gegaan. Ze vroeg zich af of hij was meegegaan, maar ze wilde het niet vragen, ze vond het vreselijk dat ze dit wilde weten.

De week daarna was de laatste aflevering van het seizoen en iedereen was opgetogen door de gestegen kijkcijfers en het vooruitzicht op een gewoon leven. Na de uitzending op zaterdagavond zou er een groot feest worden gegeven met de pers en alle gasten die in dat seizoen in de show waren geweest, en men verwachtte ook een aantal beroemdheden. Lindsay had Alice gevraagd of ze dit feest wilde organiseren en het jonge redactielid nam haar taak heel serieus. Ze had Chris gevraagd of hij iemand wilde meenemen en hij keek afwezig en schudde zijn schouders.
'Daar heb ik nog niet over nagedacht. Wat doen de anderen?' Alice vertelde dat het hele team een introducé meenam en Lindsay voelde dat hij naar haar keek. Ze keek niet op toen hij om twee kaartjes vroeg.
'O, mijn ouders zijn dit weekend in Dublin, mogen zij ook komen? Ik zou ze zaterdag mee uiteten nemen, maar dat kan nu dus niet.'
Alice vertelde met een glimlach dat hij zoveel mensen mocht uitnodigen als hij wilde, en hij beloofde later in de week een bevestiging te geven.
Toen ging Alice naar Lindsay. 'Lindsay, hoeveel kaartjes zal ik voor jou reserveren?'

'Vier voor mij als dat kan, dank je wel.' Weer voelde ze Chris naar haar kijken en met opzet bleef ze naar haar computerscherm kijken, terwijl ze zich afvroeg wie ze zou meenemen. Ze dacht aan Tara en Debbie, maar was bang dat zij een praatje zouden gaan maken met Chris om te horen hoe het met hem ging, en dat wilde ze niet. Ze was moe en prikkelbaar en zijn voortdurende aanwezigheid herinnerde haar alleen maar aan wat ze had verloren. Ze wilde wegduiken en een maand lang slapen om het allemaal te vergeten.

Colin belde haar die avond op en vroeg hoe het met haar en Chris ging. Hij was het niet eens met de manier waarop zij de confrontatie met Chris die dag op de parkeerplaats had afgehandeld en vond dat zij nog een poging moest wagen om het Chris te vertellen nu ze weer met elkaar praatten.

'Alsjeblieft, zeg niet wat ik moet doen, het is me momenteel allemaal te veel, ik ben de hele tijd misselijk,' smeekte ze hem tussen twee oprispingen door.

'Gaat het?'

'Ja, sorry, ik ben echt doodsaai.'

Hij veranderde van onderwerp en bracht haar aan het lachen met een verhaal over zijn dochters en beloofde haar terug te bellen zodra hij zou weten wanneer hij weer thuis was.

Op de ochtend van de laatste uitzending voelde Lindsay zich iets beter en ze deed nog een laatste poging iets aan haar uiterlijk te doen door naar de kapper te gaan en een prachtig citroengeel zijden kreukbloesje en een auberginekleurige wikkelrok aan te trekken. Ze moest er een strakke body onder dragen om haar buikje te verbergen, en een brede riem met siernagels droeg daar ook aan bij. De creatie was afkomstig van Tara en hoewel ze zoiets nooit zelf zou hebben aangeschaft, stond het haar enig en voelde ze zich jong en zomers. Ze had toch al een hekel aan al haar eigen kleren gekregen. Haar huidskleur en haren staken er verrassend genoeg wat donkerder bij af, en de riem bracht eenheid in de creatie. Ook moest ze van Tara haar grote oorringen lenen en ze was echt tevreden met hoe ze eruitzag, vooral nadat ze stiekem naar de make-upafdeling was gegaan en had gevraagd of ze daar iets aan haar grauwe gelaatskleur konden doen.

De uitzending was luchtiger dan normaal, maar ze had met op-

zet voor een beetje inhoud gezorgd, dus zaten er een paar stevige interviews en enkele grote namen in, onder anderen twee voetballers uit de laatste oogst buitenlandse aankopen, altijd goed om ieders aandacht te trekken. Terwijl Lindsay heen en weer van de studio naar de ontvangruimte liep, zag ze een jonge, donkere lookalike van Penelope Cruz en vroeg aan Alice wie dat was.
'Dat is de partner van Chris, daar word je toch niet goed van?'
Lindsay kreeg inderdaad braakneigingen, ditmaal niet alleen wegens haar toestand. Ze staarde met kloppend hart naar het exotische jonge meisje en vroeg zich af wat zij voor Chris betekende. Verrassend genoeg haatte ze hem er niet eens om. Sinds ze met hem samenwerkte, wist ze weer precies wat haar zo in hem aantrok, en nu ze zich dik, oud en moe voelde en naar haar jongere, veel beter uitziende vervangster keek, miste ze hem meer dan ooit en ondanks alles wat er was voorgevallen, wilde ze hem nog steeds.
Chris keek ontspannen en mengde zich meer dan gebruikelijk onder het publiek, dat daar goed op reageerde. De voetballers waren meteen een hit, vooral bij de vrouwen. Lindsay keek er vanuit een hoekje in de studio naar, dacht weer aan Chris' vriendinnetje en wilde weglopen. Het waren de langste drie weken van haar leven geweest, waarin ze hem elke dag zag en bijna elke avond aan hem dacht, en ze vroeg zich af of ze wel het juiste deed. Hij maakte zich duidelijk nergens zorgen om.
Na de uitzending was het feest al volop aan de gang toen ze aankwam in de grote, voor deze gelegenheid opgezette feesttent. Alice had geweldig werk geleverd. Overal hingen ballonnen en stonden kaarsen, een champagnebar werd druk bezocht, en er was een enorm koud buffet, de tafel bezweek er bijna onder. Er was genoeg ruimte om te zitten. Verder was er een dansvloertje en de muziek klonk goed. Ze nam een glaasje mineraalwater en stortte zich in het feestgewoel, blij dat het bijna allemaal achter de rug was.

43

Toen Lindsay zich een weg baande door de opgewonden groep medewerkers stond ze ineens pal voor Chris' moeder, die haar warm begroette. 'Wat leuk om je weer te zien.'
Lindsay was verbaasd dat de oudere vrouw haar nog herkende.
'Hoe gaat het met die mooie hond van je?'
'Verwaarloosd, vrees ik, maar hopelijk komt daar nu verandering in.'
'Ik heb gehoord dat je een paar zware maanden achter de rug hebt.'
'Ja, het is een beetje druk geweest,' Lindsay lachte om het understatement. 'En hoe gaat het met u?'
'Goed, goed. Chris zegt dat je hem fantastisch hebt geholpen, trouwens. Het is heel leerzaam voor hem geweest, dit live-entertainment gedoe, jullie moeten flink onder druk hebben gestaan, lijkt me.'
Ze stonden wat te kletsen en terwijl Nina iets in haar handtasje zocht, leek het alsof ze elkaar al jaren kenden. Ineens kwam Chris erbij staan.
'Jullie staan hier zo gezellig te praten, wat voeren jullie in je schild?' Hij keek hen lachend aan.
'Waarom denken mannen altijd meteen het ergste?' Nina Keating gaf haar zoon een zachte por. 'Lindsay vertelde me net dat ze van plan is een paar maanden vrij te nemen deze zomer.'
'O, wat ga je doen?' Hij keek haar nieuwsgierig aan.
'Ik heb nog geen vaste plannen,' loog Lindsay, die niet wilde dat hij ervan wist. Ze had er spijt van dat ze het gezegd had, het was er zo uitgefloept.
'Heeft Chris je verteld dat hij dinsdag naar Australië gaat?'
'Nee.' Nu was het haar beurt om verrast te zijn.
'We hebben elkaar nauwelijks kunnen spreken,' zei Chris nadrukkelijk tegen zijn moeder voordat hij Lindsay aankeek. 'Ik combineer een wereldtop in Nieuw-Zeeland, die ik voor het journaal versla, met een trip naar Oz om mijn zus Lisa te bezoeken. Het staat al maanden vast. Ik hoopte dat ik je voor mijn vertrek nog kon spreken.'

Dat laatste liet ze langs zich heengaan. 'Wat fijn voor je, ik hoop dat alles goed gaat, het is weer iets heel anders dan wat je de afgelopen weken hier gedaan hebt. En een vakantie zal je goeddoen.' Lindsay gaf hem haar stralendste glimlach en excuseerde zich. 'Ik moet het hele team nog bedanken,' legde ze uit aan Chris' moeder.
'Ik hoop dat we elkaar nog eens spreken,' zei de vrouw zachtjes, waarna Lindsay naar haar collega's liep, straal langs de Cruzkloon, die werd omringd door praktisch iedere mannelijke gast van onder de veertig.
Plotseling ontstond er een drukte en gingen er flitslichten af bij de ingang, en Lindsay ging net als iedereen kijken wat er aan de hand was. Tot haar verbijstering zag ze Colin binnenlopen, alleen en om zich heen kijkend. Minstens tien mensen, onder wie Jonathan Myers, werden bijna verdrukt in de menigte van bezoekers die hem wilden begroeten. Ze zag hem handen schudden terwijl hij zich een weg naar de bar baande. Hij zag haar vrijwel meteen en liep op haar af met een verlegen glimlach. Ze lachte terug en wist niet zo snel wat ze moest doen. Dat probleempje loste hij op door haar warm te omhelzen en op haar mond te zoenen, terwijl iedereen deed alsof ze dat niet zagen. Hij zag er goed uit, zijn blonde haar was nog korter geknipt en zijn ogen schitterden.
'Waar kom je vandaan? Wanneer ben je aangekomen?' vroeg ze met een rood aangelopen gezicht.
'Ik kom toch overal binnen, dat weet je toch. Ik kwam gisteravond aan. Breng ik je in verlegenheid of gebruik je altijd deze bijzonder aantrekkelijke rouge?'
'Ik kan het niet geloven, je hebt niet eens gebeld. En je bent alleen, ik dacht dat grote sterren altijd een gevolg bij zich hadden.'
'Ik wilde je verrassen en het effect zou verdwijnen als ik met mijn agent kwam binnenlopen, of niet?' Hij leek heel tevreden met zichzelf. 'Bovendien dacht ik dat je wel wat steun kon gebruiken,' fluisterde hij in haar oor, en ze wilde hem stevig omhelzen. 'En natuurlijk, de gedachte aan een Guinness-biertje trok me ook.'
Ze bleven aan de bar praten en ze was echt blij en verrast dat hij was gekomen. Even later kwam Jonathan hun richting op, samen met Chris die hij aan Colin wilde voorstellen. Lindsay wist dat Colin een ongezonde interesse had in Chris en ze was licht geïr-

riteerd toen Jonathan vroeg of hij haar even kon spreken, waarna de twee mannen alleen werden gelaten.
Jonathan sleepte haar mee naar een rustig plekje en bedankte haar weer voor haar grote inzet. 'Ik ben blij dat je naar de vertrouwensarts bent geweest. Ze heeft meteen contact met me opgenomen en we hebben een bonuspakket voor je samengesteld dat je afwezigheid grotendeels dekt, hoewel ze waarschijnlijk ook heeft uitgelegd dat je gewoon recht hebt op zwangerschapsverlof.'
'Ik zal er nog eens over nadenken, ik wil dit echt stilhouden, jij en zij zijn de enigen hier die ervan weten.'
'Dat begrijp ik, maar Lindsay, mensen zijn in het algemeen heel aardig, weet je. Niemand zal je erop aankijken.'
'Daar gaat het niet om, het is alleen zo... gecompliceerd, daarom wil ik het zo.'
Hij leek haar uren in beslag te nemen, praatte over de toekomst, verzekerde haar dat ze haar alle steun zouden geven als ze terugkwam, wenste haar tot slot succes en vroeg of ze persoonlijk contact met hem wilde houden. Toen ze terugging naar de bar waren Colin en Chris verdwenen en vroegen andere mensen haar aandacht. Op het laatst zag ze hen diep in gesprek aan een afgezonderd tafeltje.
Plotseling was het tijd voor de toespraken en Tom Watts – met wie het weer stukken beter ging – liet voor iedereen champagne komen. Jonathan gaf haar een bos bloemen en ze was gedwongen een dankwoord uit te spreken, maar ze rende bijna terug naar Colin, die zijn arm maar niet van haar schouders wilde halen.
Ze kwam terug van de wc toen Chris vanuit het niets opdook.
'We moeten praten.'
'Dat probeerde ik weken geleden, weet je nog, maar toen had je geen tijd. Nu denk ik dat er niet veel meer te zeggen valt.' Ze was nog steeds gepikeerd na het zien van haar vervangster.
'Laten we geen spelletjes meer spelen, laten we gewoon...'
'Hallo, ik was naar je op zoek...' Zijn nieuwe vriendinnetje stond plotseling naast hem en Lindsay keek hem zo boos aan als ze maar kon en liep weg, weer helemaal misselijk.
Het volgende halfuur was ze niet bij Colin weg te slaan en samen gingen ze ervandoor zodra ze konden, met moeite ontsnappend aan Penelope en de moeder van Chris.

'Heb je onze eigen Penelope Cruz al gezien?'
'Ja, ze ziet er goed uit. Wie is ze?'
'Het vriendinnetje van Chris.'
Colin floot tussen zijn tanden. 'Die indruk gaf hij absoluut niet toen we samen aan tafel zaten te praten. Maar ach, ze lijkt me geen blijvertje. Van zulke meisjes heb je er honderd in een dozijn, leuk om te zien, maar niets te melden. Na een week verveelt hij zich dood.'
'Leugenaar.'
'Echt waar, ik weet hoe dat gaat, ik ben een man. Vertrouw me.'

Hij ging mee naar haar huis, nam een biertje en zij maakte warme chocolademelk. Daarna verschansten ze zich op de bank en praatten ze bij, totdat haar ogen dichtvielen.
'Mag ik blijven?'
'Weet je dat zeker?'
'Ik heb volgens mij iemand nodig om mee te knuffelen, ik voelde me alleen zonder jou.' Hij kuste haar, een lange, trage, zachte kus. Hij leende haar tandenborstel, zij waste haar gezicht en samen nestelden ze zich in haar comfortabele ouderwetse bed. Ondanks alles viel ze binnen een paar seconden in slaap.
De volgende ochtend werd ze wakker van de deurbel, en even was ze verbaasd dat ze iemand in haar bed aantrof, dus sprong ze veel te snel overeind, waarna ze weer even moest gaan liggen.
'Zal ik opendoen?'
'Ben je wel goed bij je hoofd? Dat zijn mijn vriendinnen, die krijgen een hartaanval als ze je zien.'
Ze strompelde weg om hen binnen te laten, daarna liep ze naar de badkamer. Toen ze beneden kwam, maakten ze met zijn drieën het ontbijt klaar, alsof dat doodnormaal was.
'Hebben jullie je al aan elkaar voorgesteld?' vroeg ze. Alledrie staakten ze hun bezigheden.
'God, je ziet er afschuwelijk uit, hier ga zitten.' Debbie kwam meteen aangerend.
'Het gaat wel weer nu.' Ze vervloekte zichzelf dat ze zich niet had opgemaakt, ervan uitgaande dat Colin nog in bed zou liggen. Hij wandelde rond op blote voeten en leek zich helemaal thuis te voelen.

'Ik ben zo terug.' Ze rende terug om zich aan te kleden, haar haren te borstelen en een beetje foundation en rouge aan te brengen, zodat ze er weer een beetje uitzag.
Ze bleven uren aan tafel, aten, praatten, lazen kranten en bekeken het programma nog eens aandachtig, totdat Colin om vijf uur vertrok om naar zijn ouders te gaan en wat vrienden te ontmoeten. Hij beloofde dat hij de volgende ochtend zou bellen en ze spraken af dat ze nog een dagje samen zouden optrekken.
De meisjes waren dol op hem, wat ze wel had gedacht, en ze wilden alles weten over het feest. Er volgde een ijzige stilte toen ze 'Penelope Cruz' noemde, maar verder waren er veel vragen, vooral waarom Colin en Chris zo lang in gesprek waren gebleven.
'Waar ging het over?' wilde Debbie weten
'Dat weet ik niet, ik heb het niet gevraagd. Het interesseert me niet,' zei Lindsay, en ze wisten dat ze loog.

De volgende dag, toen ze naar Colins hotel liep, ontving ze een berichtje van Chris.

WE MOETEN PRATEN. TIJD VANDAAG?

Ze selecteerde 'wissen' en liep verder. Ze wou dat ze hem net zo makkelijk uit haar hoofd kon wissen.
Ze gingen een wandeling maken in Stephen's Green. Colin zag er goed uit in een gebleekte jeans en een oude trui. 's Middags gingen ze naar de film, daarna gingen ze vroeg uiteten in een geweldig Thais restaurant. Niemand leek hen lastig te vallen, slechts een paar mensen herkenden hem. Ze waren ontspannen en praatten over Ierland.
'En vertel, wat ga je nu doen?'
'Eh, ik heb nog een paar weken om het programma af te wikkelen, wat ik in mijn eigen tijd kan doen, daarna ga ik naar het westen van Ierland, naar een klein dorpje, waar ik een kookcursus van drie maanden ga volgen.'
'Waarom? Je kon toch al goed koken, heb je me eens verteld?'
'Dit is iets anders, dit is voor een erkend diploma zodat ik, als ik ooit van baan moet veranderen, iets heb om op terug te vallen. En het is iets dat ik altijd al wilde doen.'

'Maar ik dacht dat je dol was op tv.'
'Dat is ook zo, maar met een baby, wie weet... Ik had dit programma niet kunnen doen met een kind, werken tot diep in de nacht, de hele zaterdag...'
'Lindsay, ik vind nog steeds dat je Chris hierbij moet betrekken...'
'Nee.'
'Zie je, die avond op dat feest, toen ik met hem praatte... Hij is echt een aardige vent – geen ego, beide benen op de grond. Ik denk dat hij dit kind wil leren kennen, het is ook van hem.'
'Nee. Luister, hij dumpte mij zonder dat ik iets kon uitleggen. Na een week had hij een ander, hij gaf me niet eens tien minuten de tijd met hem te praten toen ik zei dat het belangrijk was... En voor het geval ik het nog niet door zou hebben, bracht hij zaterdag een nieuwe vlam mee. Ik wil niet dat hij me nog eens zo kan kwetsen. Waarom snapt niemand dat?'
'Dat snap ik wel, echt waar.' Hij zag dat ze van slag was. 'Ik denk alleen dat je nog niet alles op een rijtje hebt voor jezelf en dat je goed over de dingen moet nadenken. Hij stelde me gisteravond allerlei vragen over jou, over ons. Hij leek me helemaal niet onverschillig, daarvoor was hij te veel in jou en je plannen geïnteresseerd. Dit ondanks het feit dat hij denkt dat jij de eerste was die hem bedroog.'
'Ik bedroog hem niet. Jezus Christus, Colin, aan wiens kant sta je eigenlijk? Zaterdagavond was zijn laatste kans om met me te praten, en wat deed hij? Hij kwam opdagen met zijn nieuwste verovering!'
'Ze betekent niet veel voor hem.'
'Morgen vertrekt hij en tegen de tijd dat hij terug is, ben ik weg.' Ze wilde het uitschreeuwen om al die frustraties. 'Luister, het is voorbij wat mij betreft, en ik wil geen medelijden omdat ik zo stom ben geweest zwanger te worden. Onder deze omstandigheden wil ik hem niet terug.'
Ze praatten nog uren verder en hij zette haar thuis af. Hij vroeg nu niet of hij mee naar binnen mocht. Ze was een beetje triest omdat ze had gehoopt dat ze weer de liefde zouden bedrijven, maar voelde zich te klagerig, te moe en onzeker om het voor te stellen.
De volgende dag gingen ze brunchen, maar de sfeer was een beet-

je gespannen en hij ging naar het vliegveld nadat hij beloofd had haar te bellen en haar stevig had omhelsd.
Ze ging wandelen in haar eentje en toen ze om vier uur 's middags terugkwam, had haar buurman een bos bloemen voor haar aangenomen – een grote bos heerlijk geurende lila, paarse en roomwitte violieren, omringd door een brede krans van groene bladeren. Op het kaartje stond: 'We moeten echt praten. Bel me als je dit vóór drie uur ontvangt. Zo niet, dan neem ik contact met je op zodra ik terug ben.' Ze verscheurde het.

44

Een paar weken later kwamen Lindsay en Charlie op een mooie zondagmiddag aan bij de 'Kookboerderij van Inisfree', in een klein dorpje in het westen van Ierland. Ze was 's ochtends vroeg vertrokken, uitgezwaaid door haar zus en haar twee beste vriendinnen. Ze moesten allevier een traantje wegpinken, ook al ging ze niet verder weg dan driehonderd kilometer en zouden ze naar alle waarschijnlijkheid om de dag telefonisch contact hebben.
Het meisje bij de receptiebalie liet Lindsay het huis zien waar ze de komende drie maanden zou wonen en gaf haar een dikke map mee met alle cursusinformatie.
'Hier is het. Jij zit in het Rozenhuis, het is klein, maar het is het enige huisje dat je voor jezelf hebt, zoals je had gevraagd.' Ze keek vriendelijk. Alle huisjes lagen in een straal van één kilometer rondom de school, had Lindsay gehoord, en elk huis was naar een bloem of struik genoemd. 'Het dichtst bij gelegen huisje is het Meidoornhuis,' zei ze, terwijl ze wees naar een felgeel, enigszins vervallen huisje, 'en dat daar, achter die bomen, is het Fuchsiahuis.' Lindsay zag een leuk huis met een rieten dak dat iets weg had van een landhuis. 'Daar slapen er tien, want het is heel groot. Jij hebt je eigen keukentje, een woonkamer en een slaapkamer en douche op de eerste verdieping, helemaal voor jou alleen.'
Het meisje draaide de sleutel om van de voordeur. Lindsay hoopte dat ze met haar buik die smalle wenteltrap op kon in de hoek

van de kleine, rustieke woonkamer. Het was heel basic, maar charmant, met bloemetjesgordijnen en een grote vaas pioenrozen op de geschuurde houten tafel. Er was een grote open haard met een mand houtblokken ernaast; tuindeuren leidden naar een minituintje. Er was zelfs een aangenaam hoekje voor Charlie.
'Het is perfect, dank je wel.'
'Iedereen zorgt meestal zelf voor het ontbijt, maar er wordt iedere ochtend thee met scones geserveerd in de keuken als jullie aankomen. Ik heb brood, melk, eieren en jam klaargezet voor morgenochtend. Als je iets nodig hebt, moet je het maar zeggen. De lunch is de hoofdmaaltijd. Die is heel uitgebreid, jullie eten gezamenlijk in de eetzaal. Op het eind van de dag kun je altijd een prakje meenemen van wat je die middag hebt gekookt; zo niet, dan krijg je vers brood en kaas mee uit de hoofdkeuken. Bij de boerderij zit een biozaak waar je vers fruit en groenten kunt kopen en allerlei lekkere dingen. In het dorp zit een kleine supermarkt, die je waarschijnlijk onderweg al hebt gezien. De meeste cursisten gaan alleen naar het dorp voor een biertje in de plaatselijke pub. Sommigen gaan in de weekends naar huis, maar ik heb begrepen dat je hier blijft. Je mag in feite overal komen, in de boerderij, de privémoestuinen, de boomgaard. Als je door de poort gaat aan het eind van de tuin, kom je bij het strand. Je kunt kilometers afleggen langs het water. Je hond zal het fijn vinden, ik geloof dat er in totaal negen honden zijn.' Lindsay bedankte haar en bracht haar naar de deur. 'Misschien word je soms gevraagd om in de weekends mee te helpen in de keuken. Je krijgt dan per uur betaald. Het is leuk werk, je zult het graag doen.'
'Dank je wel, ik weet zeker dat me allerlei vragen te binnen schieten zodra je weg bent.'
'Nou, ik ben altijd bereikbaar op de receptie, ik heet Imelde trouwens, ik zit er nog tot zeven uur vanavond.'
Lindsay bedankte haar, haalde haar spullen uit de auto en ging wandelen met Charlie. Het was volmaakt stil, zo'n zachte, vroege zomeravond, de geur van de tuinen was bijna overweldigend. Urenlang zat ze op een oud gietijzeren bankje, terwijl haar hond snuffelde en de omgeving uitgebreid verkende. De zon brandde op haar schouders, en ze voelde zich eindelijk rustig en heel alleen, maar op een prettige manier.

De volgende ochtend stond Lindsay op en wist ze even niet meer waar ze was. Er was veel rumoer, maar ze miste de normale, vroege ochtendgeluiden van de stad waaraan ze was gewend. In plaats daarvan hoorde ze een druk vogelgekwetter, het geloei van koeien en gekakel van kippen, en ze leken zich allemaal voor haar slaapkamerraam te hebben verzameld om haar te verwelkomen.
Ze meldde zich bij de receptie om vijf voor negen. Ze voelde zich opgewonden en nerveus en bewust van haar ronde buikje, dat ze liever nog een tijdje verborgen hield. Ze werd naar de demonstratiekeuken gebracht, waar inmiddels al twintig andere cursisten zaten. Lindsay glimlachte, ging zitten en bekeek haar klasgenoten.
Er zaten veel leuke studententypes bij, die allemaal op Enrique Iglesias leken, met zo'n wollen muts op, midden in de zomer. Aan hun accent te horen, kwamen de meeste cursisten niet uit Ierland. Lindsay zag een ouder, duidelijk gepensioneerd echtpaar aan de andere kant van de keuken. Ze zag niemand van haar eigen leeftijd, en er was verder geen enkel teken te bekennen van gezwollen enkels of een zwangerschapsbuik.
De school werd gerund door een jong stel, de Italiaanse Carlo en de Ierse Lucy, die ook de eigenaren waren. Ze stelden zich voor en legden uit wat de cursus inhield. Al na een paar minuten was duidelijk dat ze zich met passie aan hun werk wijdden en alleen de beste plaatselijke ingrediënten van het seizoen gebruikten. De ruimte die de komende drie maanden hun thuis zou zijn, was een enorme, hightech roestvrij stalen keuken en klaslokaal in één. Er viel een zee aan daglicht binnen, dankzij drie paar dubbele deuren die via een mooi binnenhofje naar de bakkerij, de rokerij en de biowinkel leidden. De tuin buiten stond vol met teiltjes en manden gevuld met tomaten, kruiden, groenten en fruit, en er lagen dikke katten te snorren op de warme vensterbanken; kippen scharrelden rond op zoek naar een nestje en honden – waaronder Charlie deze ochtend – renden achter elkaar aan.
Iedere cursist kreeg zijn eigen ouderwetse schooltafeltje, zo een met een inktpotje en een klep om boeken onder te bewaren. Ook kreeg iedereen een eigen kast om schorten, messen en andere benodigdheden die ze moesten meenemen, op te bergen. De cursus was bedoeld voor studenten die al een basiskennis van koken had-

den en de meeste begrippen en methoden die in de dagelijkse keuken worden gebruikt, al kenden. Er werd van negen tot vijf, van maandag tot vrijdag lesgegeven, en een of twee avonden per week was er een lezing of een bezoek aan een plaatselijke expert. Ze kregen een gedetailleerd rooster uitgereikt, elke minuut werd goed besteed. Op maandag en vrijdag was er praktijk en de cursisten werden geacht zich daarop te kleden. Op dinsdag waren er demonstraties, de woensdagen werden in de klas doorgebracht en op donderdag kwamen er gastsprekers of gaven specialisten demonstraties, bijvoorbeeld in kaasmaken of wijnproeven. Er werd veel aandacht besteed aan de zakelijke kanten, met bijzondere nadruk op externe catering, waar Lindsay zich voor interesseerde.
De eerste ochtend was voor algemene oriëntatie, met een rondleiding door het vierhonderd vierkante kilometer tellende landgoed en een bezoek aan de aromatherapieruimte van de familie, dat huisvesting bood aan een goedlopend bedrijf in essentiële oliën. Ze dronken 's ochtends koffie op een zonnige veranda met uitzicht op het lavendelveld, en iedereen kon daar nader met elkaar kennismaken.
De jongeren wilden weten of er een disco in de buurt was en hoe de pubs waren, terwijl de ouderen al een bridge-avondje in het Sleutelbloemhuis hadden georganiseerd. Lindsay kletste met Mandy, een vrouw van in de dertig en een hartstochtelijke kookgek uit New York, die een restaurant wilde openen samen met haar zus die bedrijfskunde had gestudeerd. Een verlegen, veertigjarige Schotse vrouw, Gail, kwam bij hen staan. Zij was ambtenaar en wilde graag iets anders gaan doen. Lindsay had het naar haar zin.

Daarna ging alles al snel zijn gangetje en werd Lindsays leven een niet al te ingewikkeld breipatroon. Ze probeerde elke ochtend een strandwandeling te maken met Charlie, die volgens haar alleen maar meeging om haar een plezier te doen nu hij zijn eigen vriendjes had, Rusty en Spank. Hij was de hele dag nergens te bekennen en kwam alleen 's avonds terug, als het donker werd. Soms ging ze zelfs al naar bed, en liet ze de achterdeur openstaan – dat kon daar – en iedere ochtend was zijn mandje alweer verlaten als ze naar beneden stommelde en vroeg ze zich af of hij wel thuis

was geweest van de hondendisco of van Twinkle, de plaatselijke sloerie.
Toen de cursus al een week of twee aan de gang was, kreeg Lindsay een berichtje van Chris.

TERUG IN DUB. WIL JE ZIEN, WAAR BEN JE?

Een dag of twee deed ze niks, dat wil zeggen, niets anders dan constant aan hem denken en wensen dat het allemaal anders was gelopen. Maar daar was het nu veel te laat voor.
Uiteindelijk stuurde ze een berichtje terug.

IK BEN WEG TOT SEPT-OKT. ER VALT NIKS MEER TE ZEGGEN. HOOP DAT HET GOED MET JE GAAT.

Zodra ze op de knop Verzenden had gedrukt, had ze daar spijt van. Ze kreeg geen antwoord.

Het waren drukke dagen en Lindsay werd goed beziggehouden. Ze ontspande zich en genoot van het leven op het platteland, ging op in de studie die ze echt heerlijk vond.
'S Avonds liep ze door de enorme tuinen, verdwaalde ze regelmatig en eindigde dan op de een of andere manier altijd voor Sleutelbloemhuis, waar Jack, de oudste deelnemer, onveranderlijk zat te nippen van zijn slaapmutsje. Ze bleven meestal uren kletsen en hij vertelde verhalen over zijn jeugd in deze streek, over zijn vertrek naar Londen, waar hij trouwde en over zijn terugkeer naar het westen na de dood van zijn vrouw Gertie, twee jaar geleden. Hij kon nog geen ei koken toen ze overleed, omdat hij niet in de keuken mocht komen van haar, maar nu kookte hij graag en zijn gezin had hem op zijn zeventigste verjaardag deze cursus cadeau gedaan.
Later op de avond zat Lindsay te studeren, stuurde e-mailtjes op de gemeenschappelijke computer in de bibliotheek of ging vroeg naar bed met een boek en een mok chocolademelk. Voor veel mensen zou dit doodsaai zijn, maar het was precies waar ze op dat moment behoefte aan had, en ze verloor zichzelf bijna in haar eigen, kleine wereldje. Op een avond toen ze al in bed lag, voel-

de ze voor het eerst de baby in haar buik bewegen, een heel vreemd gevoel, de bevestiging dat er nieuw leven in haar groeide, iets wat ze nog steeds probeerde te ontkennen. Ze moest met iemand praten en ze belde Colin, die ze tot haar verrassing meteen te pakken kreeg. Ze hielden contact via e-mail en af en toe een telefoontje. Hij was net klaar met een film en ging met zijn dochtertjes op vakantie naar Florida.
'Ik heb net een trap van de baby gekregen.'
'Wauw, geweldig, hoe voelde dat?'
'Vreemd... heel gek eigenlijk. Ik kreeg er een beetje medelijden mee, zo weggestopt als hij is in een moeder die doet alsof hij er niet is.'
'Ik geloof niet dat je dat doet.'
'Jawel. Ik ben niet normaal. Ik praat niet met hem, zing niet, laat geen muziek horen. Als ik niet uitgeput ben of overgeef, doe ik gewoon alsof hij er niet is.'
'Je doet het prima, maak je geen zorgen. De volgende keer dat ik je spreek, draag je Shakespeare voor aan je buik.'
Zoals altijd voelde ze zich beter nadat ze met hem had gepraat en een week later kreeg ze een enorm postpakket van hem, met allerlei kleine kleertjes – zachte pyjamaatjes, wollen mutsjes, heel kleine vestjes en met bont gevoerde wantjes en een paar blauwe suède schoentjes. Soms haalde ze alles voor de dag om ermee te spelen, alsof het poppenkleertjes waren.
Ze was bevriend geraakt met Mandy en Gail; 's avonds dronken ze samen koffie en soms wandelden ze naar het dorpscafé. Mandy was een gescheiden vrouw uit de Bronx, onafhankelijk en vrij hard. Lindsay mocht haar graag. Gail was zachter; ze had haar bejaarde moeder verzorgd totdat ze vorig jaar was overleden, en had een fortuin geërfd waarover ze zich nu schuldig voelde. Ze was aardig, wilde altijd helpen of zocht bevestiging, en de andere twee moedigden haar zo veel mogelijk aan, zonder er ooit over te praten.
Op een avond vertelde Lindsay eindelijk dat ze zwanger was, en zei daarbij dat het niet gepland was. Mandy begreep niet waarom ze geen abortus had laten plegen, terwijl Gail weemoedig vaststelde dat ze zich niet eens kon voorstellen hoe het was om zwanger te zijn. Ze vormden een bijzonder trio.

De weken vlogen om en Lindsay groeide flink, en plotseling wist iedereen het en stond iedereen voor haar klaar. Lucy maakte zich bezorgd dat ze zo lang moest staan, maar Lindsay verzekerde haar dat het wel ging en wilde niet anders behandeld worden. Carlo kuste haar en legde zijn hand op haar buik. Hij noemde haar *bambino*.

Tara en Debbie kwamen een weekend over en schrokken toen ze haar zagen in haar nieuwe, zwarte stretch jurk die haar dikke buik goed deed uitkomen. Het was voor het eerst dat ze hem aanhad en het voelde vreemd om haar buik zo te tonen, de wereld te laten zien dat ze zwanger was, al drong dat tot haarzelf nog niet helemaal door. Ze was gebruind en zag er gezond uit, hoewel ze nog steeds last had van brandend maagzuur en voortdurend uitgeput was – maar daar klaagde ze al lang niet meer over.
Tara was gecharmeerd van de boerderij en wilde niet weggaan, Debbie klaagde over het gebrek aan talent in het dorp. De andere twee grinnikten naar haar toen ze vroeg waar de plaatselijke Chinees of fish-en-chips-gelegenheid was toen ze op hun eerste avond van de pub terug naar huis liepen.
'Beheers je meid, we zitten midden in de rimboe, moet je weten,' zei Lindsay en haar vriendinnen lagen dubbel. Ineens had Lindsay er genoeg van om nuchter te zijn. Ze kon geen mineraalwater meer zien.
Haar zus Anne liet haar gezin achter en kwam ook een weekend over; ze kreeg tranen in haar ogen toen ze haar jongere zusje zag. 'Gaat alles goed met je, je ziet er ineens zo fors uit?'
'Alles is goed. Ik heb me door de dokter hier laten onderzoeken en hij houdt me in de gaten. Ik ben al naar een gynaecoloog geweest, een bekende van mijn eigen arts in Dublin. Maar ik moest daar wel honderd kilometer voor rijden, dus ik doe dat liever niet nog eens. Alles is normaal en ongeveer zes weken voor de bevalling ben ik weer thuis en dan zie ik mijn eigen dokters weer.'
Ze praatten veel over baby's en Anne bood aan om voor hem of haar te zorgen totdat Lindsay zelf alles op orde had.
Miriam Davidson stuurde voortdurend cadeautjes naar haar jongste dochter, maar vond het moeilijk om erover te praten.

45

Om de paar weken moesten ze een praktisch of schriftelijk tentamen afleggen. Het laatste ging over bakken – alles over bloem en gist en verschillende methoden – en Lindsay genoot ervan, terwijl de anderen het maar saai vonden. Tot nog toe behaalde ze uitstekende resultaten, en dit was geen uitzondering.
De volgende dag waren ze aangekomen bij de internationale keuken en Carlo raakte echt op dreef toen hij liet zien hoe je nou eigenlijk pasta moest maken – 'het water moet zo zout zijn als de Middellandse Zee' –, hoe je hem op smaak bracht met een paar zorgvuldig gekozen ingrediënten – 'op smaak brengen, niet eronder bedelven' – en liet hen geblinddoekt tien verschillende soorten kaas proeven, totdat ze een goede Parmezaanse kaas er louter op geur en textuur uit konden halen. Ze leerden het belang van het op smaak brengen met behulp van grove zeezoutkristallen en vers gemalen peper, proefden verschillende dressings door hun vingers erin te dopen voordat ze over de salade werden gegoten, en beten in pepers om te proeven hoe pikant ze waren. 's Ochtends plukten ze champignons en tegen de avond courgettebloemen, 's avonds dronken ze wijn bij de barbecue en met de dag raakte ze meer door eten geobsedeerd.
Lindsay kon wel huilen toen ze besefte dat dit de laatste week was. Ze wilde deze veilige haven helemaal niet verlaten en wist dat ze Charlie moest omkopen om hem in de auto op weg naar huis te krijgen.
Op haar een na laatste dag maakte ze een grote strandwandeling op blote voeten en plotseling voelde ze een doffe pijn in haar maag. Ze was minstens anderhalve kilometer van huis en probeerde niet in paniek te raken. Ze wist niet wat ze moest doen, want ze had geen zwangerschapscursus gevolgd, laat staan er een boek over gelezen. Ze kwam net bij haar huis toen haar vliezen braken en de hel uitbrak.
Wat er daarna precies gebeurde, kon ze zich niet meer herinneren. Ze weet nog dat ze schreeuwde en dat er iemand aan kwam rennen. Lucy belde de plaatselijke dokter, die een bezoek aflegde in een afgelegen dorpje. Hij stelde voor dat ze haar onmiddellijk

naar het ziekenhuis brachten.
Carlo reed in authentiek Italiaanse stijl over de bochtige wegen en Lucy hield achterin Lindsays hand vast en vertelde haar dat alles goed zou komen. De weeën volgden elkaar sneller op en Lindsay wist niet of ze zich ooit zo bang had gevoeld. Lucy wilde haar familie bellen, maar dat mocht ze niet van haar, ze wilde niemand bij zich hebben in deze situatie.
De arts bleef contact met haar houden via de telefoon en ze leken op lichtsnelheid te reizen, waardoor alles vaag werd, zowel buiten als binnen haar hoofd. Het was een nachtmerrie van pijn, angst en afzien.
In het ziekenhuis stond een rolstoel klaar en plotseling bevond ze zich in een witte kamer, omringd door vreemdelingen en lampen die pijn deden aan haar ogen, maar dat was niets vergeleken bij de pijn die haar hele lichaam ontwrichtte. Ze bleven maar zeggen dat ze niet mocht persen, maar het liefste wat ze op dat moment zou doen, was persen. Ze had nergens controle over en dat beangstigde haar nog het meest. Ze hoorde een vreemde, gesmoorde stem naar de verpleegkundigen schreeuwen om de baby uit haar lichaam te halen en was geschokt toen ze besefte dat die van haarzelf was. Iedereen was heel erg aardig, maar niemand zei haar wat er aan de hand was en ze bleven vragen of haar familie al onderweg was. Ze vreesde dat dat inhield dat ze doodging, een verlossende gedachte op dat moment. Ze ging hysterisch tekeer en smeekte of ze iets tegen de pijn kon krijgen, zodat ze logisch kon nadenken wat ze verder zou doen.
'Dat kan niet meer, maar maak je niet ongerust, het is bijna gebeurd.' Iemand met een paar heldergroene ogen hield haar vast en depte het zweet van haar gezicht. Ze dacht dat ze gek werd. Niemand had haar ooit verteld dat het zo erg was.
Het werd nog erger en duurde uren. Haar keel was rauw van het schreeuwen en het enige dat ze zag was een grote tent en haar tenen die in de lucht staken, stalen tangen en bezorgde gezichten. Na wat drie volle dagen leken, mocht ze eindelijk persen en ze klampte zich vast als een beest, haar ogen puilden uit en het zweet stroomde van haar rug af, en plotseling was het allemaal voorbij en kreeg ze een euforisch gevoel van verlossing. Iemand zei: 'Het is een jongetje' en ze voelde absoluut geen emotie.

Ze gaven haar een bundeltje. Eerst durfde ze niet te kijken, en toen ze dat deed, zag ze een allerlelijkst, roze, gerimpeld persoontje en werd meteen verliefd. Net als al haar relaties duurde dat niet lang, want ze namen hem bijna meteen weer af. Ze legden uit dat hij, omdat hij te vroeg geboren was, naar de couveuseafdeling moest, waar ze hem konden onderzoeken en verzorgen. Ze zouden later bij haar terugkomen.
'Is alles goed?' Plotseling was ze doodsbang.
'We moeten hem even onderzoeken, maak je niet ongerust.'
Maar ze was ongerust en besefte dat ze dat wel zou blijven, tenminste tot hij een jaar of twintig zou zijn.
Daarna werd ze als een kip gehecht en als een baby gewassen. Ze vroeg wat voor dag het was, en lachend vertelde men haar dat het nog steeds donderdag was. Ze lag pas vijf uur in het ziekenhuis.
Carlo en Lucy kwamen binnen en ze huilden alle drie. Ze zouden goed voor Charlie zorgen en haar spullen later brengen. Lindsay belde haar moeder, maar er werd niet opgenomen. Bij haar zus nam het antwoordapparaat op, Debbie was het land uit en Tara op de rechtbank. Typisch! Ze liet een berichtje achter en vroeg iedereen of ze terug wilden bellen. Ze moest het snel aan iemand vertellen, dus probeerde ze Colin en hij nam al na twee keer rinkelen op. Ze barstte in tranen uit en hij schrok zich dood.
'Lindsay, wat is er aan de hand?'
Maar ze kon niet stoppen met huilen, een perfecte manier van ontspannen, al besefte ze dat nog niet, en alle pijn van de afgelopen negen maanden kwam er in één zucht uit.
'Ik lig in het ziekenhuis.'
'Gaat alles goed? Hoe gaat het met de baby?'
'Hij is lelijk.'
Hij dacht echt dat ze gek was geworden, maar besloot haar bij te staan.
'Maak je niet druk, hij wordt heel schattig; baby's zijn niet lelijk.'
Er volgde een stilte. 'Hoe weet je trouwens dat het een hij is?'
'Ik heb hem gezien en hij is echt lelijk, maar je hebt gelijk. Ik hou van hem.'
'O mijn god, wanneer? Gaat alles goed? En met hem? Lindsay, alsjeblieft, hou op met huilen en vertel me wat er aan de hand is.'

Dat deed ze en hij schreeuwde het uit, net als zij.
'Ik maak me een beetje bezorgd, hij ligt op de couveuseafdeling omdat hij te vroeg geboren is, maar ze komen zo met me praten.'
'Maar alles is goed met hem?'
'Nou, ik heb hem maar even gezien, maar alles zat erop en eraan. O Colin, als je hem ziet, hij is zo lief. Ik stuur je een foto.'
Het leek eeuwen te duren voordat ze terugkwamen om uit te leggen dat hij nog een tijd op de couveuseafdeling moest blijven.
'Maar alles is goed met hem, toch?'
Ook al stelden ze haar snel gerust, ze vertelden haar ook dat de eerste vierentwintig uur het belangrijkst waren. Ze legden uit dat zijn organen gecontroleerd moesten worden en dat ze hem in de gaten moesten houden in verband met eventuele geelzucht en infecties.
'Mag ik hem zien?'
'Natuurlijk, geef ons een halfuurtje, want de dokter is nog bij hem, daarna mag je zo lang bij hem zijn als je wilt.'

Toen belde plotseling iedereen op hetzelfde moment op. Haar moeder huilde, haar vriendinnen snotterden, en ze lachte en voelde zich sterk. Debbie zat in Parijs, maar haar moeder, Anne en Tara wilden per se die avond nog komen, en ze waren allemaal zo blij toen ze zagen dat het goed met haar ging. Haar moeder hield haar stevig vast, en Anne en Tara moesten weer huilen. Ze zette een fantastische John Wayne neer toen ze wijdbeens met hen naar de couveuseafdeling wandelde, waar het jongetje werd geobserveerd. Ze keken naar hem van achter het raam. Er rolden nog meer tranen, maar van geluk. En iedereen vond hem schattig, vooral zijn moeder.
'Hoe heet hij?' vroeg Anne.
Ze keek hem even aan en wilde haar schouders ophalen toen ze plotseling een ingeving kreeg.
'Freddie.' Ze straalde en iedereen keek verrast, gechoqueerd zelfs, te oordelen naar de gezichtsuitdrukking van haar moeder.

Het was al laat toen ze weggingen om een hotel te zoeken en Lindsay ging meteen terug naar de couveuseafdeling om naar hem te kijken. De dienstdoende verpleegkundige praatte met haar en

waarschuwde dat hij een paar keer van kleur kon veranderen en dat zijn ademhaling of hartslag soms onregelmatig kon zijn.
'Praat met hem, raak hem aan, wees niet bang.'
'Wat doet dat buisje in zijn mond?'
'Dat is zijn voeding. Later mag je hem wat van je eigen melk geven als je wilt.'
Ze bleef uren bij hem zitten, praatte met hem, vertelde dat ze heel veel van hem hield en dat ze wilde dat hij sterk zou worden. Ze vroeg of ze hem mocht vasthouden en hij leek zo kwetsbaar dat ze God smeekte haar niet te straffen omdat ze zo stom was geweest hem niet te willen.
Toen ze eindelijk naar haar kamer terugging, kon ze niet slapen, hoe uitgeput ze ook was. Ze bleef zich zorgen maken om Freddie. Een van de verpleegkundigen bracht een kop thee en stelde haar gerust. Ze vroeg om kranten en bladerde er uren door in een poging de tijd te doden, maar ze las niet geconcentreerd, dus het duurde een minuut of twee voordat de inhoud doordrong van een artikel met de kop: TOP-PRESENTATOR VERLAAT IERLAND OM MET NIEUWE GELIEFDE NIEUW LEVEN TE BEGINNEN. Ze staarde naar het bericht, zag de foto van Chris en sloot snel haar ogen, bang voor wat ze verder zou lezen. Toen ze weer keek, bestond het bericht nog steeds, en op de avond dat haar baby werd geboren, las ze dat de vader Ierland verliet voor een contract in Amerika dat, al was het maar voor een jaar, een miljoen dollar waard was en alsof dat niet genoeg was, las ze verder dat een van de redenen waarom hij op het aanbod was ingegaan, de beeldige, 24-jarige actrice Lauren Berkin was, met wie hij in het voorjaar zou trouwen.

46

Toen ze de volgende avond in bed zat en naar Chris verlangde en zat te snakken naar haar baby, kwam een enorme bos lelies haar kamer binnenwandelen, met daarachter een grijnzende Colin.
Hij omhelsde haar innig en ze hield hem vast alsof haar leven er-

van afhing, toen kuste hij haar op haar haren, ogen, neus en mond, en ze huilde als de grote peuter die ze was.
'Wat ben je mooi,' zei hij onder het zoenen en zij geloofde hem, omdat ze dat nodig had.
'Hoe ben je hier gekomen? Het lukt je altijd me te vinden,' zei ze met een waterige glimlach.
'Ik nam de eerste beschikbare vlucht. Ik moest je zien, en hem ook.'
'Kom maar mee, dan laat ik hem zien,' zei ze, alsof ze het over een puppy hadden.
De verpleegkundige was hem net aan het verschonen toen ze aankwamen, en hij leek klein, maar niet meer zo verschrompeld. Hij zwaaide driftig met zijn armpjes en beentjes en schudde zijn knuistjes naar hen.
'Is hij niet beeldschoon?' vroeg ze. Hij gaf de kersverse moeder het enig mogelijke antwoord.
'Het is de mooiste baby die ik ooit heb gezien.'
Ze trok haar ochtendjas aan en ging naar binnen, en hield hem voor het raam zodat Colin hem beter kon bekijken.
'Dit is Freddie,' mimede ze naar Colin terwijl ze het kleine lijfje in haar armen hield. Hij schoot in de lach.
'Goed gekozen naam, en hij is prachtig,' zei hij toen ze weer naast hem stond.
'Ik weet niet of de anderen dat ook vinden, maar dat maakt me niets uit. Freddie is niet echt een geschikte naam voor een baby, maar ik denk dat hij zal uitgroeien tot een perfecte kleine Freddie. Een soort "Dennis the Menace".'
Ze bleven nog een tijdje naar hem staren en liepen terug naar haar kamer. Hij ging naar buiten en haalde iets te eten. Ze picknickten op haar bed, praatten wat en keken tv. Veel later liet ze hem het artikel over Chris zien, en hij keek bezorgd, maar zei niet zo veel. Ze veranderde van onderwerp, maar na een tijdje vroeg hij of ze wilde overwegen het hem te vertellen voordat hij het land uitging.
'Nee, dat kan ik hem nu niet aandoen. Hij zou denken dat ik hem in de weg wil staan.'
Colin schudde zijn hoofd. 'Als mijn zoon op een couveuseafdeling lag, zou ik dat willen weten voordat ik een belangrijke be-

slissing in mijn leven nam.'
'Maar met de baby is alles goed, hij is niet ziek of zo, hij is alleen maar klein en ze moeten hem in de gaten houden.' Lindsay vond de wending die het gesprek dreigde te nemen niet leuk en Colin merkte het en nam gas terug.
'Goed, ik zal het er niet meer over hebben.'
'Kijk, als hij contact met me opneemt, zal ik proberen er met hem over te praten, dat beloof ik je, oké?'
Hij knikte; hij wist dat hij dit niet ging winnen.
Toen hij wegging, pakte Lindsay het oude krantenknipsel uit haar portemonnee, die met de foto van haar en Chris, het 'dynamische duo'. Ze liep ermee naar Freddie en toonde hem zijn vader. Lindsay bleef uren bij hem, hield hem vast, streelde hem en zong liedjes.
De volgende dag ging Colin winkelen in Galway en gaf hij een fortuin aan Freddie uit. Hij kocht zijn eerste spijkerbroek, een schattig, heel klein jeans-jack en wat hij verder nog had kunnen vinden. Ook had hij voor Lindsay wat meegebracht – een prachtige zwarte kasjmier trui, een paar mooie sexy T-shirts, een kanten body en een prachtige zwartleren broek, de zachtste die ze ooit had gezien.
Hij moest die avond weer terug naar New York, maar beloofde dat hij snel terug zou komen. Zij plande inmiddels Freddies eerste tripje naar de States.
Tara en de anderen hadden Charlie en bijna al haar spullen van de kookopleiding mee naar Dublin genomen toen Lindsay uit het ziekenhuis werd ontslagen, maar Freddie moest nog op de afdeling blijven. Ze vertelden dat hij pas twee tot vier weken voor de datum waarop hij geboren had moeten worden, zou worden ontslagen. Zijn lichaamstemperatuur moest normaal blijven in een gewoon wiegje, hij moest voldoende calorieën binnenkrijgen en op gewicht komen. Lindsay maakte zich voortdurend zorgen om hem en reserveerde een kamer in een nabijgelegen hotelletje, zodat ze elke dag bij hem kon zijn. Ze mocht hem zelf voeden en hij ging goed vooruit, verzekerde iedereen haar.
Tot haar verrassing kwam haar moeder een paar dagen over. Zij zorgde voor Lindsay, terwijl Lindsay voor Freddie zorgde. Het was een belangrijke tijd voor alle drie.

Debbie kwam meteen na haar trip en ook zij was dol op Freddie. Ze had een schattig jasje voor hem meegenomen uit Parijs, en lekkere geurtjes voor zijn mamma.
'Stel je voor, ik ben moeder.' Lindsay keek Debbie lachend aan. 'Het voelt heel vreemd. Alsof ik er nog niet helemaal klaar voor ben.'
'Luister, schat, vanaf nu ben ik tante Debs voor hem. Hoe oud klinkt dat?'

Uiteindelijk verklaarde het ziekenhuis tevreden te zijn over de groei van Freddie en mocht ze hem mee naar huis nemen.
Tara wachtte hen op en geloofde haast niet dat hij zo groot was. Freddie sliep de hele weg naar Dublin, bewaakt door een overbezorgde moeder en een verliefde tante.
Bij aankomst zag het huis er fantastisch uit. Anne, Debbie en Tara hadden de dag daarvoor alles schoongemaakt en de ramen glansden. Overal stonden vazen met bloemen, op de vensterbanken, op het plaatsje, en op de keukentafel. Het leek alsof ze jaren was weggeweest; ze had zich geen moment kunnen voorstellen dat haar leven binnen een paar maanden zo drastisch zou veranderen.
Ze zaten die avond in haar keuken, ze durfden niet met hem buiten te gaan zitten, al was de avond mild en Freddie stevig ingepakt. Ze zaten te barbecueën, dronken champagne en toostten op de kleine, die in zalige onwetendheid al die aandacht aan zich voorbij liet gaan.
Anne stond erop om de eerste avond te blijven slapen en zette de kleine in haar kamer, zodat Lindsay goed kon uitrusten. Lindsay kolfde moedermelk af en kon voor het eerst sinds maanden goed slapen, zonder in bed te woelen, te braken of zich zorgen te maken, en hoewel ze zich schuldig voelde en niet zonder hem wilde zijn, hield Anne vol dat ze rust nodig had en viel ze als een blok in slaap. De volgende ochtend werd ze pas om halfelf wakker.
Anne vertrok om voor haar eigen kroost te zorgen en haar moeder arriveerde met een wagen vol groenten, luiers, babyvoeding, zalfjes en nog meer bloemen. Lindsay maakte een lichte lunch terwijl Miriam Davidson de toegewijde oma speelde, een rol die verrassend genoeg wel bij haar paste.

De volgende dag e-mailde Lindsay Jonathan Myers en vroeg ze hem of hij haar thuis wilde bellen. Hij was blij verrast toen ze het nieuws vertelde, en er arriveerden nog meer bloemen. Over een maand zouden ze elkaar spreken. Freddies vroege komst had Lindsay de benodigde tijd gegeven die ze anders niet had gehad. Het leven met een baby betekende een strikte regelmaat, ontdekte ze, toen de zomer overging in de herfst, de dagen korter, en de nachten killer werden en de ministerraad en de schoolkinderen weer terug waren.

Elke dag bestond uit een strak schema van flesjes geven, in bad doen, wassen, schoonvegen, slapen en lachen. Lindsay kon nauwelijks geloven dat dit haar leven was. Het nam haar helemaal in beslag en hield haar op de been, zonder tijd om over zichzelf na te denken, al dacht ze nog steeds aan Chris, op de raarste momenten.

Ze vroeg zich af wat ze vroeger in haar vrije tijd deed – verspild aan televisie, baden, lome glazen wijn en lange telefoongesprekken, herinnerde ze zich. Nu was ze al blij als ze haar tanden kon poetsen en haar haren kon borstelen, maar Freddie maakte al het ongemak goed en ze hield van hem met een intensiteit waar ze soms van schrok.

Colin belde regelmatig en ze stuurde hem om de paar weken foto's. De meisjes en Anne liepen voortdurend binnen en minstens een keer per week bleef er wel iemand slapen, waardoor het slaaptekort haar niet fataal werd en ze kon genieten van de luxe om ongestoord een bad te nemen. Maar ze miste hem snel en haastte zich altijd weer naar hem terug om zijn lach te zien, hem te ruiken en vast te houden.

Ineens was hij al een maand oud, en Debbie begon Lindsay voorzichtig te stimuleren om weer eens uit te gaan. Dat deed ze met tegenzin, want ze beschouwde zichzelf niet meer als vrijgezel en op de een of andere manier was haar leven vervuld, zij het eenzaam. Maar de meisjes stonden erop en schakelden Anne in, die Freddie vrijdagochtend zou komen ophalen en bij haar zou laten logeren. Dus in een oogwenk was Lindsay weer alleen, zonder verantwoordelijkheden gedurende de komende vierentwintig uur. Eerst raakte ze in paniek en belde ze om de tien minuten Anne op, totdat haar zus liet weten dat ze een dagje met Freddie en

haar kinderen op stap ging, en terloops vermeldde dat de batterij van haar mobieltje bijna leeg was.
'Oké, oké, ik begrijp het al, maar bel me alsjeblieft als hij zeurt of zo.'
'Het is oké, rustig maar. Zijn neefjes houden hem bezig. Ik moet gaan. Veel plezier vandaag.'
Lindsay ging dus de stad in, naar de kapper, de schoonheidsspecialiste en de manicure, en probeerde te doen alsof ze een gelukkige carrièrevrouw was zonder verantwoordelijkheden, maar ze wist niet meer hoe dat eigenlijk was. Om halfzeven ontmoette ze Debbie en Tara in een hippe kroeg voor een drankje, en ze voelde zich helemaal niet op haar plaats tussen het trendy publiek van Dublin. Ze gingen wat eten in een belachelijk duur Marokkaans restaurant en sleepten Lindsay mee naar een nachtclub, waar ze zich nog meer een zonderling voelde.
'Rustig nou, alsjeblieft. Je hebt alleen een kind gekregen, je bent geen lid geworden van een religieuze sekte,' plaagde Debbie, en ze probeerde te gehoorzamen.
Uiteindelijk werd het toch leuk en ze wist weer hoe het vroeger was, maar dat was eeuwen voordat Chris en Freddie in haar leven waren gekomen.
Uitgeput kwam ze om halfdrie 's nachts thuis en plofte in bed neer met haar make-up nog op. De volgende dag werd ze om twaalf uur wakker en liep paniekerig rond totdat ze hem weer zag.
De meisjes waren redelijk tevreden dat ze weer op het toneel verschenen was.
'Volgende halte: een vakantie,' beloofden Debbie en Tara, maar ze wisten dat ze dat goed moesten voorbereiden.

Eind september ging Lindsay weer werken en begon voor Freddie zijn leven op de crèche, dankzij een goede vriendin van Tara die haar in contact had gebracht met een fantastische kinderverzorgster die bij haar thuis een kinderdagverblijf had. Het was een hele opgave voor Lindsay om hem iedere dag achter te laten, ook al wist ze dat hij in goede handen was. Na verloop van tijd kon ze zich erbij ontspannen, al maakte ze zich constant zorgen over hem en vroeg ze zich af hoeveel van zijn leven ze miste. Hij groeide snel en veranderde elke dag en ze wilde dat hij een baby bleef,

want ze was bang dat hij haar minder nodig had als hij ouder werd.
Jonathan Myers had Lindsay gevraagd om te helpen een nieuw modeprogramma op te zetten, gericht op een publiek van zestien tot vierendertig jaar. Er was al veel werk verricht omdat het programma meteen na Kerstmis van start zou gaan. Het moest een flitsend, levendig, stijlvol halfuurtje worden, gepresenteerd door drie wilde jonge meiden: een twintigjarige blonde schoonheid met een figuur waar je u tegen zei, een verrukkelijke Iers-Italiaanse met donkere ogen van nog geen twintig, en een vurige, compleet gekke roodharige uit Cork die vierentwintig was maar zeventien leek.
'Zo waren wij ook,' verzuchtte Debbie met een vleugje nostalgie toen Lindsay de geweldige publiciteitsfoto's liet zien.
'Zo waren wij helemaal niet,' merkte Tara droogjes op, 'dus laten we ons er niet door ontmoedigen.'
'Hoe dan ook, we zijn nog niet hopeloos verloren en jullie zien er ontzettend goed uit op dit moment, dus zorg dat ik niet dik word en naar kots ruik.'
Het was haar vriendinnen goed gegaan. Tara was helemaal zacht en dromerig geworden sinds Michael en zij besloten hadden om te gaan trouwen, ze zag er gelukkig en stralend uit. Debbie had haar stijl radicaal veranderd: haar lange krulhaar was ontkroest en sluik, en haar lichaam was strak dankzij afmattende bezoekjes aan de sportschool. Lindsay voelde zich heel onaantrekkelijk naast hen. Ze had veel gewicht verloren, maar haar lichaam had geen vorm, ze had weinig energie en ze at te veel junkfood, het enige waar ze 's avonds tijd voor had, ondanks haar pas verworven culinaire vaardigheden. Ze was haar glans verloren, vreesde ze, wat meer met Chris dan met Freddie te maken had, die haar leven nog de meeste glans gaf.
Het productieteam van het nieuwe programma bestond uit vrouwen van tussen de twintig en dertig jaar, wat Lindsay wel prettig vond. Ze miste het studio-element, vooral de live-uitzending elke week, maar op pad gaan met een camera was een nieuwe uitdaging. Meestal werkte ze tussen negen en vijf, maar het was extreem druk en Lindsay besloot alles vooraf goed te organiseren. Ze deed haar inkopen nu vrijwel uitsluitend via internet en gro-

te voorraden geconserveerde levensmiddelen werden één keer per maand afgeleverd op een tijdstip dat haar uitkwam. Ze had geïnvesteerd in een nieuwe, hypermoderne wasmachine en droger, om de eindeloze stroom babykleertjes, lakens en handdoeken te wassen, en Anne bood vrijwillig aan een middag per week te helpen met strijken en andere klussen. Ze had een betrouwbare babysitter gevonden in een van haar buren, een oma met veel ervaring, en had haar moeder gevraagd om in de weekends een paar uur op Freddie te passen, zodat ze zonder schuldgevoel iets voor zichzelf kon doen. Ondanks dit alles had ze nauwelijks tijd voor zichzelf en kon ze hooguit af en toe naar de kapper of de manicure gaan. Maar haar lieve zoontje, de grote liefde van haar leven, compenseerde dit ruimschoots, en ze kon zich niet voorstellen hoe ze ooit zonder hem had gekund.

In de eerste week dat ze terug was, ging Lindsay even langs het team van *Live from Dublin*. Het programma zou nog één seizoen in deze vorm doorgaan, had Jonathan haar verteld, hoewel het team dat nog niet wist. Ook hoopte hij dat Chris Keating terug zou komen, gezien het grote succes van zijn shows in het laatste seizoen, om een nieuwe versie van het programma te presenteren. Ondertussen werkte Tom Watts zijn contract af, dus die zat weer op zijn stoel, helemaal hersteld, maar Alan Morland produceerde niet meer. Het verblijf in het ziekenhuis had hem doen nadenken over zijn leven, en hij had een jaar vrij genomen om met zijn vriendin door India te trekken. Hij en Lindsay hielden nog wel contact en hij had haar geschreven over zijn beslissing. Af en toe kreeg ze een kaart van hem, uit plaatsen met onuitsprekelijke namen. De nieuwe producer was een stille, verlegen man van een jaar of vijftig en ze vermoedde dat Tom gehakt van hem zou maken. Kate was vervangen en Lindsay had graag geweten waarom. Ze had zelf geen officiële klacht ingediend, maar het was duidelijk dat er iets was doorgelekt. Er waren een paar nieuwe gezichten en Lindsay beloofde te gaan lunchen met een van haar oude collega's zodra ze weer aan het werk gewend was.

47

Het was ineens winter en de klok werd veel te snel teruggezet, vond Lindsay. Door de loodgrijze lucht werd haar stemming er niet beter op. Haar baan viel een beetje tegen. Het feit dat ze later bij het team kwam, betekende dat ze de modeshows van de herfst niet had kunnen zien en belangrijke bijeenkomsten en dus ook contacten was misgelopen. Het betekende ook dat ze niet werd uitgenodigd voor latere evenementen, omdat niemand haar kende.

Ze begonnen met de opnamen toen ze bij het team kwam, dus haar rol was vooralsnog grotendeels administratief; ze bereidde modereportages voor en selecteerde modellen en deed allerlei andere belangrijke maar saaie klussen. Iedereen wilde opnemen en monteren en aangezien er drie producers en drie productieassistentes waren, was er veel ondersteuning nodig vanuit het kantoor. Lindsay had gretig aangeboden dat te doen, blij om een paar weken op de achtergrond te werken en telefonisch bereikbaar te zijn, mocht Freddie haar nodig hebben. Het feit dat ze er goed in was, was eigenlijk een nadeel, omdat de senior producer op haar ging leunen en haar daarom niet wilde verplaatsen. Ze had ook nog geen vrienden gemaakt, want haar collega's liepen de hele tijd in en uit, en als ze terug waren, hielden ze zich op in de montagekamer of maakten ze ingewikkelde grafische achtergrondjes op de computer, waar Lindsay niets van af wist.

Ook zag ze haar vriendinnen minder vaak. Debbie zat op de lijn naar New York, wat inhield dat ze drie of vier dagen per week weg was, al kwam ze altijd even langs tussen tripjes door, meestal met cadeautjes voor Freddie, die nu tot zijn vijfde de mooiste kleertjes kon dragen, mits hij niet meer dan een paar centimeter zou groeien. Tara zat midden in een grote rechtszaak, werkte tot 's avonds laat op kantoor en zag bijna niemand, zelfs Michael niet.

Lindsay leek de enige die nergens naartoe ging en slavin was van routine. Ze stond elke ochtend om halfzeven op, nam een douche en kleedde zich meteen aan, stortte zich vervolgens op Freddie omdat hij altijd wilde spelen na zijn lange slaap en haar aandacht.

eiste. Als ze hem eenmaal had gevoed, gewassen en aangekleed en afgezet, kon ze nog net langs de stomerij, apotheker of wasserette gaan voordat ze om halfnegen naar kantoor ging. Tijdens de lunch kocht ze verse etenswaren, onderweg in de auto at ze een broodje en 's avonds haalde ze altijd gehaast Freddie op. Als ze eenmaal de haard had aangestoken, met hem had gespeeld, hem had gewassen en in slaap gezongen, was ze uitgeput en at ze een omelet of bonen op geroosterd brood. Dit gebeurde vaker dan één keer per week. Tegen elf uur had ze nauwelijks puf om haar make-up te verwijderen voordat ze naar bed ging, totdat Freddie wakker werd en zij opschrok uit haar slaap. Dan wiegde ze hem, voedde hem, verschoonde hem en stortte ze weer in tot de ochtend, waarna alles opnieuw begon. Twee dingen hielden haar op de been: Freddie, de lust van haar leven, en de gedachte dat kerst, en misschien zelfs een vakantie, niet ver weg waren.

Dat duurde nog maar drie weken, en ze had nog niet één cadeautje gekocht en daar ook volstrekt geen zin in, wat haar verontrustte.

'Het is zo anders dan vorig jaar,' mopperde ze tegen haar zus, vol zelfmedelijden, waar ze in die dagen steeds meer last van scheen te hebben. Anne voelde dat er iets niet goed was en wilde 's avonds even langskomen voor een praatje bij een glaasje wijn.

Ze had Lindsay al een paar dagen niet gezien en zag dat haar zusje er grauw en uitgeput uitzag, en een beetje down was.

'Goed, laten we een plan maken,' zei ze toen ze een lekkere frisse Sancerre in twee grote glazen schonk en naast Lindsay bij de haard ging zitten. 'Wat wil je deze vakantie het liefste doen?'

Lindsay sloot haar ogen en fantaseerde. 'In bed liggen, twee weken lang, dat zou zalig zijn.' Ze lachte vermoeid. 'Weet je, niets te moeten, geen moeite hoeven doen, dat zou geweldig zijn. En veel tijd doorbrengen met Freddie, want hij verandert momenteel zo snel en het lijkt wel of ik altijd tijd tekort kom bij hem. Ik hou zo veel van hem, en ben bang dat mij te veel ontgaat. Ik wil gewoon uren naar hem kijken, alle kleine dingen zien die hij doet. Ik heb nog niet één kerstcadeau gekocht, daar heb ik pas twee dagen voor Kerstmis tijd voor, en ik ben nu al gebroken.'

Anne besloot om het heft in eigen handen te nemen en belde Debbie en Tara de volgende dag op. Zij maakten onderling een plan.

Miriam Davidson kreeg weer de verantwoordelijkheid voor het kerstdiner en moest het aanbod voor een alternatief diner afslaan, dat Lindsay in een opwelling had gedaan tijdens die bedwelmende zomerdagen in Inisfree.
Debbie belde haar en vroeg een lijst met cadeautjes en wat het budget was, en Lindsay gaf toe. Het enige dat ze kocht, was een mooie, handgebreide trui voor Colin en twee leuke jurkjes voor zijn dochters en hun poppen. Ze had alles per pakketpost naar zijn ouders gestuurd, die met kerst naar hem toe zouden gaan. Deze verrassing zou hij vast waarderen. De rest liet ze opgelucht aan Debbie over. Tara kwam de volgende zaterdag aan met een kerstboom, kort daarop gevolgd door Debbie en Anne, die het huis helemaal schoonmaakten in dat weekend. Lindsay werd naar haar moeder gestuurd om daar te logeren, en Freddie en Charlie werden aan hun zorgen overgelaten.
Tara kwam op een avond langs met kleren die ze voor Lindsay had uitgekozen, waaruit ze zelf haar kerst-outfit kon samenstellen. De rest bracht ze terug en van het geld dat ze terugkreeg, kocht ze een leuk tasje en een paar schoenen als cadeautje van haar; ze had gevraagd of Debbie hippe sieraden wilde kopen op een van haar reizen.
Anne gaf als eerste haar cadeautje aan Lindsay: een geheel verzorgde verwendag op een van de beste schoonheidsinstituten in Ierland. Haar vriendinnen verrasten haar met de mededeling dat ze haar – en natuurlijk ook Freddie en Charlie – een week meenamen naar een huisje in een piepklein dorpje aan zee ten westen van Cork, vanaf zevenentwintig december.
Voor ze besefte wat er allemaal gebeurde, was het kerstavond en Anne haalde moeder, zoon en huisdier op en zette hen voor een flakkerend haardvuur in het ouderlijk huis. Ze liet Lindsay languit op de bank achter met een glaasje champagne; Charlie lag in coma op het haardkleed en Freddie lag in zijn wipstoeltje in de keuken bij Miriam, die de spruiten schoonmaakte. Anne vertrok naar haar eigen kroost met het tevreden gevoel dat ze Lindsay weer op de rails had gezet.

'Jullie met zijn vieren hebben mijn leven echt gered,' bracht Lindsay emotioneel uit nadat Debbie en Tara waren gearriveerd om cadeautjes uit te wisselen voordat ze naar hun eigen familie gingen. 'Ik heb altijd geschimpt op het verschijnsel postnatale depressie, omdat ik niet kon begrijpen hoe je down kunt zijn met een prachtige baby, maar ik had niet beseft hoezeer de vermoeidheid in je lijf gaat zitten en je afstompt, zodat je nauwelijks nog oog hebt voor de goede dingen in het leven. Ik heb veel om dankbaar voor te zijn deze kerst, en ik hou zielsveel van mijn zoontje, dus dank jullie wel, zonder jullie had ik het niet gered.' Al haar cadeautjes lagen schitterend verpakt onder de boom en ze had geen idee wat erin zat toen ze alles uitdeelde. Debbie had zichzelf uiteraard overtroffen en in New York geweldige cadeaus gekocht.

Halverwege het pakjesfestijn bracht een koerier een pakketje voor Lindsay dat ze meteen openmaakte. Er zaten nog meer cadeautjes in voor Freddie en Lindsay, van Colin: een leren motorjack voor Freddie, waar iedereen om moest lachen, en voor Lindsay een smaakvolle, lange, zachte leren jas, die een afgunstig gekreun veroorzaakte en iemand het woord 'bitch' ontlokte. Onder in de doos zat een halsband met diamantjes voor Charlie en Lindsay trok alle cadeautjes aan, waarna moeder, geliefde baby en gekoesterd huisdier poseerden voor hun eerste officiële kerstfoto.

Toen de meisjes naar huis waren gegaan, Miriam druk bezig was in de keuken en Anne en haar man de kinderen in bad deden en de voorbereidingen troffen voor de kerstman, zat Lindsay te soezen bij de haard en dacht ze terug aan het jaar daarvoor, toen Chris op bezoek was gekomen. Wat was ze toen gelukkig en zorgeloos! Hij had haar hier op deze bank nog gekust en ze wist, toen al, dat hij heel belangrijk in haar leven ging worden. En plotseling, na hem maandenlang uit haar hoofd te hebben gezet, sloop hij weer binnen en was het alsof hij nooit was weggeweest. In het zachte kaarslicht en de blauwe gloed van het haardvuur, kwam alles weer terug en kon ze hem weer ruiken en voelen en proeven. De lampjes in de boom twinkelden en plaagden haar; ze voelde weer dat verlangen naar hem.

Zoals gebruikelijk gingen de drie vrouwen naar de nachtmis en Lindsay keek naar alle zorgeloze dochters en hun moeders, lachend, stralend, modieus gekleed – voor het merendeel onafhan-

kelijke, rijke carrièrevrouwen, vermoedde ze, die allemaal een avond in de stad opgaven om bij hun ouders te zijn en de kersttraditie voort te zetten.
'Ik wil net als zij zijn,' fluisterde ze in Annes oor toen een lange, donkerharige slanke jonge vrouw naast haar ouders ging zitten. Ze had lange benen, droeg hoge hakken, een Prada-tas, een korte rok en dure sieraden. 'Haar vriend is vast makelaar, die haar een diamanten halsketting cadeau doet of het niets is. En waarschijnlijk hebben ze hierna een geweldig feestje.'
'Volgens mij lees je te veel in de bladen,' grinnikte Anne. 'Maar wat maakt het uit? Zij heeft vast geen Freddie in haar leven, en ik weet zeker dat je hem voor nog geen duizend Prada-tassen en diamanten ringen zou willen ruilen.'
Ze had gelijk, dacht Lindsay, en ze besefte weer hoe belangrijk haar zoontje voor haar was. Ze dankte God voor zijn leven en beloofde nog beter haar best te zullen doen en haar zegeningen te tellen.
Eerste kerstdag verliep gezellig en vredig. Lindsay sliep uit tot twaalf uur. Miriam had Freddie in haar kamer gezet en Anne had de jongens gezegd dat ze Lindsay niet mochten wekken, wat een inbreuk op de traditie was, en ze vond het jammer dat ze het kerstman-ritueel had gemist. Ze troostte zich met de gedachte dat ze er over een paar jaar een nieuw ritueel met Freddie voor terugkreeg en besloot om daar geen moment van te missen. Charlie had de avond onder de kerstboom doorgebracht, naast een slordig verpakt pakje met zijn naam erop dat verdacht naar vlees rook. Aangezien het van Debbie kwam, verwachtte Lindsay inderdaad dat het vlees was en toen de jongens naar beneden kwamen om te kijken of de kerstman was geweest, vonden ze een veelzeggend papierspoor in de kamer en Charlie liet zich zijn geschenk niet meer ontfutselen. Urenlang zat hij erop te kauwen op het haardkleed, tot misnoegen van Miriam.
Colin belde 's middags op en ze lachten en kletsten. Hij leek gelukkig en zij was blij, omdat ze wist dat kerstmis altijd moeilijk was voor hem en de meisjes.

Lindsay, Debbie, Tara, Freddie en Charlie trokken de zevenentwintigste zuidwaarts naar een stenen huisje aan zee. Het was ijskoud, maar de verwarming stond aan en er brandde een groot haardvuur toen ze aankwamen, dankzij de vriendelijke eigenaar die wist dat ze een baby bij zich hadden. In de storm en de regen sleepten ze een berg eten en drinken naar binnen, en met moeite lukte het hen de grappige kant ervan in te zien, terwijl Freddie – 'typisch een man' volgens Debbie – tijdens alle werkzaamheden bleef snurken.

'Ik heb ineens heel wat bagage,' merkte Lindsay somber op terwijl ze een hoop babyspullen mee naar binnen sleepte en de bonenzak voor Charlie, die nergens anders op wilde slapen, waar hij ook was.

Die avond maakte Lindsay sinds maanden weer een fatsoenlijke maaltijd klaar en haar vriendinnen waren oprecht onder de indruk van haar confit van eend met honing en kruiden, en fazant met rode kool en zelfgebakken chips. Daarna luisterden ze naar muziek terwijl de regen tegen de ramen sloeg, dronken ze warme whisky en vochten ze om de leunstoel bij de open haard.

Elke dag maakten ze een lange wandeling en droegen ze om beurten Freddie in een handige, praktische draagzak die Debbie uit New York had meegenomen en die hem een fantastisch uitzicht gaf terwijl ze voortsjokten. Ze kochten verse vis en huisgebakken brood bij de plaatselijke winkeliers, en meestal sliep de baby, dankzij een grote hoeveelheid frisse lucht. Charlie genoot van de aandacht en Lindsay was er niet zuinig mee. Ze voelde zich schuldig dat ze hem de laatste maanden wat had verwaarloosd.

Op oudejaarsavond wilden ze uitgaan, maar alles was kilometers ver weg en niemand wilde rijden, dus kleedden ze zich mooi aan, kookte Debbie en dronken ze thuis liters ijskoude roze champagne, waarbij ze maar bleven toosten en goede voornemens maakten.

Tara was als eerste aan de beurt, want dat was het gemakkelijkst. 'Ik word mevrouw Russell en krijg een enige bruiloft en zal hopelijk nog lang en gelukkig leven.' Ze omhelsden haar en hoopten vurig dat haar wens zou uitkomen. Lindsay wist dat ze Michael miste, maar ze wilde per se bij haar twee vriendinnen zijn op deze bijzondere oudejaarsdag en Lindsay wist dat dat vooral om haar was.

'Vorig jaar om deze tijd had ik niet kunnen denken dat ik zo ge-

lukkig zou zijn,' grinnikte ze. 'Je hebt het verdiend.' Ze keken elkaar lachend aan en brachten een toost uit op 'Tara en Michael'. Debbies voornemen was beknopt. 'Ik wil een relatie die langer dan een week duurt,' kondigde ze aan, en ze wisten dat ze dat meende. 'Ik ben niet meer uit op geweldige seks, maar ga voor geweldige lol. Volgens mij heb ik ergens iets verkeerd gedaan.'
'Geweldige seks overkomt je als je iemand beter leert kennen,' glimlachte Tara.
'Maar waag het niet een relatie te beginnen zonder ontzettend goede seks,' waarschuwde Lindsay, die wist dat ze zoiets niet zou laten gebeuren.
'Ook wil ik van baan veranderen.' Debbie verraste iedereen met dit voornemen. 'Ik heb er genoeg van om stewardess te zijn.'
'Heel goed.' Tara keek Lindsay aan en geen van hen kon zich haar voorstellen in een andere baan, maar ze wisten dat ze iets anders zou vinden.
'Goed, mevrouw, en wat neem jij je voor?' De meisjes keken Lindsay verwachtingsvol aan.
'Weten jullie dat ik vorig jaar om deze tijd al zwanger was? Dat geloof je toch niet?' Nee, dat konden ze niet geloven.
'De avond voor oudejaarsavond was de laatste avond die ik met Chris had doorgebracht.'
Ze werden er stil van. 'Dus ik heb besloten dat het weer moet worden zoals vroeger.' Ze begrepen het niet.
'Ik heb zo lang achterom gekeken en ben al die tijd bang en bezorgd geweest voor de toekomst, nu wil ik weer de oude Lindsay zijn. Ik begon een beetje een ouwe zeurkous te worden. Ik wil weer lef tonen en dingen ondernemen.'
Ze kregen alledrie tranen in hun ogen, ze waren geëmotioneerd door de warmte en de glazen champagne toen ze elkaar omhelsden en kusten en het beste toewensten. Het was een bijzonder moment en ze wisten hoeveel ze voor elkaar betekenden.

48

Lindsay bracht haar voornemens meteen in de praktijk toen ze terugkwam op haar werk. Ze sprak met Barbara Laing, de senior producer van het programma, en vertelde hoe ze zich voelde. Voordat ze over haar eerste drie zinnen was gestruikeld, werd ze door haar onderbroken.

'Je hebt absoluut gelijk en het is allemaal mijn schuld. Je was zo goed in het organiseren van dingen dat ik het helemaal aan jou heb overgelaten, en dat betekende dat je alle sleur hebt gekregen en geen greintje glamour. Dus vanaf eind deze maand ga jij op pad en ik wil dat je deze week twee belangrijke modeshows gaat doen en alle stylisten spreekt. En dan is er de opening van een groot filiaal van Cosmetic Hall op donderdag, met een speciale avond voor genodigden en beroemdheden op woensdag. Ga er heen en maak kennis met de visagisten en haarstylisten.'

'Weet je het zeker?'

'Absoluut, sorry dat ik dit niet eerder heb gedaan. Je hebt fantastisch werk geleverd.'

'Nou, het kwam me ook wel uit, hoor, want weet je, ik heb een baby en sta er alleen voor.' Het was voor het eerst dat ze dat tegen een vreemde zei.

'Dat wist ik niet, dat heb je niet verteld. Nou, ik weet hoe zwaar dat is, mijn zus zit in hetzelfde schuitje, dus geef een gil als je te zwaar belast wordt of er even uit moet, oké?'

Lindsay was heel blij met alles, en haar baan begon vanaf toen leuk te worden, precies wat ze wilde. Ze bezocht alle persvoorstellingen en modeshows, die meestal 's ochtends plaatsvonden, en raakte op de hoogte van de laatste trends op het gebied van kleding, haar en make-up. Ze bloeide ervan op. Voortdurend adviseerde ze haar vriendinnen om 'er een brede riem bij te dragen' of dat 'grotere oorbellen fantastisch zouden zijn'. Ze plaagden haar ermee, maar leenden wel al haar nieuwste make-upkleuren.

Freddie werd steeds dikker en langer en begon te kruipen en te kraaien. Hij was zonder meer een schat en iedereen verwende hem vreselijk.

Lindsay hield nog meer van hem dan ze voor mogelijk had ge-

houden en ze was er trots op zijn moeder te zijn. Hij had de intens blauwe ogen van Chris en zijn vaalgele huidskleur, en hij leek in niets op haar, behalve als hij lachte.
Lindsay fantaseerde niet meer dat ze ooit nog met z'n drieën een leuk gezinnetje zouden vormen. Ergens had ze gehoopt nog iets van Chris te horen rond de kerst, maar dat was niet gebeurd en uiteindelijk accepteerde ze dat als haar levenslot, en kon ze er vrede mee hebben. Ze wist dat ze weer in een crisis zou komen wanneer ze over zijn huwelijk met de Amerikaanse actrice zou lezen, maar ze dacht niet meer de hele tijd aan hem. Bovendien bezat ze een groot stuk van hem dat niemand van haar kon afnemen. En als ze naar Freddie keek en Chris zag, was ze vanbinnen heel blij dat hij de vader was en had ze grote verwachtingen voor hem in de toekomst.
Ondertussen waren ze met z'n drieën weer druk bezig. Ze planden Tara's trouwerij en hielpen Debbie een man te vinden door alle plaatselijke clubs te bezoeken en zich daar uitstekend te vermaken. Lindsay had weer contact met haar vriendin Carrie van de opleiding, die een serieuze relatie had met Dan Pearson, de floormanager. Lindsay had haar verteld over haar kind, maar niet gezegd wie de vader was, voornamelijk omdat ze wist dat Dan en Chris elkaar kenden, en ze dat niet helemaal vertrouwde. Voor Carrie waren Chris en Lindsay nooit een onderwerp van gesprek geweest, ze kende hem niet eens. Lindsay mocht haar graag en zou haar eens het hele verhaal vertellen, maar nu vroeg ze nog of ze het aan niemand wilde zeggen, ook niet aan Dan, al was Chris ver weg en zou hij in de nabije toekomst waarschijnlijk niet terugkomen.

In maart nam Lindsay een lang weekend vrij en ging ze met Freddie naar Amerika om kennis te maken met zijn nichtjes, zoals Colin zijn dochters noemde. Weer vloog ze dankzij Debbie eersteklas, en aan Freddie had ze geen kind, tot haar verbazing.
Colin haalde hen op in zijn pick-up, en eindelijk kreeg ze de kans de meisjes te ontmoeten, die echt heel schattig waren en helemaal opgetogen dat ze met een echte baby konden spelen.
'Je ziet er geweldig uit.' Colin omhelsde haar toen ze naar zijn auto liepen. 'Beter dan ooit.'

'Ik besloot geen medelijden meer met mezelf te hebben,' grinnikte ze. 'Ik moet sowieso in vorm zijn, want over een paar maanden ben ik bruidsmeisje en ik verdom het om de bruid de show te laten stelen.'
'Je inspanningen zijn niet voor niets geweest, je ziet er echt fantastisch uit.'
'Al dat water en fruit moest op den duur wel werken. Maar deze dagen wil ik pannenkoeken, bier en Chinees.'
Ze maakten dagtochtjes en aten in kleine restaurantjes. Ze vormden een lieftallig, luidruchtig gezelschap en Lindsay genoot ervan.
Op haar tweede avond zaten ze op het dakterras nadat de kinderen op bed waren gelegd. Lindsay bedacht dat ze het afgelopen jaar veel had meegemaakt, sinds haar vorige bezoek.
Colin legde zijn arm om haar heen en kuste haar.
'Wat denk je van ons samen?' vroeg hij, terwijl hij haar bleef aankijken.
Ze wist dat dit moment ooit zou aanbreken, maar was er nog niet op voorbereid.
'Is er wel een ons "samen"?' vroeg hij zacht.
'Je bent zowat het beste dat me in mijn leven is overkomen, dat weet je...'
'Maar?'
Ze zweeg lang.
'Maar ik denk niet dat ik Chris uit mijn hoofd kan zetten,' zei ze fluisterend.
'Dat geeft niet, ik vermoedde zoiets eigenlijk al. Ik vrees dat we elkaar op het verkeerde moment hebben ontmoet, en dat spijt me, want ik denk dat ik je heel graag wilde hebben.'
Ze zaten daar een eeuwigheid, zwijgend, hand in hand.
'Ik denk niet meer aan hem en ik droom ook niet meer over hem, maar de rotzak wil maar niet uit mijn hart verdwijnen. Begrijp je dat?'
'Natuurlijk, en ik kom er wel overheen, dus maak je geen zorgen. Ik wist het altijd al. Maar ik bleef toch hoop houden.'
'Misschien komt het door Freddie. Soms kijk ik naar hem en dan zie ik een kleine Chris naar me lachen en dan verlang ik zo naar hem. Maar diep vanbinnen weet ik nu dat we niet voor elkaar bestemd waren.'

'Ik vind nog steeds dat je met hem had moeten praten.'
'Dat zal ik ooit zeker doen, maar hij is nu waarschijnlijk getrouwd met een ander en ik denk dat praten niet veel meer uithaalt, er is te veel gebeurd.'
Ze kletsten nog uren verder en kwamen overeen dat ze op dezelfde voet met elkaar zouden blijven omgaan.
'Ik wil je niet uit mijn leven verliezen. Dat zou ik niet aankunnen. Ik heb al te veel mensen verloren.'
'Stil maar, dat gebeurt niet.'
'Wil je met me meegaan naar Tara's bruiloft?'
'Ja, als ik niet werk ben ik jouw lieveling die dag,' hij maakte een buiging en lachte naar haar.
'En jij, wat ga jij doen?'
Hij glimlachte wat onzeker.
'Weet je, ik denk dat ik klaar ben om weer op zoek te gaan, jij was precies wat ik nodig had.'
Ze omhelsde hem en was vrolijk en bedroefd tegelijk. Ze wou dat hij haar man had kunnen zijn, want als er een op een na beste vader was voor Freddie, was dat zeker de man die voor haar zat die avond.
Het was een fantastische vakantie. Lindsay vond het jammer dat ze weer moest gaan, en zijn dochters waren er kapot van. Hij beloofde hun deze zomer mee naar Dublin te nemen en Lindsay zwoer dat ze dan de hele tijd met Freddie mochten spelen.

Debbie en Lindsay brachten lange nachten en luie zondagen door bij Tara vanwege haar huwelijksplannen. Tara en Michael hadden besloten het klein te houden: een man of dertig bij de huwelijksceremonie, daarna een lunch in een van Dublins meest exclusieve restaurants, en 's avonds een groot feest voor alle vrienden. Dankzij Lindsays nieuwe contacten vonden ze een hippe jonge ontwerper die alle jurken maakte, en ze bladerden door boeken en tijdschriften, op zoek naar ideeën. Tara wist al snel dat ze iets eenvoudigs wilde van crèmekleurige zijde, met een bewerkt bovenlijfje en een lange sluier. Haar vriendinnen waren veel moeilijker en struinden alle winkels af, zoekend naar inspiratie, en lagen dubbel bij het passen van bruidsmeisjesjurken. Het was nu nog drie maanden en ze waren druk bezig met hun gezondheidskuur.

Vele avonden werden doorgebracht in de sportschool, waarbij Freddie lachend vanuit zijn stoeltje toekeek.
Lente werd zomer en haar baby werd een kleine jongen die ging lopen en praten. Hij was nu bijna een jaar en werd met de dag leuker. Zijn huidje was gebruind door de vele dagen zon, ondanks zijn hoedje en een dikke laag zonnecrème. Hij had zonder meer de huid van Chris en zijn ogen leken nog blauwer tegen de lucht. Hij was lang en had donkere krullen die Lindsay maar niet in bedwang kreeg. Ze vond hem absoluut geweldig, kuste hem voortdurend en zei regelmatig hoeveel ze van hem hield.
Op een dag was ze in haar voortuin bezig onkruid te wieden en planten te snoeien. Freddie vermaakte zich met een emmer en een schepje. Hij droeg voor het eerst zijn jeans en spijkeroverhemd en zag er heel volwassen uit toen hij naar haar lachte en probeerde te praten. Een hoge heg schermde hen af van de buitenwereld en ze neuriede wat in zichzelf terwijl ze bezig was. Ze vond het fijn om buiten te zijn, de warme zon op haar armen, nek en schouders te voelen, gekleed in haar korte, lichtblauwe bloemetjesjurk met bandjes en haar haren in een staart. Een van de buren liep voorbij en zei dat ze een lust voor het oog was, waar ze om moest lachen. Toen ze weer naar het tuinhek opkeek, zag ze Chris daar staan. Ze knipperde even, nam haar zonnebril af, tuurde door haar wimpers en dacht dat ze weer een zinsbegoocheling zag. Maar ze keek nog eens en hij stond er nog steeds.

49

'Hallo.'
Ze staarde naar hem.
'Hallo.' Ze kon zich niet bewegen dus bleef ze op haar knieën zitten, terwijl ze naar hem opkeek met het schepje in haar hand.
'Da da,' of zoiets, riep een kinderstemmetje, maar hij hoorde het niet want er reed een auto voorbij en ze wist dat niemand haar ooit zou geloven wanneer ze het later zou vertellen.
'Ik belde het kantoor en ze zeiden dat je een paar dagen vrij had

genomen. Ik wist niet zeker of je mij zou terugbellen, dus ik waagde het erop en ben hier naartoe gekomen. Hoe gaat het met je?'
'Goed.' Wat kon ze anders zeggen in haar kleine voortuin op een warme dinsdagmiddag, terwijl het verkeer voorbijraasde en hun zoontje naast hen zat te spelen?
'Mag ik binnenkomen?'
'Eh, eigenlijk wilde ik net...' Maar hij liep door en had Freddie al gezien, waarop ze het ijskoud en doodsbenauwd kreeg.
Hij boog zich voorover. 'Hallo daar, help je mee de tuin omspitten?' vroeg hij het jongetje. Voor het eerst zag Lindsay vader en zoon samen, alletwee in een blauwe spijkerbroek en met felblauwe ogen; weliswaar een andere glimlach, maar dezelfde vaalgele huid, hetzelfde haar en dezelfde te lange benen. Ze wist dat ze hier absoluut niet op voorbereid was. Hij stak zijn hand uit en Freddie greep ernaar, viel bijna voorover maar was vastbesloten zijn onafhankelijkheid te behouden.
'Sorry, ik wist niet dat je op een baby paste. Zal ik later terugkomen?'
Ze wilde zeggen 'ja, kom later terug, wanneer ik er meer op voorbereid ben', maar ze was bang dat de verleiding te groot zou zijn om Freddie ergens onder te brengen. Voor het eerst wist ze heel zeker dat er te veel tijd verstreken was. Nu ze hen samen had gezien, vroeg ze zich af of ze er wel goed aan had gedaan hen gescheiden te houden. Hij keek haar onderzoekend aan en ze wist wat haar te doen stond.
'Nee, kom binnen, ik wilde net een kop thee maken of misschien zelfs een glaasje wijn inschenken. Het is bijna zes uur.' Ze bleef praten, allerlei onzin, alles om hem te laten blijven. Hij stond op, net als zij, terwijl Freddie zijn been vastpakte en hij moest lachen.
'Hij leert net lopen en ik ben bang dat hij zich niet makkelijk laat oppakken.'
'Jij bent een mooi klein mannetje, wist je dat?' Chris stak zijn hand uit, Freddie greep ernaar, en vader en zoon liepen langzaam achter haar aan het huis in terwijl geen van beiden het wist. Ze ging hen vóór de keuken in, waste haar handen en schonk wijn in om tijd te winnen. Charlie kwam even ruiken aan Chris, die zich voorover boog om hem te aaien, waarop Charlie op zijn rug rolde en Freddie lachte.

'Woef,' of iets wat daarop leek, riep hij, wijzend naar Charlie. Chris lachte en knikte.
'Gekke hond, wil altijd over zijn buikje worden geaaid. Of niet, Charlie? Wil je niet over je buikje worden geaaid?' zei hij, en het kind glimlachte. Chris trok Freddies overhemd omhoog en wreef over zijn buikje en het jongetje ging op zijn rug liggen met zijn armpjes en beentjes in de lucht, kraaiend van plezier, zoals hij dat met Lindsay deed wanneer ze met Charlie speelden. Ze keek toe, verbijsterd toeziend hoe zowel haar hond als haar kind over de grond rolden en als was waren in zijn handen. Hoe lang zou het nog duren voor ze er zelf bij ging liggen, vroeg ze zich af.
Hij zag dat ze naar hem keek en stond snel op, alsof hij zich ineens weer herinnerde waarom hij gekomen was. 'Sorry, ik raakte op dreef, hij is erg leuk. Hoe heet hij?'
'Freddie.'
Hij lachte en knikte goedkeurend. 'Geweldige naam voor een jongetje.'
Ze veranderde snel van onderwerp, nog lang niet klaar om het daarover te hebben.
'Zullen we in de tuin gaan zitten, daar is het koeler. Ik ben bang dat mijn keuken veel te warm is met die kachel.'
'Goed.' Hij volgde haar en bleef naar Freddie kijken, die zich vasthield aan Charlie en mee drentelde.
Ze ging aan haar kleine tuintafeltje zitten en Freddie begon weer te scheppen.
'Hoe gaat het?'
'Goed hoor. Sinds wanneer ben je terug uit Amerika?'
'Sinds gisteren.'
'Is het allemaal goed gegaan?'
'Ja, volgens mij wel.'
'Hoe lang blijf je hier?'
'Weet ik nog niet, ik heb gezegd dat ik mijn contract niet wil verlengen.'
'O, waarom niet?' En hoe zit dat met die verloofde, of inmiddels misschien echtgenote, vroeg ze zich af, maar ze durfde dat niet te vragen.
'Ik weet niet of ik daar wil blijven wonen, ik mis te veel dingen.' Hij zei niet 'wij', viel haar op.

Ze zweeg een tijdje en even later stond hij op om van haar weg te lopen, alsof hij afstand wilde scheppen. Hij draaide zich aarzelend naar haar om, haalde een hand door zijn haar, keek haar aan en zei zachtjes:
'Je hebt mijn hart gebroken, wist je dat?'
Ze schudde haar hoofd en hij keek haar aan en het leek of hij nog wat ging zeggen maar toen van gedachten was veranderd. Ze wilde hem zeggen wat ze voelde, maar er was te veel gebeurd en ze durfde hem na al die tijd niet zomaar in vertrouwen te nemen.
'Het is niet mijn bedoeling je hiermee lastig te vallen, maar ik denk dat we moeten praten. Misschien kun je me bellen als je er klaar voor bent. Het speelt al heel lang in mijn hoofd en nu wil ik het rechtzetten, op de een of andere manier. Ik denk dat je me dat wel verschuldigd bent, op zijn minst.' Hij keek haar aan en wachtte af; haar hart bonsde. Toen er niets gebeurde, pakte hij zijn glas en liep hij terug het huis in. Ze tilde Freddie op en liep achter hem aan. Ze wist niet wat ze moest zeggen, maar wilde hem niet laten gaan.
'Bel me, alsjeblieft?' zei hij, toen hij zijn sleutels van het tafeltje bij de deur pakte en plotseling als verstijfd ergens naar bleef staren. Resoluut draaide hij zich om en keek haar aan, en toen draaide hij zich weer naar het tafeltje.
Hij pakte het kleine fotolijstje en keek ernaar, zette het weer neer en keek weer naar haar.
'Waarom heb je deze foto van mij als baby hier staan? Hoe kom je daar aan?' Hij keek verbaasd.
Ze zei niets omdat haar stem haar in de steek liet en haar benen hetzelfde gingen doen.
'Dat is bijna dezelfde foto die mijn moeder thuis van me heeft. Heeft ze deze foto soms aan jou gegeven, die avond na de laatste uitzending, toen ik jullie zo vertrouwelijk met elkaar zag praten?'
Hij leek in de war en keek naar de foto, toen naar haar en toen weer naar de foto. Ze bleef zwijgen.
Hij deed weer een poging. 'Maar ik begrijp niet waarom je hem hier neerzet en waarom je hem wilt houden...' Hij kwam dichter bij haar staan. 'Tenzij...' Hij zweeg een lange poos. 'Tenzij jij ook nog om mij geeft.'
Hij verroerde zich niet en bleef haar aankijken.

'Geef je nog steeds om me, Lindsay?'
'Ja.' Ze fluisterde het. Hij lachte voorzichtig naar haar.
'Maar dan nog begrijp ik niet waarom je die foto hier neerzet, of waarom mijn moeder hem aan jou heeft gegeven, al heeft ze altijd foto's van ons drieën bij zich.' Hij lachte naar haar. 'Zelfs onze voorlichtingsafdeling had je een recentere foto kunnen geven. Maar misschien ook niet. Er worden nog steeds vijf jaar oude foto's van mij gepubliceerd.'
Hij lachte en keek haar vrolijk aan. 'Maar ik ben blij dat je nog om me geeft.' Het was hun eerste echt intieme moment sinds twee jaar en ze stond op het punt het helemaal voor hem te verpesten.
'Dat is geen foto van jou.'
Hij keek er weer naar.
'Luister, zo gemakkelijk kom je niet van me af.' Weer dat lachje. 'Ik heb hem honderden keren gezien en ben er door de jaren heen al vaak genoeg mee geplaagd.'
'Dat is geen foto van jou,' herhaalde ze onnozel.
Hij lachte nog steeds naar haar, vergevingsgezind.
'Goed dan, wie is het dan wel?'
Ze had altijd geweten dat dit moment zou komen.
'Dat is Freddie.'
'Freddie? Freddie wie?' Hij wendde zijn hoofd van haar naar de kleine jongen, die zijn armen om haar hals hield. 'Dít is Freddie? Ik begrijp het niet.'
Ze wist niet hoe ze het hem moest vertellen, dus ging ze stapsgewijs te werk, terwijl ze zich voorbereidde op een afschuwelijke reactie die haar wereld zou doen instorten.
'Freddie is mijn zoon.'
'Van jou?'
Ze knikte, een heel klein traantje ontsnapte aan haar oog. Dit was niet zoals het in de film ging. Ze zou moeten stralen en hij moest met open armen op haar afrennen, en daar niet zo perplex blijven staan.
Zij zou daar niet zo moeten staan in haar tuinkleren en met zwarte knieën, een door tranen bevlekt gezicht en een groezelig klein jongetje om haar nek dat haar praktisch wurgde.
'Wat bedoel je, van jou?'
'Het is mijn zoontje.' Ze ontweek zijn blik voordat ze de laatste

hint weggaf. 'Hij is een jaar geleden geboren.'
'Een jaar geleden?' Hij ging dichter bij haar staan en keek haar en vervolgens Freddie aan, die verlegen lachte, maar zich met een wurggreep aan zijn moeder bleef vasthouden. Hij bleef maar naar het jongetje kijken en streek met zijn vinger langs zijn gezicht, alsof hij controleerde of hij wel echt was.
'Dit is jouw zoontje?'
Ze knikte nauwelijks merkbaar.
'Wie is de vader?' Ze beet op haar lip en hield Freddie steviger vast, maar kreeg het antwoord niet uit haar mond.
'Is hij van mij?' Hij keek haar doordringend aan.
Ze knikte voorzichtig, wanhopig verlangend de schok te kunnen verzachten.
Hij sloot zijn ogen en zij zag hem wit wegtrekken. Hij beet op zijn lip en ze zag dat ook hij het moeilijk had.
'Nee.'
Ze wist precies hoe hij zich voelde. Zo voelde zij zich ook toen ze het ontdekte. 'Het spijt me...'
'Waarom heb je het me niet eerder verteld?'
'Dat probeerde ik... die dag op de parkeerplaats...'
Hij kon het zich aanvankelijk niet herinneren, maar toen wel.
'O mijn god,' zei hij langzaam.
'Het spijt me.' Dat zei ze keer op keer en het klonk steeds minder adequaat.
'En je maakte dit helemaal alleen door... Waarom dwong je me niet om te luisteren?'
'Ik was bang dat je me niet zou geloven.'
'Maar hoe kon je... je gebruikte de pil.'
'Dat klopt, maar ik gebruikte toen ook antibiotica en soms...'
'Jezus, wat moet ik zeggen? Het spijt me, het maakt allemaal niets meer uit... niets is nog belangrijk, alleen dat je mij vertelt dat dit mijn zoon is.' Hij kon zijn ogen niet van het jongensgezichtje afhouden. 'Nu begrijp ik het pas.'
'Wat bedoel je?'
'Ik sprak Colin Quinn vorige week op een filmpremière. We stonden lang te praten. Ik bleef het onderwerp op jou terugbrengen. Hij zei dat jullie niets samen hadden. Hij stelde voor dat ik je snel eens moest opzoeken, maar hij zei met klem dat ik je niet eerst

moest bellen of op kantoor moest afspreken. Hij vond dat ik je thuis moest bezoeken.'
'Hij wil al heel lang dat ik het jou vertel.'
'O Lindsay, had dat maar gedaan. Ik wou dat je dat had gedaan.' Zijn ogen waren de droevigste die ze ooit had gezien. 'Was ik zo'n monster?'
Ze lachte troosteloos naar hem. 'Op de dag dat hij werd geboren las ik dat je naar New York ging en ook dat je ging trouwen. Toen wist ik dat ik het je niet meer kon vertellen.' Hij keek verbaasd. 'Maar ik wist dat ik het je echt ooit zou vertellen, liever vroeger dan later.' Ze keek in zijn ogen en besefte dat ze het wilde weten. 'Ben je getrouwd?'
Hij keek naar haar alsof ze getikt was.
'Ik vertelde je net dat je mijn hart hebt gebroken. Hoe zou ik met een ander kunnen trouwen, in 's hemelsnaam? Ik ben verliefd op je, altijd geweest.'
'En die Amerikaanse actrice dan?'
'Wie?'
'De kranten schreven...'
'Ik geef geen cent om wat de kranten schrijven.'
'Ik ook niet.' Ze lachte.
'Ik ben niet getrouwd.'
'Ik ook niet.'
'Ik wil alles weten.' Hij had zich nog steeds niet verroerd. 'Wanneer ontdekte je het?'
'Pas na elf weken. De meisjes plaagden me omdat ik er zo slecht uitzag. Debbie vroeg voor de grap of ik soms zwanger was en toen besefte ik ineens dat ik al een tijd niet meer ongesteld was geweest. Het moet zijn gebeurd op de avond dat ik bij je bleef slapen.'
'De badkamer,' herinnerde hij zich.
'Waarschijnlijk.' Ze lachte verlegen naar hem.
'Die dag op de parkeerplaats was ik zo kwaad op je. Ik had net in de kranten gelezen dat je Colin Quinn in New York had opgezocht. Ik kon jullie wel vermoorden.'
'Hij vond echt dat ik het je moest vertellen en dat probeerde ik ook, maar toen je zo wegliep, deed dat me pijn en ik beloofde mezelf dat ik me nooit meer door jou zou laten kwetsen.'

'Dus al die tijd dat we samenwerkten was je...?'
Ze knikte.
'Maar we waren een paar keer heel intiem. Had je me niet een tweede kans kunnen geven?'
'Ik wilde de laatste avond na de uitzending met je praten, maar toen zag ik Penelope Cruz...'
'Wie?'
'Je vriendinnetje, iedereen vond dat ze leek op Pen...'
'Alsjeblieft zeg, zij was geen vriendinnetje van me, ik kende haar nauwelijks. Ze is een vriendin van mijn zus. Ik had haar meegenomen omdat de redacteur had gezegd dat iedereen een partner mee zou nemen. Ik denk niet dat ik die avond meer dan twee minuten met haar gepraat heb. Ik heb wel verschillende keren geprobeerd met jou te praten...'
'Ik was te kwaad op je. Ik was ook heel erg jaloers...'
'Dat had je niet hoeven te zijn.'
'Ik was zwanger, weet je nog, de hormonen gierden door mijn keel.'
'Toen stuurde ik je bloemen, tekstberichten... ik wilde zo graag met je praten...'
'Waarschijnlijk heb je het niet hard genoeg geprobeerd. Ik wist zeker dat je niets om me gaf en ik was niet van plan je in een val te laten lopen.'
'Had ik niet het recht om het te weten?'
'Ja, dat zie ik nu ook in. Het spijt me. Maar toen ik je die dag zag met dat meisje in je appartement, zo snel al, stortte mijn wereld in en ik denk dat ik je daarna nooit meer echt vertrouwde...'
Nu moest hij zijn kant van het verhaal vertellen.
'Ik ben niet trots op die dag. Ik ging uit, raakte dronken die avond en op de een of andere manier belandde zij in mijn huis. Dat zou ik normaal gesproken nooit doen, je weet hoe paranoïde ik ben wat betreft mijn privacy. Ik stond de volgende ochtend op en ze lag op mijn bank te slapen. Ik kan je niet zeggen dat er niets gebeurd is, daarvoor was ik te ver heen. Het spijt me om wat het met je heeft gedaan, maar ik was woedend nadat ik je met Paul had gezien.'
'Maar er is toen niks gebeurd.'
'Ik zag hem zijn auto uitstappen, ik stond vlak achter hem, wil-

de bij je aanbellen om je over te halen een uurtje naar dat feestje te gaan. Toen hij je huis binnenging, wist ik bijna meteen wie hij was. Ik weet niet waarom. Ik ging terug naar mijn auto, en toen zag ik jullie boven in de slaapkamer staan en jou de gordijnen dichtdoen... Ik kon het niet geloven. Het licht ging uit en ik bleef zo uren buiten staan. Een paar keer probeerde ik je te bellen. Toen ging ik terug naar het feest. Ik bleef als laatste tot bijna zes uur. Ik liep weer langs je huis en zag dat zijn auto er nog stond.'

'Er was niks gebeurd, ik zweer het je. We praatten een uur of zo. Hij had gedronken toen hij aankwam, dus moest hij zijn auto laten staan. Hij wilde me terug, zei hij; ik vertelde dat het voorbij was. Ik weet niet waarom, ik besefte pas op dat moment dat ik niet meer van hem hield.' Ze keek hem recht in zijn ogen. 'Volgens mij had dat met jou te maken.'

Ze zette Freddie voorzichtig op de grond en liep op hem af, ze wilde heel dicht bij hem zijn.

'Ik hou van je.' Ze keek naar hem op. 'Al een hele tijd.' Hij omhelsde haar en hield haar zo stevig vast als hij maar kon.

'O god, wat wilde ik dit graag horen.'

Zo bleven ze een tijdlang staan, totdat Chris zich langzaam uit de omhelzing losmaakte. Hij keek naar het jongetje dat zijn been vasthield en rechtop probeerde te staan. Hij tilde hem op, zwaaide hem door de lucht tussen hen in, kuste hem en glimlachte.

'Hé, Freddie, ik ben je pappa.'